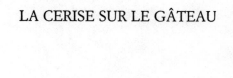

LA CERISE SUR LE GÂTEAU

Aurélie Valognes

La Cerise sur le gâteau

MAZARINE

Couverture :
Conception graphique : Cédric Parisot
Motifs : © Serghei / stock.adobe.com
Photographie d'Aurélie Valognes :
© Thomas Laisné/Contour by Getty Images.

Citations :
P. 7 : Eric Hoffer, *The Ordeal of Change*
© Hopewell Publications, 2006.
P. 76 : « Le premier jour (du reste de ta vie) »
(Étienne Daho/Sarah Cracknell/Jonathan Male/Guy Batson)
© Universal Momentum Ltd/Satori Song,
extrait de l'album *Singles*, Virgin, 1998.
Avec l'aimable autorisation
d'Universal Music Publishing France et de Satori Song
P. 92 : Larousse © Larousse, 2019.
P. 97 : Paul Valéry, *L'Idée fixe ou Deux Hommes à la mer*
© Les Laboratoires Martinet, 1932.
P. 406 : Pierre Rabhi, *Vers la sobriété heureuse*
© Éditions Actes Sud, 2010.
P. 407 : *Les Bronzés* de Patrice Leconte, avec Josiane Balasko,
Michel Blanc, Marie-Anne Chazel, Christian Clavier,
Gérard Jugnot, Thierry Lhermitte et Bruno Moynot,
© 1978 STUDIOCANAL.

ISBN : 978-2-86374-481-9
© Mazarine/Librairie Arthème Fayard
Dépôt légal : mars 2019

*Il est plus facile d'aimer
l'humanité en général que son voisin.*

Eric Hoffer

ÉTÉ 2016

– 1 –

La vérité sort de la bouche des enfants

Comme une autruche, Bernard avait toujours brillé par sa technique d'évitement. Il suffisait que l'on ait besoin de lui pour qu'il soit par monts et par vaux, à se dérober, tout en pensant que son entourage ne le voyait pas. Il dégotait immanquablement une excuse professionnelle de dernière minute pour échapper aux obligations familiales. Plus encore lorsque l'on mentionnait des mots comme « maladie », « funérailles » ou « enfants à garder ».

Son épouse, Brigitte, jonglait avec les contraintes comme avec ses casseroles, dans lesquelles elle préparait, toujours, une multitude de plats différents pour satisfaire ses convives. Elle parvenait à contenter ses engagements d'enseignante et ses priorités parentales avec une aisance déconcertante. Comme ce jour-là, quand sa belle-fille, Alice, qui venait de perdre soudainement sa mère, lui demanda, au pied levé, de prendre soin de la petite dernière.

En plus de son chagrin, Alice devait porter le poids des responsabilités. Un enterrement à organiser, en banlieue bordelaise, près de chez Brigitte et Bernard, mais loin de son domicile parisien ; un mari en déplacement à faire revenir d'urgence ; et aucune autre famille pour la soutenir – puisqu'elle n'avait jamais connu son père, ni eu de frère ni de sœur.

Lorsqu'elle entra chez sa grand-mère, la petite Charlotte était encore toute lovée dans les bras d'Alice, qui eut bien du mal à lui faire lâcher prise.

– Allez, bisous, ma chérie. Je file. Merci pour tout, Brigitte. Vous êtes un ange. Soyez sages toutes les deux. Pas de bonbons ni d'écrans, recommanda la jeune mère, en inspirant profondément pour se donner du courage face à la journée éprouvante qui l'attendait.

À l'arrière du véhicule, son deuxième enfant, Paul, 6 ans, dormait du sommeil du juste. Le petit garçon, devant la tristesse de sa maman, tenait absolument à rester à ses côtés pour saluer Mémé une dernière fois. Brigitte déposa une bise tendre sur la joue de son petit-fils assoupi, avant d'enlacer sa belle-fille.

– Bonne route, Alice. Ne t'inquiète de rien : on sera sages avec Charlotte. N'hésite pas si je peux faire quoi que soit d'autre.

La petite Charlotte, des trémolos dans la voix, semblait inconsolable. Son doudou était trempé. Brigitte, elle, était ravie de passer enfin un peu de temps en tête à tête avec sa petite-fille de 4 ans. Brigitte avait toujours trouvé qu'elle avait une bouille à croquer : de grands yeux curieux, des joues roses et rebondies, et des cheveux châtain clair, aussi indomptables qu'elle.

– Mais il ne faut pas pleurer, ma puce ! Ta maman revient demain. Nous allons rester rien que toutes les deux. Et puis, ce n'est pas très rigolo, tu sais : ils vont dire au revoir à Mémé.

La fillette était plus attristée d'être séparée de sa mère, dont elle ne se décollait jamais, que d'avoir perdu son autre grand-mère. Cela faisait cinq minutes que les larmes coulaient et, comme pour les plaisanteries, la vie avait appris à Brigitte que les plus courtes étaient les meilleures. Il leur fallait une diversion. Et vite.

— Viens, on va boire un bol de chocolat chaud, et je vais te préparer une tartine « spéciale ». Ta préférée ! continua-t-elle.

— La « spéciale », c'est la tartine double ? Avec le beurre et la confiture, partout partout, même dans les trous ? questionna Charlotte, subitement très intéressée.

— Oui ! confirma Brigitte. Avec la confiture que l'on a faite ensemble l'année dernière.

— D'accord, je veux bien. Mais il est où, Papy ? interrogea Charlotte en scrutant chaque coin de la maison.

— Tu sais bien, il est au travail, rappela la grand-mère.

— Encore ? Il est jamais là... remarqua la fillette, ce à quoi Brigitte se retint d'ajouter : « À qui le dis-tu. » Avec un sourire fripon, la grand-mère chuchota :

— Oui, mais quand le chat n'est pas là... les souris dansent.

Après avoir avalé sa tartine à la groseille et s'en être barbouillé généreusement la bouche, Charlotte descendit des genoux de sa grand-mère qui lui tressait les cheveux.

— Moi, je suis pas triste : Mémé, je l'aimais bien, elle me donnait plein de bonbons, mais elle piquait trop sur le menton. Et puis, qu'est-ce qu'elle m'énervait : il fallait toujours qu'elle me redemande dans quelle classe j'étais. Elle disait tout le temps : « Mais qu'est-ce que t'as grandi. » La barbe !

Visiblement, le chagrin, comme la faim, avait disparu. Charlotte fila au salon. La tête enfouie dans une grande malle descendue du grenier pour l'occasion, la petite fille fouillait au petit bonheur la chance. Brigitte s'était cassé la tête pour trouver tout un tas d'activités nouvelles qui feraient passer le temps, mais, finalement, sa petite-fille avait opté pour les trésors poussiéreux qui avaient enchanté les générations précédentes.

– Mamie, qu'est-ce que c'est, ça ?

Charlotte venait d'extraire un ancien téléphone à cadran. Les vieux objets vintage avaient rejoint les autres antiquités depuis peu.

– Bah, c'est un téléphone, ma puce !

– Mais pourquoi il y a un fil ? demanda naïvement la fillette.

– Parce qu'*à l'époque* les téléphones en avaient.

Charlotte resta pensive avant de poursuivre.

– Mamie, tu as connu la guerre ?

– Non.

– Et les dinosaures ? poursuivit Charlotte avec une logique bien à elle.

Brigitte faillit s'étrangler.

– Non plus. Tu sais que je ne suis pas si vieille que ça. Il n'y a pas si longtemps, j'étais une petite fille, comme toi.

– C'est vrai ? lâcha Charlotte, interloquée.

Brigitte lui fit un baiser avant de se lever vers la bibliothèque.

– Attends, je vais te montrer une photo. Où ai-je rangé l'album ?

– Dans ton portable peut-être ? osa la petite. Tu peux me le passer, moi je sais faire, tu sais.

Brigitte sourit. Elle parcourut les étagères encombrées, saisit deux épais classeurs et revint s'asseoir à côté de sa petite-fille, son doudou sur les genoux. Il ne la quittait décidément jamais.

Ouvrant le plus ancien, Brigitte pointa du doigt une photographie d'enfant en noir et blanc, jaunie par les années.

– Ça, c'était moi, je devais à peu près avoir ton âge.

Brigitte décolla le cliché, le retourna et confirma :
– Oui, comme toi, j'avais 4 ans.
– Tu avais des cheveux de garçon, fit remarquer Charlotte, l'air sceptique. C'était pas très beau. Moi, ils sont plus longs.

Sautant du coq à l'âne, la petite fille susurra à l'oreille de Brigitte :
– Dis, Mamie, je peux avoir un bonbon, s'il te plaît ? quémanda-t-elle, avant de lui offrir son plus beau sourire.

Devant la mine séductrice de sa petite-fille, Brigitte céda aussitôt, sans culpabiliser outre mesure malgré les jolies promesses qu'elle avait faites à sa belle-fille.
– OK, mais tu ne le diras pas à ta maman.

Dans la boîte posée sur la table basse, Brigitte saisit un crocodile gélatineux qu'elle tendit à Charlotte, puis elle attrapa le deuxième album.
– Ah ! On arrive aux années qui t'intéressent sûrement plus : celles de l'enfance de ton papa. Là, Nicolas apprenait à faire du vélo avec moi, et ici il nageait pour la première fois. Regarde, il a une ceinture, sans aucune bouée : il pensait encore être soutenu au cas où. Et, là, quand il a perdu sa première dent.

Charlotte, absorbée par ces images d'un autre temps, où son père était enfant et où elle n'existait pas, se rendit soudain compte de quelque chose qui clochait.
– Pourquoi Papy il est jamais sur les photos ? observa-t-elle finement.
– Parce qu'il était rarement avec nous : tu sais, il travaille beaucoup, ton grand-père, essaya d'expliquer Brigitte.
– Bah, moi, je dis que son travail doit pas le rendre très heureux : il est pas souvent là, et quand il est avec nous, il fait toujours que râler. Un peu comme mon papa, d'ailleurs.

Si cette constatation à propos de son mari était loin d'être erronée, elle la surprenait davantage concernant son fils.

— C'est vrai ? Pourtant, ton papa, c'était un vrai clown, petit. Il n'était pas très sage, mais il ne se plaignait jamais. Toujours à faire des bêtises.

— Et il mangeait des bonbons ? relança Charlotte, très intéressée d'entendre d'autres anecdotes sur son père.

— Oui ! Plein ! En secret, mais je savais tout... conclut Brigitte dans un chuchotement.

— Et c'est qui, la jolie dame, là ? interrogea Charlotte, en pointant du doigt une femme qui riait aux éclats avec Nicolas.

Brigitte ne comprit d'abord pas la question, puis répondit, telle une évidence :

— Bah, c'est moi !

Charlotte explosa de rire.

— Tu es trop drôle, Mamie, à toujours faire des blagues ! Tu es pas possible, toi, vraiment ! Hein, Doudou, elle est trop rigolote, Mamie ?

Le lapin en peluche semblait confirmer. Sur le portrait, Brigitte avait quarante ans de moins et, visiblement, la ressemblance avec aujourd'hui n'était pas flagrante. La vérité sort de la bouche des enfants ! songea-t-elle en saisissant sur portable qui venait de recevoir un MMS.

— Tiens, ta maman a envoyé un message. On va l'ouvrir ensemble. Mais qu'est-ce que c'est ? se demanda Brigitte alors qu'elle tendait le bras pour mieux discerner l'image malgré sa presbytie.

— Bah, c'est une toute petite boîte, Mamie ! commenta avec aplomb Charlotte qui s'était faufilée au plus près de l'écran.

— Oh, mon Dieu, mais pourquoi ta mère m'envoie ça ! s'exclama la grand-mère devant l'image d'une urne funéraire.

— Qu'est-ce que c'est ? interrogea la petite fille.

La grand-mère sembla hésiter.

— C'est Mémé, lâcha-t-elle d'un coup.

Charlotte se gratta la tête.

— Mais elle est où, Mémé ?

— Dans la boîte.

— Mamie, tu dis n'importe quoi : elle est trop petite, la boîte ! fit judicieusement remarquer Charlotte.

— Non, ma puce, car… on a « brûlé » Mémé, finit par admettre la grand-mère, qui se dépatouillait comme elle pouvait.

— Ah, d'accord !

La petite avait une réponse, cela semblait lui suffire. Brigitte voulut refermer son téléphone pour couper court à cette discussion qui l'embarrassait de toute évidence plus que sa petite-fille, quand une autre photographie s'afficha, accompagnée d'un petit message pour Brigitte que cette dernière n'eut pas le temps de lire, attisant à nouveau la curiosité de Charlotte.

— Et qu'est-ce qu'ils font, là ? demanda la petite fille en inclinant la tête, aussitôt imitée par sa grand-mère.

— Apparemment, ils enterrent la boîte.

— Mais pourquoi ?

— Ça, je ne sais pas, ma puce… Et si on lisait une histoire ? ajouta-t-elle en parvenant enfin à éteindre son portable.

Le roman qu'elles avaient choisi était *Les Quatre Filles du docteur March*. Charlotte adorait cette histoire de sœurs, elle qui n'en avait pas, et n'avait qu'un frère « nul », comme elle disait. Elle ne pouvait cependant pas s'empêcher d'entre-couper le récit de multiples questions :

— C'est laquelle ta préférée, Mamie ?

— Je crois que c'est Jo. Et pour toi, ma puce ?

— Moi aussi, mais, moi, j'aurais jamais coupé mes cheveux pour de l'argent. J'aurais donné la Carte bleue de Maman. On se lave pas aujourd'hui. Hein, c'est vrai, Mamie ?

— D'accord, mais on ne le dit pas à Maman, non plus.

— OK. Chut et mouche bossue, susurra Charlotte.

Le lendemain, après avoir fait une toilette matinale express, Charlotte fit honneur au petit-déjeuner de sa grand-mère, engloutissant une ration impressionnante de tartines à la groseille.

— Tu manges pas, Mamie ? Elle est vachement bonne, ta confiture ! constata Charlotte, le visage barbouillé de fruits rouges.

— Non, je n'ai pas très faim, j'ai comme une boule dans la gorge, expliqua la grand-mère.

— Je sais ce que c'est, moi, répliqua la petite fille la bouche pleine. Je suis la meilleure quand on joue au Docteur.

— Ah bon ? demanda Brigitte. Alors, Docteur, qu'est-ce que j'ai, selon vous ?

Charlotte saisit sa petite cuillère, l'appuya sur la gorge de la malade et dit d'une voix assurée :

— C'est un cas classique chez mes patients : c'est la Pomme des Dents !

— Pomme des dents ? Vous êtes sûre, Docteur ?

— Bah, oui ! Une boule dans la gorge, ça s'appelle la « Pomme des Dents ». Tous les papas ont ça.

Brigitte fit une moue chagrine : le diagnostic de Charlotte était pertinent à un détail près.

– Tu auras remarqué que je ne suis pas un homme, quand même...

– Mémé avait bien de la barbe, et c'était pas un monsieur non plus... Alors, moi, je dis qu'en médecine tout est possible, conclut la fillette avant de descendre de sa chaise. J'entends une voiture, on va voir si c'est Maman et Paul ?

– Ça se tient... murmura Brigitte, impressionnée par la logique implacable de sa petite-fille.

À défaut d'avoir une pomme d'Adam, Brigitte en avait gros sur la patate. La grand-mère essuya quelques larmes dans son tablier, avant de retrouver Charlotte, sur la pointe des pieds, accoudée à la fenêtre, observant la voiture de sa mère qui se garait. Brigitte et la fillette allèrent à leur rencontre.

Quand Brigitte et Charlotte s'approchèrent, Paul sauta dans les bras de sa grand-mère, trop heureuse qu'il soit cette fois-ci éveillé. Alice et les enfants avaient encore beaucoup de route avant de regagner Paris, et ils devaient repartir sans tarder. La belle-fille remercia une nouvelle fois Brigitte, elles s'embrassèrent très chaleureusement, puis Alice, rangeant la valise de Charlotte dans le coffre, promit de faire des pauses régulières et d'appeler une fois arrivés.

Alors que Brigitte faisait un dernier câlin à sa petite-fille, celle-ci remarqua :

– Mais tu es toute salée, Mamie ! Il faut pas pleurer. Je reviens dans deux mois pour les grandes vacances.

Dans un chuchotement baveux à l'oreille, Charlotte continua :

– J'ai laissé une surprise pour toi : elle est dans la cuisine. Bisou Mamie chérie !

Les yeux embués, après avoir regardé la voiture partir au loin, Brigitte découvrit sur la nappe vichy de la cuisine la fameuse surprise. La tartine « spéciale » : beurre et confiture. À côté, un beau dessin d'elles deux, dans lequel volaient des bonbons, quatre sœurs et une « petite boîte ». La liste illustrée des secrets qu'elles avaient partagés et qu'elles garderaient seulement pour elles.

Vingt-quatre heures venaient de filer, une parenthèse enchantée se refermait. Brigitte attendait avec impatience la prochaine, mais, cette fois-ci, elle avait décidé de ne pas s'en remettre au destin. De la poche de son tablier, elle sortit un dernier souvenir de la petite fille. Son doudou.

À quoi bon être une grand-mère si c'est pour ne jamais faire de bêtises ?

– 2 –

Roulez jeunesse !

Quand le mari de Brigitte rentra de sa journée de séminaire, qu'il lui avait été impossible de rater – « une question de vie ou de mort », avait-il précisé –, il découvrit, en lieu et place de sa maison, un véritable capharnaüm. Bernard, plutôt habitué à ce que tout soit impeccablement tenu – son intérieur, son jardin, ses habits –, tomba des nues. Il ne put contenir une légère irritation.

– Brigitte ! Tu es où ?

– Dans le salon, répondit son épouse d'une petite voix.

Bernard et l'empathie, cela avait toujours fait deux. Se soucier des autres demandait du temps, et Bernard n'en avait pas. Il courait, il était pressé, et il traitait les « informations » familiales comme dans sa profession : avec distance, sans implication personnelle, ne se doutant pas que les autres puissent être dotés d'une sensibilité différente de la sienne. Si son quotient intellectuel était supérieur à la moyenne, son quotient émotionnel volait au ras des pâquerettes. Il ne remarqua donc pas la mine déconfite de Brigitte, recroquevillée au fond du canapé, et continua son interrogatoire :

– Qu'est-ce qui s'est passé ici ? Un tsunami ?

– Tu te souviens que Charlotte est venue... reprit Brigitte en se levant pour l'embrasser.

– Eh bien, on peut dire qu'elle a une sacrée énergie, constata Bernard en scrutant, médusé, les jouets éparpillés autour de la malle.

Il réfléchit un instant, car un détail ne collait pas.

– Et pourquoi, déjà, avons-*nous* dû la garder ?

– … parce qu'Alice vient de perdre sa maman… rappela Brigitte du ton le plus zen qu'elle put.

La sexagénaire passait sa vie à expliquer à son mari les mêmes choses, mais, chez lui, ça entrait par une oreille et ressortait aussitôt par l'autre.

– Ah oui, c'est vrai. Tu as décidé de tout laisser comme ça ? Tu trouvais que c'était trop bien rangé avant ? la taquina-t-il en se baissant pour attraper les objets échappés de la malle.

Brigitte vint s'agenouiller à ses côtés.

– J'ai fait une bêtise, mon Bernard. J'ai kidnappé Doudou, avoua-t-elle en dévoilant la peluche.

– J'appelle immédiatement la police. Je te préviens : je ne tomberai pas pour toi, répliqua aussitôt Bernard, sur un ton complice.

– Vas-y, je n'ai pas peur de la prison. Par contre, je m'en veux : Alice n'avait pas besoin de ça en ce moment, elle n'a plus que nous désormais. Je n'ose pas imaginer dans quel état elle est – surtout si ça fait deux heures qu'elle retourne son appartement à la recherche du lapin, murmura-t-elle, coupable.

Une fois la malle à nouveau remplie de ses trésors, Bernard tendit une main à son épouse pour l'aider à se relever. Puis il osa lui demander :

– Mais pourquoi as-tu fait ça ?

– J'en ai marre de ne jamais voir nos petits-enfants, expliqua-t-elle en pénétrant dans la cuisine. Et encore, j'ai eu de la chance qu'on me confie Charlotte au débotté : tu la verrais… Elle a encore grandi, et elle a une sacrée repartie. Je me demande bien de qui elle peut tenir, s'arrêta-t-elle, interrogative, la tête dans le frigo. Des pâtes ?

– Attends, ils avaient emmené Paul à l'enterrement ? reprit Bernard. À son âge ? Il n'a pas dû comprendre grand-chose, le pauvre. Enfin, j'espère. Oui, des pâtes à la sauce tomate, ça ira très bien.

Brigitte mit de l'eau à bouillir, oubliant d'actionner la hotte et créant ainsi une buée persistante autour d'eux, avant de reprendre :

– Tu verrais Alice, toute cernée, amaigrie. Et si j'ai bien compris, Nicolas, ce n'est pas mieux. Je les sens au bout du rouleau. Je crois qu'ils ont besoin de souffler un peu et j'ai envie de les aider, conclut-elle en s'adossant au plan de travail.

Ils avaient eu assez souvent cette discussion pour que Bernard comprenne le sérieux de la situation. Brigitte n'eut pas besoin d'en dire davantage : son mari lut immédiatement entre les lignes.

– Tu veux prendre ta retraite ?

Sans répondre, Brigitte, le regard baissé, attrapa les ciseaux, puis coupa quelques feuilles de basilic, avant d'admettre :

– Oui, j'en ai marre de les voir deux fois par an, ou quand il y a un enterrement. Je ne veux pas que la prochaine fois ce soit le mien ! termina Brigitte avec fougue.

Devant l'impassibilité de son mari face à son air insistant qui cherchait pourtant l'approbation, elle déploya son arme de séduction massive : ses yeux de biche aux battements de cils aguicheurs. Ils s'étaient révélés imparables depuis près de quarante ans.

– Ah non, ne me fais pas ton regard de chien battu, coupa Bernard pour se soustraire à toute tentative de persuasion malhonnête. Tu fais ce que tu veux, tant que cela ne change rien de mon côté. Mais la retraite, moi, ce n'est pas demain la veille...

Un an plus tard

Les carottes sont cuites

Comme chaque année au mois d'août, Bernard et Brigitte avaient invité dans leur maison bordelaise leur fils unique, Nicolas, sa femme, Alice, leurs petits-enfants, Paul et Charlotte, ainsi que Marguerite, la mère de Bernard, que Brigitte voyait désormais très régulièrement depuis qu'elle était à la retraite.

La maîtresse de maison se leva de table pour débarrasser les quatre plats de résistance qu'elle avait mitonnés pour le dîner. De la voir concocter un plat végétarien bio, un sans gluten et un bien cuit, en plus du sien, contrariait sérieusement Bernard, qui pourtant n'avait jamais mis les pieds dans une cuisine. Brigitte aimait recevoir et faire plaisir : on lui aurait demandé d'en préparer dix qu'elle n'aurait pas été plus ennuyée. Ce qui la chagrinait était plutôt les ronchonnements incessants de son époux, qui rabâchait inlassablement : « Et en plus, ils ne sont même pas allergiques ! C'est juste pour nous faire suer ! »

Bernard et Brigitte étaient un couple atypique, certains observateurs diraient « mal assorti », d'autres plus pacifistes les qualifieraient de « complémentaires ». Elle, posée, solaire, tournée vers les autres. Lui, stressé, stressant, et surtout tourné vers son nombril. Brigitte était le roc, Bernard l'envahissant parasite. Dépendant, toujours à compter sur les autres pour sa survie. Comme une moule et son rocher.

Brigitte avait attendu patiemment que le gâteau fût englouti pour annoncer une grande nouvelle à sa famille. Alors que son mari tirait une tête de six pieds de long et faisait trembler du genou toute la tablée, Brigitte semblait aussi excitée qu'une enfant au soir de Noël. Agrippée d'une main à sa petite cuillère et de l'autre au genou de son époux, la sexagénaire fit tinter le Pyrex de son verre, avant de s'éclaircir la voix.

— Mes chers enfants, chère Marguerite, nous avons quelque chose d'important à vous annoncer : Bernard a décidé de prendre sa retraite !

Personne n'entendit le grommellement de l'intéressé, couvert par les « déjà ? » et les « félicitations ». On trinquait et lui sombrait.

Ce que Brigitte et Bernard leur cachaient, c'est qu'il n'avait pas *vraiment* décidé, à 61 ans, de raccrocher les crampons. On l'avait « mis en retraite ». On s'était débarrassé de lui, le forçant à partir de manière anticipée. Poussé, depuis son placard en plaqué or, vers la sortie. *Au revoir, au revoir, Président !* Il avait suffi que ses patrons se rendent compte que ce directeur financier avait soufflé ses 60 bougies pour que la chasse aux sorcières soit lancée. Contrairement au loto, il n'avait pas tiré le gros lot. Lui, il aurait signé illico pour un « métro, boulot, dodo » à vie, mais on le condamnait à la carte vermeil.

— Tu as déjà une idée de comment occuper ton temps, Papa ? lui demanda Nicolas, soucieux.

— Non, pas vraiment, dut admettre Bernard. Mais tu me connais, je ne tiens pas en place : je vais trouver rapidement.

Ne t'inquiète pas. Je n'ai pas besoin de préparer quoi que ce soit.

Sa mère, Marguerite, 95 ans, assise en bout de table, émit un petit rire nerveux qui n'échappa à personne. Elle connaissait suffisamment bien son fils pour savoir que, avec une tête dure pareille, la pilule allait être bien difficile à avaler, surtout pour son entourage. Elle lança :

— Si c'est pour rester assis toute la journée dans ton fauteuil, tu vas prendre dix ans en un an. Crois-en ma vieille expérience, Bernard.

Quelques décennies auparavant, Marguerite avait connu une situation compliquée, lorsque son mari, Eugène, avait arrêté de travailler : la crise avait été écourtée, bien malgré eux, avant qu'il n'ait eu le temps d'en profiter. Eugène avait tiré sa révérence.

Devant les coupes qui se remplissaient de champagne, Marguerite se souvint que, elle aussi, avait une déclaration à faire. Elle s'éclaircit la voix, et aussitôt le silence se fit. Tous savaient qu'avec les années la langue de Marguerite — qu'elle n'avait jamais eue dans sa poche — se déliait de plus en plus.

— Mes enfants, en parlant de retraite, eh bien, moi, j'ai préparé mon enterrement. Comme ça, c'est fait ! Je ne voudrais pas que vous bâcliez ça également, lâcha-t-elle d'un trait.

— Également ? Il y a un message caché ? se vexa Bernard, avant de se souvenir que les funérailles de la mère d'Alice avaient pris tout le monde de court.

Alors que Brigitte allait inviter les convives à passer au salon, Marguerite embraya de plus belle, la stoppant net dans son élan.

– Pour le cercueil, ce n'est pas compliqué, j'ai choisi le même que Yves Saint Laurent. J'avais hésité à me faire inséminer…

– Incinérer, tu veux dire, car je pense que tu es un peu vieille, Maman, pour avoir des enfants, se moqua Bernard sous l'œil rieur des adultes.

– C'est exactement ce que j'ai dit ! rétorqua la vieille dame, tout à fait consciente que sa langue avait fourché. Et après, on veut me faire croire que c'est moi qui entends mal ou que je perds la boule… continua-t-elle avec un soupçon de mauvaise foi.

– Ça veut dire quoi, incinérer ? demanda Charlotte, qui ne faisait pas le lien un instant entre la discussion qui se déroulait et le dernier voyage de Mémé.

– Va jouer dans le grenier avec ton frère, mon cœur, l'invita Alice.

La petite fille monta, les quatre adultes autour de la table restèrent cois. Pris au dépourvu. Ils ne savaient pas comment enchaîner sur un autre sujet. L'aînée, elle, était lancée.

– Pour la musique, vous vous débrouillerez comme vous voulez : je ne veux pas d'un orgue dans l'église, mais un vrai piano. Parfois j'entends des abrutis qui disent : « Ne préparez pas votre mort, laissez cela aux vivants, c'est mieux pour eux ! » Mais quelle absurdité ! C'est mieux pour personne. Dans ces cas-là, on n'a pas la tête aux détails, hein, Alice ? Vous serez bien plus heureux de vous dire : « Elle aurait été contente, on a accompli tout ce qu'elle souhaitait. » Et puis, ce n'est pas parce qu'on a raté sa vie, qu'il faut rater ma mort.

Alice, d'abord tendue, ne put retenir un léger rictus, puis Bernard, Brigitte et Nicolas se mirent à rire nerveusement :

Marguerite avait toujours le don pour être là où on ne l'attendait pas.

— Alors, je vous ai préparé vos discours, je ne vous les distribue pas maintenant, mais sachez que le notaire les a. Idéalement il faudrait faire parler quelqu'un qui pourrait pleurer pour de vrai. Bernard, les mouettes ont pied ! disputa Marguerite en tendant à son fils son verre de vin vide, ignorant totalement le froid qu'elle avait jeté.

Charlotte et Paul revinrent à table pour grappiller les dernières parts de gâteau au yaourt.

— Est-ce que je peux avoir de la confiture de Mémé Rabelle ? demanda Paul.

— C'est qui, cette mémé ? demandèrent vexées Brigitte et Marguerite, en chœur.

— Mi-Ra-Belle, nounouille, rectifia Charlotte, qui avait toujours été plus dégourdie que son grand frère.

— Bon, on joue ou pas ? s'agaça Marguerite en sortant subitement de table. Je n'ai pas toute la vie devant moi. Pour une fois qu'on est en famille, profitons-en.

Le Mah-jong était leur jeu préféré. Les enfants s'installèrent pour observer les grandes personnes, qui toutes, sauf Brigitte, se préparaient avec la détermination du vainqueur. Paul demanda si, comme pour Charlotte, on devait laisser gagner l'arrière-grand-mère. Sa mère répondit qu'il n'en aurait pas l'occasion. Bernard avait l'honneur de distribuer les pièces pour les quatre joueurs.

— Applique-toi, veux-tu, Bernard. Tu me sers très mal ! enguirlanda l'arrière-grand-mère à chaque tuile qu'elle découvrait.

Marguerite ne faisait que soupirer, râler, tapoter la table des doigts à chaque fois qu'un joueur rejetait une pièce qu'elle convoitait et dont elle n'avait pas le droit de se saisir. Elle trépignait d'impatience depuis plusieurs minutes, quand enfin :

— Mah-jong ! Encore gagné ! célébra l'aînée en affichant un grand sourire.

Quatre parties s'étaient succédé, et invariablement c'était Marguerite qui rassemblait en premier sur son chevalet la combinaison gagnante. Elle avait une chance insolente, qui ne manqua pas d'agacer ses partenaires. Notamment Bernard, qui ne se déridait pas.

— J'arrête de jouer avec toi, Maman. Tu as une chance de pendue.

— Alors, on joue au docteur, Papy ? demanda Charlotte, qui, engluée dans l'ennui, trifouillait le portable de ses parents en guettant le moment tant attendu où la partie des adultes prendrait fin.

— Ah non, ça m'angoisse. À mon âge, le médecin, c'est comme aller au casino : j'ai l'impression, à chaque fois, que je joue ma vie à la roulette russe.

— Laissez votre grand-père ronchon, rappela Nicolas. C'est un mauvais perdant.

— Et avec l'âge, ça ne s'arrange pas, fit remarquer Brigitte d'un clin d'œil. Venez m'aider à faire les cafés.

Revenue de la cuisine avec les tasses fumantes qu'elle avait préparées avec leur nouvelle machine à capsules, Brigitte surprit Bernard le nez dans son téléphone, alors qu'elle l'avait chargé de relancer la conversation en son absence. Brigitte caressa la main de son mari avant de lui confisquer son portable qui vibrait.

— Mais… c'est une urgence, je dois prendre, improvisa-t-il.

— Un samedi soir ? chuchota-t-elle, peu dupe. Bernard, tu n'es pas médecin, et je crois que l'on n'a jamais vu une urgence de mascara. Profite de ta famille, ce n'est pas tous les jours qu'ils sont là, quand même.

Leur aparté, supposément discret, n'échappa à personne. Il faut dire qu'ils étaient tous soucieux du sort de ce roi de la calculatrice bien rodée, qui allait devoir se passer de son emploi. L'entreprise de cosmétiques – où il avait fait toute sa carrière, entré comme stagiaire, avant de gravir les échelons un à un, pour finir directeur financier, sous les ordres de M. Godard le P-DG, avait conditionné plus que des shampooings : elle avait conditionné son existence. Bernard ne se posait même plus la question de savoir s'il travaillait pour vivre ou s'il vivait pour travailler.

– Je te préviens, Brigitte, le mois qu'il me reste, je le fais à fond !

– Surtout si c'est le dernier de ta vie, plaisanta à demi-mot Nicolas. Sur ce, on va se coucher, on est fatigués, décréta-t-il après avoir bu d'un trait son café décaféiné. Bonne nuit. À demain, et encore félicitations, Papa !

Nicolas savait qu'il allait passer une mauvaise nuit à cogiter sur le sort que l'avenir réservait à son père. Il était intimement effrayé à l'idée qu'un bourreau de travail pareil ne s'en relèverait jamais.

De son côté, même si la devise d'Alice à propos de son beau-père était « Moins on le voit, mieux on se porte », la jeune femme ne lui souhaitait pas le pire. Juste qu'il en prenne pour son grade, après avoir toujours fait passer son travail avant sa famille – son mari, Nicolas, et ses enfants, Charlotte et Paul, inclus. Elle, qui s'évertuait à être Superwoman, au top sur tous les fronts, au point d'en baver souvent, trouvait cela « un peu facile » de déléguer le domestique à Brigitte et de demander à ce que la Terre tourne exclusivement autour de lui.

Le beau-père et la belle-fille avaient un passif plutôt houleux. Il lui reprochait son féminisme, elle son égoïsme. Dans l'intimité, ils s'affublaient de petits surnoms dignes d'un reportage animalier : le dragon pour l'une, le blaireau pour l'autre.

— Bonne nuit, Bernard, et encore félicitations pour votre retraite, lança-t-elle avant de se tourner vers son mari et souffler : Ça va être un carnage !

— Je vais également rejoindre mes pénates. On vous souhaite bien du courage, Brigitte ! appuya Marguerite de sa voix la plus claire.

— Oh, ne vous inquiétez pas. Cela va prendre deux minutes de tout mettre au lave-vaisselle. À demain matin.

— Je ne parlais pas de la table à débarrasser... conclut l'aînée en tapant sur l'épaule de Brigitte.

– 4 –

Des vertes et des pas mûres

Quelques minutes plus tard, après avoir regardé sa femme enchaîner moult allers-retours entre la cuisine et le salon, rangeant et dressant la table du petit-déjeuner, Bernard, imperturbable dans son fauteuil, lâcha :

– Tu devrais te simplifier la vie avec le ménage, Brigitte. À chaque fois que la famille vient, c'est branle-bas de combat.

– Pas du tout, et si cela me fait plaisir, qu'est-ce que ça peut te faire ? rétorqua son épouse.

– Je sens qu'un jour tu vas me demander de l'aide. Moi, je préfère te le dire tout de suite, je ne cautionne pas, décréta Bernard, espérant se dédouaner à jamais.

Chargée d'un plateau rempli de confitures et de miel, Brigitte s'arrêta net. Puis le posant abruptement sur la table, elle prit son époux à son propre jeu.

– OK, alors pour me faciliter les choses, justement, j'aimerais bien prendre l'aspirateur Dyson, ajouta-t-elle. Il m'a l'air...

– Pardon ? Tu sais combien ça coûte ? s'étrangla Bernard en se levant enfin de son fauteuil et en rapportant la boîte à thé du petit-déjeuner dans la cuisine, que Brigitte venait tout juste de déposer sur la table du salon. Alors qu'un bon balai en bois, il n'y a que ça de vrai ! J'ai redécouvert la douceur du manche, l'autre jour, ça m'a presque donné envie de l'utiliser plus souvent. Allez, viens te coucher, tu me fatigues à tourner dans tous les sens, tenta Bernard, avant de se faire rabrouer par le regard peu commode de son épouse.

Une fois dans leur chambre, après s'être lavé les dents et mis en pyjama, Brigitte se glissa sous la couette, à côté de son mari, lorsque ce dernier la taquina :

— Tiens, par exemple, il y a forcément plus simple que de mettre 40 coussins sur chaque lit de la maison… fit remarquer Bernard en pointant du doigt tous les petits oreillers qui jonchaient le sol autour d'eux.

Depuis qu'elle était à la retraite, Brigitte avait deux passions dans la vie : le lin et les coussins. Elle le fixa d'un regard noir, sans prendre la peine de lui répondre.

— Bonne nuit, Bernard, dit-elle en l'embrassant, avant de se tourner de son côté, pour s'endormir au plus vite.

Elle était épuisée.

Bernard, qui n'avait pas fait grand-chose de sa journée, n'était pas particulièrement fatigué. Il embraya, comme si sa femme était tout ouïe, sur un sujet qui le taraudait depuis quelques jours.

— J'achèterais bien une décapotable… d'occasion, précisa-t-il, mesquin, alors qu'il venait de refuser d'investir dans un aspirateur dernière génération.

— Toit panoramique ? interrogea Brigitte, qui avait rouvert les yeux.

— Non.

— Toit ouvrant ? continua-t-elle en se retournant vers son mari, afin de vérifier le sérieux de cette discussion.

— Non. Une vraie, qui se décapote complètement, conclut-il comme une évidence.

— Mais... tu vas perdre les derniers cheveux qu'il te reste ! plaisanta-t-elle, avant de l'embrasser une seconde fois et d'éteindre la lampe de chevet du côté de son mari.

Ce fut Bernard qui lui lança, dans le noir, des yeux boudeurs, avant de continuer à soliloquer.

— C'est marrant, mais j'ai comme le pressentiment que, maintenant que l'on va être tous les deux à la retraite, on va avoir notre famille bien plus souvent sur le dos ! Même quand on ne le voudra pas, lâcha-t-il, visiblement embêté.

— Tu exagères. Il n'y a pas de risque qu'ils s'invitent à l'improviste, tant que nous serons à Bordeaux et eux à Paris. Et puis, avec leurs métiers, ils n'ont pas une minute à eux. Donc de là à ce qu'ils viennent nous voir par surprise, on a de la marge. On est toujours les premiers à vouloir passer plus de temps avec nos petits-enfants.

— *Tu* es toujours la première à les réclamer, moi je ne demande rien. Je ne les comprends pas, d'ailleurs : ces gamins, ils sont toujours collés aux écrans ! C'est triste. Ils ne savent pas s'occuper autrement ? Ils ont quel âge déjà ?

— Mais enfin, Bernard, tu pourrais faire un effort ! s'agaça Brigitte en se rasseyant dans le lit. Les dates d'anniversaire, je me suis fait une raison, mais ça, quand même ! 7 ans pour Paul, et 5 pour Charlotte.

— Oui, j'aurais dit à peu près dans ces eaux-là. Ah, et si je peux me permettre, ma chérie, ton *carrot cake*, ce n'était pas une réussite, jugea-t-il, alors que bien évidemment il n'avait pas participé à la préparation.

— Pour une fois qu'un plat faisait l'unanimité auprès des enfants, ça m'aurait étonné, que tu n'y trouves pas à redire. C'est à désespérer ! fit remarquer Brigitte.

— Tu es sûre que tu les as cuites, tes carottes ? insista Bernard.

– Au contraire ! Elles doivent être crues et râpées.

– Bah, ça devait être ça, alors ! finit-il par trouver.

Brigitte ne releva pas et choisit de relancer la conversation sur un sujet qui lui tenait vraiment à cœur. Elle ralluma la lumière.

– J'aimerais bien, Bernard, que tu me dises ce que l'on fait pour les vacances cet été. On avait prévu que, pour fêter ta retraite, on ferait un beau voyage ensemble.

– Attends, tu mets la charrue avant les bœufs. D'ailleurs, tu aurais pu t'abstenir d'annoncer à tout le monde qu'ils me mettent à la déchetterie ! Peut-être qu'ils vont changer d'avis quand ils se rendront compte de leur erreur. Tu me connais, je n'ai pas dit mon dernier mot. Si ça se trouve, en août, je serai sur un nouveau projet, rétorqua Bernard.

– Ah non, on en a déjà parlé. Tu arrêtes. Ça suffit, tu as assez donné. On a passé notre vie à se croiser, toi toujours en voyage, à droite à gauche, moi seule avec Nicolas. Je n'ai pas choisi de me marier à un fantôme. Si tu ne le fais pas pour toi, fais-le pour moi. On n'est jamais partis rien que tous les deux...

Bernard commençait à trouver que cette discussion tournait au règlement de comptes. Il attrapa son portable, consulta ses derniers e-mails professionnels, rapidement arrêté par les soupirs d'agacement de Brigitte, qui attendait une réponse. Il bougonna alors :

– Mariés, pour le meilleur et pour le pire.

– J'espère que le pire n'est pas à venir, dit-elle seulement.

– En tout cas, moi, c'est sûr que, le jour où je pars à la retraite, je ne serai pas comme toi, lâcha insidieusement Bernard.

– Précise ta pensée, s'il te plaît ? exigea Brigitte, sur le point de sérieusement s'énerver.

– Tu ne fais rien de tes journées... constata-t-il, avec une pointe de mépris.

– Pardon ? Je m'occupe des petits vieux de la maison de retraite, je retape notre maison, je nage deux fois par semaine, je jardine. Tu exagères, quand même, de me dire ça. Parce que je ne compte pas non plus les courses tous les jours, les repas de Monsieur, les chemises à repasser, la poussière à faire... Ça, tu ne le vois pas. Tu pars, c'est nickel, tu rentres, c'est nickel, le frigo est toujours plein, tes vêtements sans un pli. Tu sais, ça me ferait plaisir, un jour, juste un jour, que tu me dises « merci ».

– Quand on aime, on ne compte pas, dit-il plein de perfidie.

Brigitte sortit du lit comme un diable de sa boîte.

– Monsieur n'a pas besoin d'avoir une femme de ménage, il a déjà une boniche sous la main ! constata-t-elle.

– Bon, elle a fini ses revendications, la déléguée syndicale ? On ne peut plus rien leur dire, aux bonnes femmes ! Allez, viens te recoucher, suggéra-t-il, en vain.

– Commence déjà par ne plus les appeler « les bonnes femmes » ! Surtout la tienne. Contrairement à toi, la retraite, moi, je l'attendais de pied ferme. Figure-toi que c'était un soulagement même. Donc, maintenant, j'en profite ! J'ai besoin de décompresser.

– Décompresser de quoi ? Tu étais prof ! Travailler trois jours par semaine et avoir deux mois de vacances chaque été, on ne peut pas dire que ce soit particulièrement stressant, remarqua-t-il, très maladroitement, sans mauvaise foi aucune. Toi, au moins, tu avais du temps.

Brigitte fut estomaquée par la bêtise de son mari. Il lui avait déjà servi ce couplet hautain sur « les profs flemmards qui passent leur vie à buller ou à faire la grève », mais, là, elle se sentit blessée. Incomprise. Bernard semblait intimement persuadé qu'elle avait passé des années d'oisiveté, alors que lui, *le pauvre*, avait dû trimer à sa place, pour tenir à bout de bras cette famille. C'était la discussion de trop.

— Du temps ? Pour toi, pour Nicolas, pour ta mère, pour la maison. Pas pour moi. Donc, tu m'excuses, mais désormais j'ai envie de m'accorder du *bon* temps, justement.

C'était Bernard qui avait fortement incité Brigitte à être enseignante, car, disait-il, pour les femmes, c'était « l'idéal ». Régulièrement en vacances. Un petit salaire pour se faire plaisir. Et tout le loisir du monde pour s'occuper des enfants, du ménage, de la maison, de la cuisine, des courses. Pas de course à la promotion professionnelle, mais une vie à chercher les promotions dans les supermarchés ! Et avantage notable : on pouvait s'arrêter à tout moment, pour permettre à Monsieur de faire carrière ou pour élever son enfant.

C'était maintenant à son tour de sortir de la maison, de voir du monde, de socialiser, et elle refusait de se laisser enfermer dans une prison domestique. Les vingt années qu'il lui restait, elle n'avait pas l'intention de les gaspiller. Si Monsieur s'attendait à ce que sa vie ne change pas, il allait déchanter : rentrer le soir à la maison, se mettre dans son fauteuil en attendant que les tâches ménagères se fassent comme par magie, ce serait fini ! Il faudrait que Bernard devienne un vrai homme au foyer !

— La vie, ce n'est pas que des corvées, et le mariage, ce n'est pas censé être de l'esclavage. Je ne t'appartiens pas. Alors, à la retraite, ne compte pas sur moi pour être à ton service. Il va falloir que tu te prennes en main.

Bernard reposa son téléphone portable. Il n'était pas sûr d'avoir tout suivi, mais, à voir sa femme rouge de colère, il sentit qu'il avait dû se prendre un savon. Ce spécialiste professionnel des retournements de situation se souvint d'un coup que la meilleure défense, c'est l'attaque !

— Sympa, tu as d'autres gentillesses à me dire ? Je vais mettre ça sur le compte de la fatigue. Ça a toujours eu tendance à transformer *ma* femme en harpie. Tu me fais penser à ma mère... et ce n'est pas un compliment.

— C'est l'hôpital qui se fout de la charité ?

– 5 –

Bête à manger du foin

Le lendemain, alors qu'il prenait le chariot à provisions débordant des emballages du dîner précédent, Bernard interpella sa femme afin de s'assurer qu'elle notait bien l'effort qu'il s'apprêtait à réaliser : vider ses ordures dans les bennes municipales, puis faire les commissions. Il avait compris la remontrance de la veille, et il voulait montrer sa bonne volonté.

– Souhaite-moi bonne chance, Brigitte ! lança-t-il.

– Pourquoi ? demanda-t-elle, surprise.

– Je vais chez le boucher. Ça peut être dangereux, désormais. Ils ont eu leur vitrine saccagée par des intégristes.

– Bonne chance, alors… Tu veux que je te tricote un gilet pare-balles ? ironisa-t-elle.

Bernard revint sur ses pas et chuchota pour son épouse :

– Tu sais que je discutais avec le boucher l'autre jour, eh bien, figure-toi qu'il est plus diplômé que nous. Si ce n'est pas malheureux, ça ! Bac + 11, chirurgien, pour finir entre les carcasses. Quelle tristesse !

– Et si c'est sa passion ? soutint-elle, irritée de l'étroitesse d'esprit de celui qui partageait sa vie depuis quarante ans.

– Moi, je pense surtout à ses pauvres parents, qui ont dû se saigner pour lui payer des études : ils ont dû mal le vivre ! continua Bernard, outré.

– Il n'y a pas de petits métiers, Bernard. Juste des grands imbéciles pour le penser, répliqua Brigitte pour le remettre un peu à sa place.

L'élitisme grotesque et moralisateur de son mari avait parfois tendance à l'agacer.

Bernard s'éclipsa sans demander son reste et accéléra même lorsqu'il aperçut la voisine, qui approchait de leur clôture commune pour alpaguer Brigitte. Cette dernière ne bougea plus, retenant son souffle, espérant ainsi disparaître tout à fait. Brigitte avait trop regardé *Jurassic Park*.

Mme Dugrin. Toujours là, à guetter que l'un d'eux sorte pour bondir hors de chez elle et venir radoter, enchaîner des bêtises ou des lieux communs, et surtout pour se plaindre. Chaque intervention se comptait par un multiple de 45 minutes. C'était quasiment impossible de l'arrêter. Brigitte aurait dû calculer le nombre de jours que ces discussions futiles lui avaient volés dans sa vie. Cela se chiffrait sûrement en années !

– Bonjour Brigitte, retentit une voix de crécelle.

– Mme Dugrin… soupira Brigitte, qui, malgré son immobilité, n'avait pu échapper à sa voisine : elle n'était pas devenue invisible par magie.

– Vous savez pas la meilleure : mon mari est allergique au boulot, commença Mme Dugrin.

– Vous m'en direz tant. Il n'est pas le seul dans ce cas-là, je pense, chuchota Brigitte avec un air de confidence.

– Pour de vrai ! Le médecin, il lui a même fait un arrêt de travail, et tout.

– Je ne suis pas certaine de vous suivre… Il n'est pas à la retraite, votre mari ? interrogea Brigitte, qui avait bien du mal à se souvenir des discussions d'un jour sur l'autre.

Quand ça ne l'intéressait pas, impossible pour elle de retenir quoi que ce soit. Déjà son code de Carte bleue, c'était limite, alors la vie passionnante des voisins…

Tout ce qu'elle savait, c'était que les Dugrin avaient à peu près le même âge qu'elle et Bernard, même s'ils en faisaient vingt de plus, avec leurs dégaines tout droit sorties de *Dallas*.

Mme Dugrin confirma avant de poursuivre.

— Si, mais le médecin le sait pas. Et comme c'est la première fois de sa vie qu'on lui propose un arrêt de travail, il va pas dire non : il est fainéant mais pas crétin. Du coup, il passe sa journée à éternuer et, moi, j'en ai marre de le moucher !

— Ah ! Allergique au bouleau. Je comprends mieux, ponctua Brigitte en tentant de s'éloigner discrètement.

— Bah, c'est qu'est-ce que j'ai dit ! Et c'est pas tout. Vous avez pas entendu la dernière ? La nouvelle voisine des Thibault, celle avec ses cheveux orange, eh bien, elle est poursuivie par la spa, continua la voisine.

— Le spa ? Pour les massages ? s'étonna Brigitte, en regardant sa montre.

— Non, comme j'vous dis. La spa, celle des animaux. V'là-t-y pas qu'elle a décidé d'être végan. Très bien pour elle. Sauf qu'elle a décidé que son chat aussi devait se farcir de l'Ebly. Le pauvre, ça lui est resté en travers de la gorge. Du coup, vlan ! Le chat a rendu l'âne.

— L'âme… corrigea patiemment Brigitte.

— Alors la spa, ils la traînent en justice pour cruauté sur la violence. Non mais, dans quel monde on vit ! s'insurgea la voisine.

Brigitte laissa échapper un rire nerveux.

– C'est vrai qu'un chat végan, c'est plutôt… atypique, lança-t-elle vainement, ne sachant comment contribuer à cette discussion qui ne l'intéressait pas du tout.

– Non, j'veux dire, les gens n'ont pas mieux à faire que de faire des procès parce qu'un chat est mort. À une époque pas si lointaine, j'vous rappelle que mon mari les mettait dans des sacs et…

Brigitte souhaitait abréger cette énième conversation farfelue et décousue, qui la mettait vraiment mal à l'aise.

– Oui, oui, je vois l'idée… Allez, Mme Dugrin, sur ce, je vous souhaite une bonne journée.

Sa voisine n'en avait apparemment pas fini avec Brigitte, qui se décomposait et sentait ses jambes s'affaisser sous le poids des idioties à supporter.

– Non mais, bientôt, on va nous mettre en prison parce qu'on jette ses ordures par la fenêtre de sa voiture, ou son mégot de cigarette dans le caniveau. Qu'est-ce que je devrais dire, moi, à mon bonhomme ? C'est l'essentiel de sa vie. À part ratiboiser son jardin, il y a pas grand-chose qui l'intéresse, et je peux en témoigner, avoua-t-elle, comme désemparée, dévoilant sous sa robe de chambre un corps qu'elle imaginait proche de celui d'une déesse. Il a pas un grain pour autant, on a vérifié : je lui ai fait passer un scanner. Eh bien, ces bigleux de médecins, ils lui ont rien trouvé. Je peux pas le croire. « Il a bien un p'tit truc qui traîne », que j'leur ai dit. Rien, nada ! Ça va encore être à Bibi de se le coltiner ! Au fait, et le boulot de votre mari ?

– Vous savez, il va être à la retraite le mois prochain.

– Non, le bouleau, j'veux dire. Il va nous le couper, cette saleté d'arbre, car j'en peux plus que mon gus se plaigne de ses allergies. Manquerait plus qu'il se fasse piquer par une abeille, pour qu'il me gonfle encore plus.

– On va revenir vers vous. Bonne journée Mme Dugrin, j'ai même envie de vous dire bon courage ! lança Brigitte depuis son perron.

– Bah oui, c'est qu'on est pas gâtés dans le coin : il y a des zinzins partout.

– À qui le dites-vous, acquiesça Brigitte en souriant, avant de passer la porte de chez elle et souffler d'exaspération en la refermant.

Lorsque Bernard revint des courses près d'une heure plus tard, Brigitte l'aida à vider le chariot.

– Alors qu'est-ce qu'elle voulait, *Einstein* ?

Bernard avait la manie de donner des surnoms antipathiques à tous ceux qu'il ne pouvait pas encadrer.

– Il va falloir que tu apprennes à supporter les voisins, une fois que tu seras à la retraite. Et puis, les surnoms, tu dois vraiment arrêter, sauf si tu comptes déménager. Tu ne sais pas ce qu'ils nous ont inventé ce matin ?

– Elle ou lui ? Parce qu'*elle* n'invente pas beaucoup : elle radote, surtout. Ça ne m'étonnerait pas qu'elle ait Alzheimer.

– Tu peux parler, toi, tu as bien retrouvé tes lunettes dans le lave-vaisselle… objecta Brigitte.

– Pas faux, admit-il en se souvenant qu'il avait bien passé deux heures à retourner la maison, à vider les poubelles, ouvrir le congélateur et inspecter l'intégralité de sa voiture, avant que Brigitte ne retrouve ses verres trempés à côté des verres à pied qui séchaient.

– Bref, j'ai eu affaire à Madame aujourd'hui, continua Brigitte, mais Monsieur n'était pas loin.

– Dire qu'ils ont nos âges, mais qu'est-ce qu'ils font vieux ! lâcha Bernard, sans s'être regardé attentivement dans un miroir depuis fort longtemps.

– Figure-toi que notre bouleau serait à moins de deux mètres de leur clôture et que, du coup, il faut le couper. Je lui ai dit : « À vos frais, alors. » Elle m'a répondu « Il manquerait plus que ça. »

Bernard se décomposa en entendant cette nouvelle ineptie des voisins.

– Hors de question ! C'est le seul bel arbre que nous avons. Je refuse de perdre le rouge-gorge, les mésanges ou les écureuils.

Brigitte semblait désemparée :

– Jusqu'au bout du bou-leau, ils vont nous faire... scier.

Bernard soupira avant d'acquiescer :

– La vie est un éternel emmerdement. Avant, j'avais un chef, maintenant, j'ai un voisin !

– 6 –

Quel toupet !

L'été était reparti, les enfants aussi. Dehors, les feuilles jaunes commençaient à tomber et à s'amonceler, telle une couronne d'or autour du bouleau. Brigitte avait beau ratisser chaque jour, elle avait l'impression de remplir le tonneau des Danaïdes, face à un travail sans fin.

Bernard, lui, voyait le bout. Le mois de septembre avait filé bien plus vite qu'il n'aurait voulu, et il attaquait sa dernière semaine.

Avec la tête de celui qui n'a pas encore bu son café du matin, il tartinait et re-tartinait sa demi-baguette de beurre. Lorsqu'elle sortit de la douche, Brigitte lança la bouilloire pour son thé et vint s'asseoir près de son mari. Qu'importent la retraite et l'inactivité présumée de Brigitte, ils se levaient et se couchaient toujours ensemble. Quand *l'espresso ristretto* de Monsieur fut liquidé – marquant le top départ des conversations matinales –, Brigitte baissa la radio et le taquina :

– Alors tu es prêt ? Ce sont les derniers jours, là. Ça doit te faire tout drôle.

En guise de réponse, Bernard grommela, n'empêchant pas Brigitte de poursuivre.

– En tout cas, moi, continua-t-elle, ça m'a fait pas mal réfléchir.

– Vas-y doucement, ma chérie, il ne faudrait pas que tu te fasses un claquage des neurones, ironisa-t-il, gentiment.

– Très marrant, tu riras peut-être moins dans cinq jours. Tu as remarqué que, depuis quelque temps, tu lances des piques à chaque fois que quelqu'un t'adresse la parole ?

Bernard la dévisagea, aussi surpris que si elle venait de cracker le code d'accès au serveur de la NASA.

– Ah bon ? Pas remarqué ! Pour répondre à ta question, je ne suis pas inquiet. J'ai tout préparé. J'ai calculé mes cotisations, j'ai formé mes deux successeurs pendant trois semaines. J'ai rencontré la conseillère de l'entreprise, qui voulait absolument me parler de « l'Après ». Tu aurais vu le niveau de ses questions ! Ça ne volait pas haut : « Vous avez des passions ? – Bah, oui, mon travail ! – Et à part ça ? » On aurait dit qu'on ne parlait pas de la même chose…

Brigitte aurait parié qu'effectivement Bernard n'avait pas donné la réponse rassurante que la conseillère attendait. Elle n'en fit pas mention et décida de se focaliser sur le positif.

– Deux successeurs pour te remplacer ? Cela a dû flatter ton ego.

– Même pas, marmonna-t-il, la bouche pleine de confiture. De toute façon, je ne leur donne même pas deux semaines pour me rappeler, soit parce qu'ils sont perdus, soit parce qu'ils veulent que je revienne…

Brigitte reposa soudainement sa tasse de thé sur la table, provoquant un vacarme qui fit sursauter Bernard. Elle n'avait pas l'intention de se laisser conter fleurette.

– N'y pense même pas, Bernard ! siffla-t-elle d'une voix qui ne laissait place à aucun compromis. Et c'est quand, ton pot de départ ? Trente-cinq ans dans la même entreprise, ça se fête. Si les cadeaux sont proportionnels au nombre des années…

— Ne rêve pas, ma chérie, ça se saurait ! De toute façon, j'ai refusé qu'on organise un rassemblement de faux-culs pour moi. Je ne veux pas partir, je ne vais quand même pas faire semblant d'être heureux.

Brigitte soupira, avant de boire sa tasse d'un trait. Elle se leva puis alla la laver sous le robinet.

— C'est toi qui sais, lâcha-t-elle, avant d'enchaîner sur un autre sujet. Bref, je te disais que j'ai beaucoup cogité ces derniers temps à notre future vie de retraités, et je crois qu'après avoir passé des années à se croiser, il ne faut pas que, du jour au lendemain, on soit l'un sur l'autre, 7 jours sur 7, entre quatre murs. On risque de s'écharper.

— Tu es optimiste, à ce que je vois, remarqua Bernard, avant de croquer à nouveau dans sa tartine.

— Non, réaliste, corrigea-t-elle. Je pense qu'il faut savoir garder de la distance et un petit jardin secret. Donc j'ai décidé de planifier plus d'activités en dehors de la maison, certaines toute seule, mais d'autres ensemble, et j'aimerais également que tu y réfléchisses de ton côté.

Bernard ne s'attendait pas à cela. Et plus il était vexé, plus il se montrait insensible, parfois blessant.

— Mais vis ta vie, ma grande. Sens-toi libre de te prendre en main, sans moi, répondit-il du tac au tac, avec un détachement feint.

— Exactement, ponctua Brigitte, décidant de battre le fer tant qu'il était chaud. D'ailleurs, j'ai pris une grande décision. J'arrête de me teindre les cheveux.

— Quoi ? s'étrangla-t-il.

Bernard, sous le choc, sentit un frisson le parcourir, remontant le long de son dos jusqu'à la nuque. Il secoua la tête pour chasser cette pensée, qui ne lui plaisait pas du tout.

– Tu m'as bien entendue, confirma son épouse, sûre d'elle.

– Mais pourquoi ? bégaya-t-il, ne parvenant pas à déceler la logique implacable qui se cachait derrière une décision aussi incompréhensible. *On ne change pas une formule qui gagne !* lui avait-on toujours appris.

– C'est contraignant de faire des colorations tous les mois. Et ça fait mal aux bras. Tout ça pour quoi ? Faire semblant d'être jeune. J'en ai assez de prétendre être quelqu'un d'autre.

Bernard scrutait son épouse : elle avait l'air d'être très sérieuse, ses paupières ne cillaient pas. Ce qui l'effraya davantage.

– Attends, genre blanc comme ma mère ? Vraiment ? Ça m'inquiète, Brigitte. Mais pourquoi tu ne vas pas chez le coiffeur ?

– Oh, c'est trop cher, et ce n'est plus de mon âge : le bac, ça fait un mal de chien aux cervicales !

Dans un silence contraint, Bernard se leva, caressa la joue de son épouse avant de lui toucher tendrement les cheveux – ce qu'il ne faisait d'habitude jamais. Quand, à son tour, elle lui caressa le ventre, qu'il rentra aussitôt dans un réflexe pavlovien, il abdiqua, non sans une pointe d'ironie :

– Je sens que ça va être sympa, cette retraite. J'ai mon mot à dire ?

– Pas vraiment, sourit Brigitte, qui savait que sa décision n'enchantait pas son mari, mais qu'elle n'avait pas l'intention d'en changer.

– C'est bien ce que je me disais. En gros, tu veux t'autoriser à être moche ? Sympa pour moi... conclut Bernard, qui aurait bien du mal à s'y faire.

Quel toupet !

— Ne viens-tu pas juste de me dire de vivre ma vie, comme une grande fille qui prend ses décisions toute seule ? lança-t-elle, marquant un point.

— Si, mais tu pourrais au moins prendre les « bonnes » décisions... se rembrunit-il.

– 7 –

Nom d'une pipe !

Le jour même, à peine Bernard était-il parti au travail que Brigitte se fit encore épingler par la voisine.

Einstein, côté physique, tenait plus de la chanteuse anglaise Susan Boyle que du génie théoricien – seule les rapprochait une certaine détresse capillaire. Elle avait une boule de cheveux courts, mousseux, secs et frisés, d'une couleur grisâtre, comme la robe d'un caniche qui aurait traîné trop longtemps dans les pots d'échappement. Son mono-sourcil anthracite sévère et ses petits yeux noirs n'étaient pas sans rappeler ceux des détenus sur leur photographie lors de leur entrée en prison.

À propos de leurs voisins, les mots d'ordre, pour Bernard et Brigitte, avaient toujours été méfiance et distance, car Mme Dugrin ne semblait pas non plus portée sur la consommation régulière de déodorant. Souvent, elle dégageait une odeur de sueur acide, qui se mêlait à celles d'humidité et de poussière certainement issues de sa maison, ce qui imposait un éloignement au moins deux fois supérieur à celui généralement admis. Mais ce n'était rien comparé à l'haleine pestilentielle de son mari, un mélange d'alcool, d'absence de dentifrice et de tabac froid. Du coup, la clôture de séparation arrangeait bien Brigitte et Bernard.

Le seul avantage à supporter la vieille commère au triple menton était que cela donnait un aperçu de ce que la vie de retraités pouvait réserver de pire. Même si on ne savait jamais la part de vrai dans ses affabulations...

– Vous savez pas la dernière ? Les Leduc, ceux de la maison en bois qui gâche la vue aux pauvres Pelletier, bref, eh bien à peine qu'ils étaient chacun à la retraite, paf : ils ont divorcé ! Si c'est pas malheureux, ça ! En même temps, ils le disaient l'autre jour chez le coiffeur : le nombre de divorces chez les retraités a doublé en 10 ans. C'est que c'est nettement plus difficile aujourd'hui de vivre à deux : allez pas me demander pourquoi !

– Oui, c'est dommage, mais c'était peut-être mieux pour eux. On ne sait pas tout. Allez, ce n'est pas que je m'ennuie, mais...

Brigitte, qui avait toujours était optimiste, voire naïve, redécouvrait le couple d'une autre façon : tendance pessimiste, voire parano. D'après les racontars de la voisine, les choses tournaient immanquablement à la séparation ou au drame familial digne d'être relayé dans les faits divers des journaux locaux. Si Bernard n'avait pas préparé sa retraite, Brigitte, effrayée par les histoires improbables de Mme Dugrin, avait bien l'intention de tout faire pour que son couple n'explose pas en vol. La voisine aux pommettes roses de couperose était lancée, et on ne peut pas dire que l'écouter rassurait Brigitte.

– Bien sûr que si, on sait tout ! poursuivit Mme Dugrin. La pauvre dame Leduc, cela faisait quarante ans qu'elle le supportait, parce que, faut bien dire, il buvait et pas qu'un peu, bref, eh bien, devinez quoi ? Le jour de sa mise en bière...

– De sa mise à la retraite, vous voulez dire ? rectifia Brigitte en s'éventant le nez, après avoir humé un effluve qu'elle avait du mal à identifier.

– Oui, eh bien, il a pas supporté, le vieux : il a pris son fusil de chasse, sa Renault 25, et il lui a dit « j'me casse », et il est parti comme ça. Avec ses charentaises ! Enfin, il est plutôt parti avec une jeune poule à ce qui paraît.

– Bon, il faut vraiment que je file. On m'attend... inventa Brigitte, prête à tout pour se défaire de sa voisine.

– Je vois le genre, appuya-t-elle d'un gros clin d'œil, Monsieur travaille, et Madame batifole...

Brigitte rougit, soudain paniquée que ces élucubrations soient colportées jusqu'aux oreilles de son mari.

– Pas du tout ! corrigea-t-elle. Je vais faire mon marché et ensuite je dois passer à la maison de retraite.

– Ah, vous faites du repérage !

– Hein ? Mais non, enfin ! gronda-t-elle, outrée, cette fois, qu'on imagine un instant cette idée crédible.

À 61 ans, Brigitte était une « jeunette ». Elle faisait partie du club fermé des « retraités », et encore, pas n'importe lesquels : les *jeunes* retraités. Elle était donc loin d'appartenir à la catégorie des « gens d'un certain âge », les « seniors », qu'elle côtoyait en hospice et que certains appelaient les « petits vieux ». Elle était d'une nature très tolérante, mais il ne fallait tout de même pas mélanger les torchons avec les serviettes.

– Vous faites bien, enchaîna Mme Dugrin sans avoir écouté un instant la réponse de Brigitte, car vous savez pas c'qui est arrivé au pauvre M'sieur Cluset ? Il prépare sa retraite, il rénove un gîte, il finit de rembourser son prêt, et v'lan. Il casse sa pipe ! Accident domestique. Si on ne peut plus être en sécurité chez soi... Le premier jour où il arrête de travailler, en plus. Bêtement, enfin, je sais pas s'il y a des morts intelligentes, en tout cas, bam ! Il s'est mangé le confiturier sur la poire. Complètement écrabouillé ! À ce qu'il paraît, ce n'était pas beau à voir. Quelle tristesse ! Comme quoi...

Brigitte frissonna. Elle ferma les yeux et vit la tombe de Bernard. Elle les rouvrit aussitôt, décidée à fuir cette folle qui lui bourrait le crâne d'images horribles, auxquelles elle n'aurait jamais pensé seule. Elle lâcha d'un ton plus sec :

— Il faut se méfier de tout, effectivement. Bon, allez, sur ce, je ne vous embête pas plus longtemps, Mme Dugrin.

Mais c'était peine perdue. Le moulin à paroles tournait à plein régime. N'ayant personne à qui parler à part son mari, Mme Dugrin, sans enfants ni petits-enfants, ne s'arrêtait jamais une fois lancée.

— Regardez, moi, par exemple, je suis à deux doigts de le mettre dehors, ce fainéant de mari. Il se plaint tous les jours : « Que j'ai mal par-ci, que j'ai mal par-là ! » J'en suis arrivé à un point où je lui pile des antidouleurs dans chacun de ses repas. Du coup, il dort. Ça me fiche une paix royale ! Mais ce n'est pas une vie, ça. Pour moi, je veux dire. Le face-à-face est mortel : on se regarde en chiens de fusil...

— De faïence... souffla, excédée, Brigitte pour elle-même.

— Et on a rien à se dire. *Nada* ! En plus, parfois, il s'endort, comme ça, n'importe où devant moi, et il bave. Quand on s'est retrouvés à la retraite, je me suis rendu compte que j'avais épousé un inconnu, vous m'direz, ça aurait pu être pire, ça aurait pu être un vrai con. On partage rien. Même le lit, je l'ai dégagé, il ronflait comme une locomotive et, moi, je suis pas cheminot !

Nom d'une pipe !

Brigitte, dont l'amour pour Bernard était intact, sentit l'inquiétude l'envahir : elle devait bien reconnaître que son mari avait également des petits travers, qu'elle supportait sans problème à petite dose, mais, à plus forte concentration, elle commençait à en douter.

— Mais vous vous aimez encore ? demanda-t-elle sérieusement.

— Ça dépend des moments. Je l'aime bien quand même, mais on s'étripe à longueur de journée. Une vie ensemble, ça commence à faire long. Et puis, physiquement, comme disaient les Inconnus, c'est devenu plus Robert que Redford.

— Du coup, le divorce, vous y pensez... relança Brigitte, cette fois, un peu plus intéressée.

— Non, c'est trop tard, je vais faire avec maintenant. Il ne doit pas lui rester beaucoup à vivre, vu tout ce qu'il fume. Et puis, il a une belle pension ! Ça aide aux sentiments, ça, conclut la voisine sous le regard horrifié de Brigitte, qui tourna les talons sans demander son reste.

– 8 –

Pas folle la guêpe

Le soir même, tout au long du dîner, Bernard s'était senti épié. Quand il avait renversé un peu de soupe le long de son menton, Brigitte avait fait une moue qu'il ne lui connaissait pas. Lorsqu'il s'était resservi, elle avait louché sur son ventre rebondi. Et au moment où ils s'étaient couchés, elle avait mis aussitôt ses boules Quies, qu'elle réservait d'habitude aux insomnies. Effrayée par les racontars de Mme Dugrin, Brigitte essayait tant bien que mal de préserver le soupçon de romantisme qui leur restait. Cependant, il en aurait fallu bien plus pour que Bernard ne s'endorme pas en dix secondes une fois allongé.

Cette nuit-là, il fit cependant de drôles de rêves, plus farfelus les uns que les autres, se releva plusieurs fois – prostate oblige – et fut achevé par son dernier cauchemar, qui le laissa en sueur.

Bernard se trouvait dans un hangar, où des milliers de tables d'examen étaient alignées. Il était là, en pyjama, quand on le somma de s'asseoir sur la chaise 2872. Interrogation surprise ! L'inspecteur d'académie n'avait pas l'air commode. Bernard commençait à paniquer, ignorant ce qu'on allait bien pouvoir lui demander, et sur qui il pourrait copier.

Quarante ans auparavant, il avait eu de la chance lors du baccalauréat : il avait fait l'impasse sur une multitude de sujets et avait réussi à passer entre les gouttes. Il y avait souvent repensé : et si, ce jour-là, les étoiles n'avaient pas été en sa faveur ? Et s'il n'avait pas obtenu son diplôme ? Il aurait dû changer son fusil d'épaule et probablement renoncer à la vie dont il rêvait.

L'inspecteur serpentait entre les allées depuis de longues minutes, déposant sur chaque bureau une feuille, face cachée. Quand la copie d'examen fut placée sur sa table, il n'eut pas le temps d'essayer de lire les questions à travers le papier, que déjà la sonnerie annonçait le début de l'*épreuve*.

Les choses portent le nom qu'elles méritent !

Bernard retourna sa copie et découvrit le sujet, il en resta stupéfait : « Qu'est-ce que la retraite ? » Vous avez deux heures. Et là, dans son cerveau, le trou noir ! Ses pensées se percutaient les unes aux autres sans logique aucune, sans le début d'un raisonnement cohérent. La colle !

Il retourna la feuille dans tous les sens à la recherche d'exercices complémentaires. Rien. Seules deux questions subsidiaires étaient mentionnées : « À quoi sert la retraite ? Comment utiliser au mieux tout ce temps disponible ? »

Bernard se sentit pâlir. Il ne savait pas. Il n'avait pas révisé.

Quand l'examinateur indiqua qu'il restait cinq minutes seulement, la copie de Bernard était toujours blanche. Ses brouillons, eux, étaient pleins de calculs embués et raturés, sans aboutir à aucune solution valable.

Lorsque la sonnerie de fin d'épreuve retentit, Bernard s'éveilla en sursaut et s'assit, hagard, dans son lit. La peur lui tenaillait les tripes. Il n'avait qu'une certitude : la retraite, il n'y était pas prêt ! À moins de réussir à sauver sa peau, tout cela allait s'achever en jus de boudin.

– 9 –

Il n'est pas né, celui qui m'enterrera vivant !

En cette fin septembre, on touchait au but : avant-dernier jour de travail pour Bernard. Brigitte, guillerette, semblait vouloir lui insuffler du courage, cependant il n'était pas d'humeur. La bavarde ignorait tout de l'angoisse nocturne, de la boule qui s'était logée dans son ventre, de sa gorge qui refusait de déglutir ne serait-ce qu'une gorgée tiède de son café.

Il grimpa alors dans sa voiture de fonction et fonça directement dans le bureau de son chef : Godard, deux fois plus jeune que lui, et toujours le premier au travail. Il ne devait pas beaucoup voir sa famille non plus.

Bernard avait répété dans sa tête et anticipé avec brio toutes les objections possibles à ce qu'il s'apprêtait à demander au grand patron, qui d'ailleurs, sans son costume hors de prix, avait plus l'air d'un stagiaire gringalet que d'un homme d'affaires redouté. Bernard s'était toujours méfié des maigres, s'imaginant des individus tristes et malsains, qui ne savent pas profiter des bonnes choses de la vie. Il aurait aimé être une petite souris pour connaître la marque de ses chaussettes et la couleur de ses sous-vêtements. Il espérait qu'au moins un peu de folie se cachait derrière ce cynisme et ce conformisme apparents.

Bernard et Godard étaient deux clones, qui s'ignoraient et se reniaient, Bernard ayant développé une pointe de jalousie envers son supérieur hiérarchique, qui avait obtenu le poste dont lui avait toujours rêvé.

Pour lui, Godard était un scribouillard qui se rêvait en James Bond : il compensait des complexes musculaires par l'épaisseur de ses chemises blanches et de ses trois-pièces sur mesure. Sous une allure engoncée, où tout était millimétré, y compris la longueur de la manche dépassant de la veste, tout avait été pensé pour être un patron plus craint que respecté. C'était compter sans sa cravate bleu foncé, qui coûtait l'équivalent d'un mois de salaire d'un agent d'entretien et qui, comme pouvait le constater Bernard chaque jour, n'était jamais nouée à la bonne longueur : elle pendait sous la boucle de sa ceinture d'une dizaine de centimètres.

Comme quoi, se rassurait Bernard, *tout ne s'achète pas ! En tout cas, pas l'élégance naturelle. N'est pas Napoléon qui veut !*

Bernard pénétra dans le grand bureau, où régnait un vrai capharnaüm. Son chef leva la tête de son tableau de chiffres, l'observa par-dessus ses lunettes anti-lumière bleue et demanda :

— On avait rendez-vous ?

— Non, mais… bégaya Bernard d'une voix qui trahissait un stress qu'il aurait voulu contenir.

— Ce n'était pas hier, votre dernier jour ? commenta le patron, aussi bon observateur que Bernard, avant de replonger la tête dans ses dossiers.

— Demain. D'ailleurs, à ce propos… tenta Bernard d'une voix pleine d'optimisme.

La discussion tourna aussitôt au vinaigre. Dire que le patron n'était pas réceptif à la proposition de Bernard était un doux euphémisme. Apparemment, l'idée de lui accorder un temps supplémentaire de six mois, trois mois, même juste une mission, ou une fondation, ne l'enchantait guère.

Bernard n'avait pas prévu ce scénario-là, cette violence, le manque d'écoute. Il ne faisait plus partie des plans de l'entreprise, et depuis longtemps déjà. Il était juste devenu encombrant, comme un vieux meuble dont il est temps de se débarrasser.

Il en appela à la générosité de son patron.

– Mon travail, c'est toute ma vie. S'il vous plaît, trouvez-moi quelque chose, n'importe quoi. Je n'ai rien dit quand j'ai été déclassé, et pourtant ça n'a pas été facile : du jour au lendemain, je n'ai plus eu droit aux gros projets, aux augmentations. Pourtant, je suis resté autant impliqué, le premier devant mon ordinateur, le plus travailleur. Cette dernière année a été horrible. D'un coup d'un seul, c'était comme si je ne comptais plus pour personne dans cette boîte. Comme si j'étais devenu invisible. Je n'ai rien fait pour mériter ça.

Bernard n'avait commis aucune faute, sauf celle d'avoir soufflé plus de soixante bougies. Cependant, le petit clown à costard lui parlait comme à du poisson pourri :

– Cette entreprise n'est pas un cimetière d'éléphants.

Bernard, *babyboomer* qui n'avait jamais vraiment eu peur du chômage, comprenait d'un coup la dure réalité des jeunes lions, et des vieux éléphants, qui devaient s'en aller seuls pour mourir. Le quotidien de la génération de son fils.

– Demain est votre dernier jour. Fin de la discussion. Merci, lança Godard, sans même le regarder.

C'était donc ça, se faire « remercier ».

– 10 –

La der des der

Bip. Bip. Dernier réveil. Dernier jour de travail. Bernard n'avait rien dit à Brigitte de son humiliation de la veille, ni de son insomnie, ni même de la boule dans le ventre qui ne le quittait plus. Comme un jour de rentrée des classes.

L'éphéméride de Brigitte ne se trompait pas : c'était bien le jour J, la date réglementaire. Le 29 septembre. La veille de la Saint-Michel. Mais, contrairement à Drucker, on ne lui laissait pas le choix de continuer après 60 ans.

La journée se passa très normalement, si bizarre que cela puisse paraître. Il enchaîna les réunions sur des sujets qui continueraient sans lui, il déjeuna de son plat préféré, qui ce jour-là pourtant n'était pas aussi savoureux qu'à l'accoutumée.

Et 16 heures arriva. Bernard découvrit que la retraite, c'était finalement une question de « remise ».

Rendez-vous avec le service informatique : remise de l'ordinateur portable. « Vous faites une sauvegarde ? – Non, ce n'est pas prévu. Cela coûte plus cher à l'entreprise. On le garde de côté pour le moment et, quand un jeune collaborateur nous rejoindra, on nettoiera le PC. » Il allait être *nettoyé*. Effacé comme si ces 35 années n'avaient jamais existé. Comme s'il ne restait rien à sauver de son passage.

Puis, remise du téléphone. « Je peux garder le numéro ?
– Non, il va être réattribué à quelqu'un d'autre. – Impossible,
je n'ai que ce portable-là : comment mes amis, ma famille,
vont-ils pouvoir me joindre en cas d'urgence ? – Il fallait y penser avant, je suis désolé. Au mieux, je peux vous
laisser la carte SIM, que l'on va de toute façon désactiver
dans quelques semaines. Je vous laisse passer voir mon
collègue. » Bernard, bien sûr, y avait réfléchi avant, mais
il avait espéré qu'on lui laisserait le portable en guise de
cadeau de départ, ou alors qu'il en aurait bénéficié le temps
de s'en procurer un nouveau. Il n'avait fait que travailler
ces dernières semaines, sans avoir la moindre minute pour
se rendre chez un fournisseur quelconque, trop occupé
avec ses journées de passation : et c'était comme cela qu'ils
l'en remerciaient ?

Au poste de sécurité, même son de cloche : remise de
badge. Il restait du crédit pour un dernier café. Tant pis.

Le pire arriva. Dernier tour d'étage, une bise à chacun
comme un « au revoir, à demain ». Tous pressés, des enfants
à aller chercher, en retard pour un cours de yoga, une commande Drive à récupérer. Pas le temps de discuter plus
longtemps, mais « C'était un plaisir. Bonne continuation.
Veinard ».

Pas de remise en question des autres sur son départ.
C'était dans l'ordre des choses. L'histoire de la vie. Un cycle
naturel. Les vieux devaient faire place aux jeunes.

Bernard retourna voir l'agent de sécurité. Il avait un
regret : il aurait aimé garder son badge. La photo dessus
était *collector*, celle du jour de son entrée dans l'entreprise.
Presque complètement effacée par les années. Un jour, il en
rirait avec ses petits-enfants. Mais l'employé, qui d'habitude

se trouvait toujours à son poste, n'était déjà plus là. Occupé, ailleurs. Comme tous ici. Comme lui avant.

Alors, Bernard passa le portillon d'entrée, et ses collègues restèrent de l'autre côté. Il aurait aimé leur faire une dernière recommandation à propos du projet en cours, mais il n'avait plus droit d'entrer. Comme un étranger, un ennemi. Le voilà du mauvais côté de la barrière. Un peu comme au zoo ou en prison. Sauf qu'on était censé lui avoir rendu sa liberté. Alors pourquoi avait-il l'impression que c'était une arnaque, qu'il avait perdu au change ?

Il s'assit un instant à la réception et découvrit le confort trompeur des onéreux fauteuils de designers. Le visage de l'hôtesse était impeccable, tout en sourire rouge et chignon parfait, en digne première représentante de la compagnie. La jeunesse avant tout. Bernard profita d'un angle de vue inédit sur l'entreprise si désirable contemplée d'ici, sur les lectures que l'on expose sur la table basse et aux murs pour afficher des politiques RH irréprochables qui finiront de séduire la nouvelle génération.

Lorsque, au loin, il vit passer l'agent de sécurité, celui qu'il côtoyait depuis plus de vingt ans, Bernard se rendit compte qu'il ne connaissait pas son nom : il n'en avait pas eu besoin depuis son bureau du dernier étage. Par rapport à son monde, il n'était personne.

« Monsieur, est-ce que vous ne pouvez pas simplement désactiver mon badge et me le laisser en souvenir ? On ne peut pas me l'enlever comme ça. C'est brutal. Soyez chic. Il y a ma photo de quand j'étais jeune, quand j'avais plein de rêves et d'espoirs, quand je ne savais pas encore que j'allais devenir quelqu'un. »

S'il avait su son prénom…

Au moment où il franchit la porte de l'immeuble de verre, une main se posa sur son épaule. L'agent de sécurité. Bernard esquissa un sourire.

— Ne partez pas, le retint-il. Vous avez oublié de nous rendre les clés de la voiture de fonction.

S'il avait su son prénom, cela aurait peut-être changé les choses. Ou pas.

– 11 –

Papy fait de la résistance

Le soir même, Brigitte profitait de l'été indien dans son jardin en attendant que Bernard rentre de sa dernière journée. Le soleil se couchait et, souvent, elle s'asseyait sur la plus haute marche pour admirer l'ouest rougir. Lorsque des pas traînants se firent entendre dans la rue, elle se leva d'un bond et vint accueillir son époux, comme un animal de compagnie aurait fait la fête à son maître après une longue absence.

– Ça y est, ils t'ont libéré ? Champagne ! claironna Brigitte en embrassant son mari et en lui tendant une coupe qu'elle venait de servir.

– Oh, non, on fêtera ça un autre jour, rumina l'intéressé en ignorant le verre et en se dirigeant vers l'intérieur de la maison.

Brigitte le retint tendrement par le bras : elle tenait absolument à profiter des derniers rayons du soleil de l'année avec son mari, et ce paysage splendide était l'écrin parfait pour trinquer. Elle lui mit la coupe de champagne dans la main.

– Je te connais, mon Bernard, de l'eau va passer sous les ponts avant que tu ne prennes le temps de célébrer.

– Mais qu'est-ce que tu veux célébrer au juste ? demanda-t-il, très sérieux, tout à coup.

– Bah, *demain*, c'est le jour J. Le premier jour du reste de ta vie.

– Le jour J, ce n'est pas du tout « demain ». C'est aujourd'hui, le dernier jour de ma *vraie* vie. Avant que l'on me parle, pour la première fois, du « reste » de mon existence.

– Très bien, je vois que tu es de bonne humeur, dit Brigitte en adoptant un ton plus sec, avant de se rasseoir et de finir son verre. Pour information, ton fils et ta mère ont appelé pour savoir si tout s'était bien passé, ils pensaient à toi. Il faudra que tu les rappelles. Et j'ai invité ton meilleur ami à dîner.

– Qui ? interrogea-t-il, comme s'il avait cinquante meilleurs amis qui se bousculaient au portillon.

– Comment ça, qui ? Jean-Marc !

– Ah, Monsieur le docteur vient s'assurer que mon cœur résiste. J'avais plutôt envie de ne rien faire ce soir. Lire le journal et me mettre au lit de bonne heure. J'aurai tout le temps pour le voir, maintenant qu'on est tous les deux à la retraite. Ah, « retraite », que je n'aime pas ce mot. Qu'il est moche. C'est comme au restaurant, il y a des menus plus appétissants que d'autres. Eh bien, « retraite », ça ne donne pas envie de goûter. C'est comme « les restes », je n'ai jamais aimé ça.

Brigitte refusa de se laisser engluer par le marasme déprimant de son mari. Elle se leva d'un coup pour aller chercher la bouteille et décréta :

– Appelle Jean-Marc si tu veux annuler. Moi, la coupe, je la prends, avec ou sans toi, dit-elle en remplissant sa flûte.

– En parlant de médecin, je me suis rendu compte d'un truc. Je n'aurai jamais de médaille du travail, ni de Légion d'honneur ou autre, mais ils auraient pu me décerner le prix de l'employé modèle. En 35 ans de carrière, devine combien de fois j'ai été malade ?

— 3 000 fois, à peu près, vu le nombre de jours où tu étais à l'article de la mort à Noël, lorsque l'on recevait, ou alors quand on commençait des vacances en famille.

— Disons qu'en vacances j'en profitais pour faire quelque chose que je ne faisais jamais le reste de l'année. Alors, à ton avis, combien de fois j'ai pris un jour de congé maladie ? interrogea-t-il en frissonnant. Tu ne veux pas rentrer : je commence à avoir froid.

Brigitte attrapa la bouteille, puis fit une grimace en constatant que Bernard n'avait même pas daigné tremper les lèvres dans son verre.

— Tu ne veux vraiment pas de bulles ?

Ce ne fut pas la température, mais le regard de Bernard qui la refroidit. Elle le suivit dans la maison et enfila son chandail. Lui continua en s'asseyant dans son fauteuil, près du feu.

— Aucune absence en 35 ans, annonça-t-il fièrement.

— Et alors ? C'est important ? répondit froidement Brigitte, qui cherchait à comprendre.

— C'est capital ! Ça montre qu'ils pouvaient compter sur moi. Bref : c'est un record, je pense.

Brigitte leva les yeux au ciel, puis but sa coupe cul sec, avant d'ajouter :

— Tu as raison, ils ne te donneront jamais une médaille pour ça.

Elle ne put cependant s'empêcher de penser qu'*elle* en obtiendrait une très bientôt, à soutenir, contre vents et marées, un mari à la retraite.

La médaille du Mérite !

– 12 –

Faire l'autruche

Le lendemain matin, Bernard, la marque de l'oreiller imprimée sur la joue, scrutait son jardin depuis la fenêtre de la cuisine. Les feuilles des arbres se détachaient, roussies par le temps. Il les observait rendre l'âme et ne pouvait s'empêcher d'y lire un sort funeste. Cette feuille, c'était lui, à l'automne de sa vie.

Lorsque Brigitte le rejoignit toute pomponnée, elle s'arrêta un instant : elle n'avait pas l'habitude de voir son mari prendre le petit-déjeuner en robe de chambre et pantoufles. Elle le tira de sa rêverie en lui annonçant gaiement qu'elle avait supprimé tous ses engagements pour rester auprès de lui lors de sa première journée de retraite. Contre toute attente, Bernard la houspilla :

– Que ce soit clair, je ne veux pas de ta charité. Madame m'a prévenu qu'elle était débordée et qu'il fallait que je m'organise, alors je me suis organisé ! Je déjeune avec Jean-Marc.

Brigitte fut prise de court.

– OK. Comme tu veux, mon chéri. Dans ce cas-là, on se voit après ma soirée avec l'association ? Tu vas faire quoi ?

– Me laisser pousser la moustache, ça devrait bien m'occuper, botta-t-il en touche, n'ayant pas la moindre idée de la manière dont il allait remplir sa journée, en dehors de son rendez-vous avec son meilleur ami.

– Sérieusement, Bernard… Tu es sûr que ça va aller ?

– Tout va bien. Pas de besoin de me couver ou de te faire du souci.

À peine Brigitte était-elle partie que Bernard s'installa dans le salon et alluma la radio. On passait une ancienne chanson d'Étienne Daho, qui d'abord ne lui fit ni chaud ni froid, puis, lorsqu'il tendit l'oreille et distingua « Mais tout peut changer aujourd'hui est le premier jour du reste de ta vie », il éteignit le poste dans un grognement de mécontentement. La matinée allait être longue.

Bernard alluma ensuite la télévision et tomba sur *Télématin* qui diffusait un reportage intéressant sur la prostate. Lorsqu'il se souvint que c'était l'émission fétiche de sa mère, il zappa. Sur les autres chaînes, il découvrit affligé des téléachats qui vendaient des objets consternants d'inutilité, des téléfilms d'amour vieillissants, ou encore de la musique de jeunes, qui lui cassa aussitôt les oreilles et dont il ne comprit pas un traître mot. Frustré, il coupa également le téléviseur.

Il s'allongea sur son lit, parmi la multitude de coussins, qui l'accueillirent mollement. Alors qu'il observait les nuages glisser rapidement à travers la fenêtre, ses yeux tombèrent sur un livre posé sur la table de chevet. Brigitte n'arrêtait pas de le bassiner avec ce roman qu'elle avait A-DO-RÉ : *La Vie devant soi*. Il s'en saisit, commença à le parcourir, distraitement, y cherchant de l'inspiration pour apprivoiser sa nouvelle existence. Lorsqu'il se rendit compte que l'ouvrage ne parlait pas du tout de la retraite, mais de l'enfance chaotique d'un petit garçon que la vie n'avait pas épargné, Bernard, déçu, le laissa tomber négligemment.

Le titre aurait d'ailleurs dû lui mettre la puce à l'oreille puisqu'il ne s'appelait pas *La Vie derrière soi*.

Quand vint enfin l'heure de retrouver Jean-Marc, qu'il avait décommandé la veille, Bernard s'installa à la table où ils avaient leurs habitudes. Au restaurant, les deux amis de longue date ne se concertaient jamais, mais finissaient toujours par prendre la même chose, le menu du jour. Entre la viande et le poisson, leurs cœurs ne balançaient pas longtemps : ils avaient une préférence nette pour la chair saignante, accompagnée du vin rouge le plus cher. Comme ce midi-là.

À observer leurs visages tous deux marqués par les années, leur façon similaire de parler fort, ou encore d'utiliser les mêmes expressions, les passants pouvaient se méprendre et penser qu'ils étaient frères. Auparavant, il n'était pas rare qu'ils se retrouvent à un dîner habillés de la même façon. Mais, depuis quelques années, leurs différences vestimentaires s'affichaient. D'un côté, Bernard, toujours en costume noir et chemise blanche, la plupart du temps avec cravate, et chaussures italiennes noires à bout pointu. De l'autre, Jean-Marc, en polo quelle que soit la saison, pantalon à pinces beige et baskets marron en cuir, qui lui conféraient, notamment quand son pull était élégamment noué sur les épaules, un petit côté golfeur relax.

– Alors, ça fait quoi de ne plus mettre de réveil le matin ? demanda, enjoué, Jean-Marc. De penser à tous ces imbéciles dans les bouchons ? Qui vont s'agglutiner dans des réunions stériles toute la journée. On respire mieux, non ?

– Tu parles, la planète est toujours aussi polluée. J'ai lu un article intéressant hier dans *Le Monde* qui parlait du *burn-out* climatique. En gros, c'est une « déprime verte ».

– Je connais la « déprime d'argent », continua le médecin, que tu expérimenteras peut-être avec la retraite, mais verte ? Qu'est-ce que c'est ?

– Tu sais, quand tu rentres de trois semaines de coupure en août, tu as toujours ce moment, de retour au boulot, où tu as envie de démissionner ou de reprogrammer tout de suite tes futures vacances au soleil, et ce même si ton métier te passionne ? En vrai, tu ne le fais jamais, et tu repars dans ta routine. La « déprime verte », c'est le même phénomène, sauf que, tout l'été, tu as appris qu'à cause de la pollution et du réchauffement climatique on respirait des produits cancérigènes à longueur de journée, on naissait avec des malformations, on mangeait du plastique à chaque bouchée, certaines espèces d'animaux avaient déjà disparu et d'autres suivaient chaque jour, qu'il y avait de plus en plus de tempêtes, d'inondations, d'incendies meurtriers, ou plus de réfugiés climatiques. En même temps, on te dit en juillet qu'on a atteint le seuil d'autosuffisance de l'année, donc qu'en gros nous vivons à crédit avec Mère Nature le reste du temps. Eh bien, la déprime verte, c'est que, d'un coup, ça ne passe plus. Soudain, tu ne peux plus te mentir à courir après de fausses urgences au travail, alors que ton entreprise contribue au réchauffement. Il faudrait faire comme si de rien n'était, accepter, se dire que l'on n'y peut rien, que c'est comme ça, que ce n'est pas grave ; alors que tu te rends compte que ta vie n'a pas de sens, que ton travail n'est pas en accord avec tes valeurs. On est la première génération à savoir tout ce qui se passe. Enfin, mon fils, parce que nous, on a même cru que la cigarette, c'était bon pour la santé ! conclut Bernard en vidant son verre de vin d'un trait.

– Optimiste, ton article. Je ne savais pas que tu étais écolo ?

– Moi ? Je ne suis pas du tout écolo ! D'ailleurs, à la place de la voiture de fonction qu'ils m'ont reprise – les saligauds –, j'ai prévu de m'acheter une décapotable : tu me conseilleras, je vais regarder les modèles d'occasion. C'est juste que toutes ces mauvaises nouvelles aux informations, ça me travaille, et quand je cogite, je repense au boulot et je n'arrive pas à dormir la nuit.

– Au moins, maintenant, tu vas pouvoir utiliser ton temps libre pour faire ce que tu veux. Tu vas voir, la retraite, c'est la vie de château. On a l'impression d'être en vacances toute l'année. Tu as prévu quoi, d'ailleurs ?

Bernard grommela et poursuivit :

– Moi, le concept de « retraite », je ne comprends pas : les autres continuent, et toi tu dois t'arrêter. Ce n'est pas intuitif quand tu as couru toute ta vie, que tu as été en compétition en mode marathon ou sprint pour être le premier, le meilleur, pour avoir toujours de l'avance : à être à 10 000 à l'heure, on n'a pas envie – et c'est dur – de s'arrêter. Surtout dans une société qui valorise l'action, la réussite et la jeunesse : je vais être pénalisé. Et puis, je ne suis pas encore fatigué, je grimpe les escaliers, je suis valide, j'ai toute ma tête, je ne tombe pas encore. Ce qui me fait peur, c'est que plus tu en fais, plus tu as d'énergie, et que moins tu en fais, moins tu te sens capable d'en faire. La retraite, c'est une mort. Moi, je veux continuer à travailler, je veux être comme Aznavour : faire ce que j'aime jusqu'au bout. Qui a décidé que je n'avais pas le droit ? On dit toujours que tout peut se finir d'un coup, mais là, c'est le cas ! Ta vie, comme tu l'as toujours connue, elle se termine du jour au lendemain. La dernière journée est bizarre quand même, non ? On arrive normalement, on repart normalement, et c'est fini ! Pour toujours ! On sait ce qu'on quitte, ce qu'on perd surtout, mais on ne sait pas ce que l'on gagne. Nouvelle vie, mon œil ! On nous refile la partie la plus pourrie. Pas folle la guêpe !

— Pour toi, la retraite, c'est le début de la fin ? interrogea Jean-Marc.

— Bah, regarde mon père, ça l'a tué, répondit Bernard d'une voix assurée.

— C'est pour ça que tu la redoutais ? Mais, mon ami, tu te trompes, le corrigea-t-il, plein d'entrain. Tu es jeune, surtout aujourd'hui. Tu es en pleine santé. C'est dans la tête. Tu vas te balader, apprendre plein de nouvelles choses, rencontrer du monde.

Bernard fit une moue sceptique, puis tenta de boire un peu de vin, se rendant compte, un peu tard, que son verre était vide. Faisant signe au serveur de leur apporter un deuxième pichet, il continua sa discussion :

— Tu parles, on nous coupe de la vie sociale. Dis-moi quand va être ma prochaine occasion de discuter avec des jeunes ? Et je ne te parle même pas de côtoyer des jolies filles, en tout bien tout honneur ! Mine de rien, ça fait du bien d'être au plus près de la jeunesse… Je ne sais d'ailleurs pas comment fait Brigitte pour passer ses journées avec des grabataires et garder la pêche. Tu ne me donnerais pas des pilules pour me remonter le moral ? supplia Bernard en essayant de battre des cils à la manière aguicheuse de son épouse, tentative qui s'avéra plus ridicule que convaincante.

— Non, les meilleurs antidépresseurs sont dans les livres, mon ami. Prends donc un abonnement à la bibliothèque ! Ou fais de l'exercice physique, ça aussi, ça fait du bien.

À la tête et au corps, ajouta Jean-Marc en louchant sur le ventre rebondi de Bernard.

– Toi aussi, tu trouves que j'ai de la bedaine ? Je n'ai jamais aimé le sport, ce n'est pas aujourd'hui que je vais commencer ! À moins que tu ne sois partant pour refaire de la plongée avec moi...

– Encore faut-il que ton médecin traitant confirme que tu es toujours apte !

– Au pire, je viendrais te voir. Tu peux me faire un certificat, même si tu n'exerces plus ? rétorqua Bernard, sans s'inquiéter outre mesure de savoir si son ami serait d'accord ou non.

– Oui, mais à nos âges, c'est toujours bien de faire régulièrement vérifier la machine...

– À nos âges ? Comme tu y vas... Parle pour toi, je ne suis pas vieux, moi. À 61 ans, j'ai la patate ! Même plus que certains trentenaires, je peux te le dire. Tiens, quand on parle du loup, mon fils m'appelle... Allô ? hurla-t-il, dans le vieux portable que Brigitte avait ressorti de la malle à antiquités.

– Salut Papa, tout va bien ?

– Oui, pourquoi ?

– Bah, c'est la canicule ! Tu n'as pas trop chaud ?

– Non, pourquoi ? Tu t'inquiètes sérieusement pour moi ? Appelle plutôt ta grand-mère.

– C'est déjà fait. Je dois te laisser, je file en rendez-vous. N'oublie pas de bien t'hydrater.

– OK, Nicolas, de toute façon, tu commençais à être désobligeant.

Bernard raccrocha, estomaqué. La sécheresse record de ces derniers jours ne faisait même pas peur à Marguerite...

Autant dire que pour lui, une canicule en plein été indien, c'était de la gnognotte !

— C'est le pompon, ça ! Tu prends un sacré coup de vieux quand tes enfants t'appellent parce qu'il y a une canicule ! « Bois de l'eau », qu'il a le culot de me conseiller. Tiens, Jean-Marc, ressers-moi un verre de rouge pour la peine. On disait ?

— Bref, que tu n'étais pas vieux, et moi non plus, mais qu'après 50 ans, c'est plus prudent de faire des check-up complets. Par exemple, je ne suis pas certain, moi, d'avoir le souffle pour la plongée. Je m'éclate bien plus aujourd'hui en bateau, au golf ou en randonnée.

Bernard secoua la tête en regardant son ami d'un air affligé.

— Oh, tu me fais peur, parfois, Jean-Marc. Dans cinq minutes tu vas me dire que la pétanque, c'est un sport qui te branche !

— Sérieusement, reprit l'ancien médecin, il te faut une activité physique qui te convienne. Tiens, prends le numéro de mon confrère, il est très sympa. Tu n'as plus d'excuses, tu as le temps, recommanda-t-il, laissant à nouveau traîner ses yeux sur la brioche prononcée de Bernard.

Ce dernier mit sa main sur son ventre, s'avachit un peu plus sur sa chaise, repu, puis continua, se retenant de déboutonner son pantalon : il y avait des limites, quand même.

— Les anciens collègues aussi trouvaient que j'avais un peu pris. Ces nuls, ils m'ont fait un pot de départ surprise deux jours avant que je m'en aille, alors que j'avais dit non. Ils m'ont offert les trucs les plus lamentables possibles : un cahier d'exercice physique genre *Kama Sutra* pour les vieux croulants qui ne peuvent plus bouger, un album de coloriage pour mes longues journées d'hiver, un guide de survie pour la vie à deux, un puzzle et d'autres âneries que je n'ai même pas ouvertes. Si tout le bien qu'ils pensaient de moi se mesurait à la qualité de leurs cadeaux, j'ai bien fait de partir.

— Et sinon, toi, tu leur as laissé une surprise, à tes anciens collègues ? interrogea sournoisement Jean-Marc.

— C'est-à-dire ? demanda Bernard, sans comprendre un instant où son ami voulait en venir.

— Un souvenir, une petite bombe à retardement qu'ils vont découvrir quand tu ne seras plus là, pour qu'ils se retrouvent dans la mouise.

La mâchoire de Bernard se décrocha : jamais cette idée tordue ne lui avait traversé l'esprit. Il fallait être drôlement en colère pour imaginer une vengeance pareille.

— Non, je suis aigri mais pas méchant. Je n'y ai même pas pensé, dis donc ! Comme d'habitude, j'ai été trop bon, trop con. Le gentil petit soldat, jusqu'au bout. Pourquoi ? Je ne sais même pas.

— On a été éduqués comme ça, admit Jean-Marc, qui était toutefois assez fourbe pour avoir pensé à pareilles représailles.

— Sûrement. Tu sais, ils sont en train de changer toute l'organisation, et je peux te dire qu'ils vont droit dans le mur. Ils ont mis deux puceaux pour me remplacer. Ils ne savent pas ce qu'ils font là-haut : je leur laisse moins d'un mois pour me rappeler. Et je ne reviendrai pas comme ça ! J'attendrai des excuses, vu que ce sont eux qui m'ont mis à la retraite, lâcha Bernard, rêveur, en observant la robe carmin de son vin, alors que Jean-Marc salivait devant la carte des desserts.

Une fois le serveur reparti avec la commande pour le tiramisu et le baba au rhum, le silence se fit entre les deux amis, avant que Jean-Marc ne reprenne le fil de ses pensées.

– J'ai loué un bateau, tu le verrais, il est magnifique, tout en teck. Tu m'accompagnes vendredi pour voir ce qu'il a dans le ventre ?

– S'ils ne sont pas stupides, ils vont faire appel à moi, plutôt que de se tirer une balle dans le pied, continua très sérieusement Bernard dans son monologue, sans se préoccuper un instant de répondre à son ami.

Devant l'obstination de Bernard, Jean-Marc le regarda un instant, silencieusement, et ce fut le médecin qui parla :

– Mais tu es sûr que tu n'as pas envie de te reposer un peu, tu l'as bien mérité, tout de même ?

– Je vais mettre mon CV à jour, au cas où, surenchérit Bernard.

– Mais tu écoutes parfois ce que les autres te disent ? le sermonna Jean-Marc.

– Jamais... répondit l'intéressé en souriant.

– 13 –

Ça sent le roussi

Quand Brigitte rentra de son dîner le soir même, elle trouva Bernard dans la cuisine, debout, la tête dans le frigo, à s'empiffrer des restes de fromage.

– Ah, te voilà, enfin ! lâcha-t-il de sa voix grave. J'étais à deux doigts de m'énerver. Tu rachèteras des gâteaux apéro et du fromage, car on n'en a plus maintenant.

– À deux doigts de t'inquiéter, corrigea-t-elle en l'embrassant sur la joue. Ne me dis pas que tu n'as rien mangé de la journée ?

– Bah si, tu me laisses un réfrigérateur vide, et tu m'abandonnes pour ma première journée, mentit-il, faisant volontairement l'impasse sur le déjeuner avec son ami. Sympa, l'épouse compatissante !

Brigitte ne fut pas dupe et s'accouda au plan de travail pour le regarder droit dans les yeux.

– N'essaie pas de me faire culpabiliser, ça ne marchera pas. En plus, c'est toi qui m'as dit de te laisser tranquille aujourd'hui. Alors tu as fait quoi, Monsieur Mauvaise-Foi ? Raconte, je veux tout savoir. Tu as vu Jean-Marc ?

– Oui, on a mangé ensemble. Heureusement d'ailleurs, ça m'a fait une sortie. Dis donc, il a pris un sacré coup de vieux ! Ça faisait longtemps que je ne l'avais pas bien regardé, mais il ne marche plus très bien. Si ce n'était pas lui le médecin, je dirais bien qu'il a un...

— Ne parle pas de malheur, le coupa-t-elle. On n'a plus que lui. Et arrête de regarder ton émission de santé : après, tu te montes le bourrichon et tu t'étonnes de ne pas arriver à dormir ! À part ça, tu as profité de ta journée ? C'était bien de te la couler douce ?

— Me la couler douce, moi ? répondit-il d'une voix outrée. J'ai travaillé, Madame. Tout l'après-midi sur l'ordinateur. Je t'avais dit que je ne resterais pas inactif.

— Travaillé ? Tu m'inquiètes, dit Brigitte en fronçant les sourcils et soutenant le regard de son mari, qui tourna les talons avant de déclarer :

— Bon, je vais me coucher. Tu viens aussi ?

Brigitte l'arrêta net en lui attrapant le bras. Bernard avait un de ces culots et il ne s'en rendait même pas compte. Elle avait intérêt à mettre le holà, au plus vite.

— Attends. Ça va être ça, nos journées ? fit-elle remarquer. On se parle deux minutes et on va au lit ? Tu peux prendre le temps d'échanger avec ta femme, quand même.

Bernard revint, le pas traînant, s'assit sur une chaise inconfortable de la cuisine et demanda comme s'il avait un pistolet plaqué contre la tempe :

— OK. Alors, tu as fait quoi aujourd'hui, ma chérie ? Parce que Madame, on ne l'a pas vue depuis ce matin... Tu étais avec qui, d'ailleurs ?

— Tu ne m'écoutes jamais, en fait, constata Brigitte, exaspérée. Comme je te l'ai dit au petit-déjeuner, j'étais avec mes petits vieux de la maison de retraite, on a fêté les 100 ans de Lucien, et, ensuite, j'ai dîné en ville avec les membres d'une nouvelle association que j'aimerais rejoindre.

– Bravo, on dilapide l'argent du ménage ! railla Bernard, jetant de l'huile sur le feu.

– C'est ma retraite, je l'ai gagnée, j'en fais ce que je veux. Tu ne vas pas commencer à me fliquer, quand même ? Qui te dit que c'était au resto ? C'était chez la trésorière. Et puis tu peux parler, toi ! Je suis sûre qu'à midi tu n'as pas lésiné.

Bernard ne releva pas : il aurait eu du mal à contredire Brigitte avec son menu entrée / plat / dessert accompagné de vin. Il décida de renvoyer la balle dans son camp.

– D'ailleurs, pour le déjeuner de demain, tu as prévu quoi, ma chérie ? Il ne faudra pas oublier de faire les courses, il n'y a plus rien à manger à la maison.

Brigitte lui sourit aimablement, avant de reprendre :

– Comme tu veux, Bernard, car demain midi, comme tous les midis, je t'ai prévenu, je ne serai pas là. Donc, je te propose de te prendre en main et de t'acheter ce qui te fait plaisir. En plus, c'est jour de marché, tu auras de l'extra-frais. Le soir, on fera des œufs.

– Des œufs ? Jour de fête, dis donc. Tu me diras si je dois mettre une cravate, bougonna Bernard.

– Si tu as envie de me cuisiner un petit truc d'ailleurs pour le dîner, sens-toi libre, mon chéri. Je m'occuperai de la baguette. Dans la boîte à pain, il n'y a plus que deux vieux croûtons.

– Comme à la maison... susurra Bernard.

– 14 –

Chercher midi à quatorze heures

Quelques instants plus tard, alors qu'elle finissait de se démaquiller, Brigitte observa de plus près sa repousse capillaire hasardeuse : ses racines ne semblaient pas se décider entre le gris foncé derrière et le blanc argenté devant ! Était-ce cela, le sel de la vie ? Sans parler de ses pointes jaunies par le soleil. Quelle tristesse, elle allait devoir repasser au bac pour harmoniser en gris. Elle s'apprêtait à rejoindre Bernard dans le lit matrimonial lorsqu'elle découvrit une feuille tombée de l'imprimante. Elle y trouva le résultat d'un après-midi de labeur. Un curriculum vitæ flambant neuf. Tout y était. Sauf l'âge !

Bernard y paraissait plus dynamique que jamais : il annonçait qu'il faisait de la plongée depuis toujours, et même de la natation deux fois par semaine.

Voyez-vous cela !

Taquine, Brigitte décida d'en savoir plus et interpella son mari, déjà au lit, plongé dans son journal.

– Bernard, tu viens nager avec moi, demain matin ?

– Oh non, tu sais bien que j'ai horreur de ça ! rejeta-t-il, dégoûté.

– Ah bon ? J'avais cru comprendre le contraire… répondit Brigitte de sa voix la plus innocente en lui montrant, pleine de contentement, son curriculum vitæ mis à jour. Tu comptes l'envoyer à quelqu'un ?

– On ne sait jamais. Ils ne te demandent pas un CV quand tu te portes volontaire dans tes associations ?

– Ah, tu veux être bénévole. C'est génial, où ça ? s'enthousiasma Brigitte, culpabilisant de l'avoir jugé trop vite.

Bernard clarifia les choses.

– Bénévole ? Jamais ! Avec tout ce que je sais, je ne vais pas partager ça gratuitement. Le temps, c'est de l'argent, donc maintenant, en théorie, je suis milliardaire !

Brigitte soupira et s'en voulut d'avoir cru que son mari pouvait lui réserver encore des surprises, alors que force était de constater qu'il ne s'arrangeait pas avec les années.

– Tu es une cause perdue ! lâcha-t-elle.

– Tu veux en être la trésorière ? lui proposa-t-il avec un sourire grand comme celui du chat du Cheshire dans *Alice au pays des merveilles*.

– 15 –

La fin des haricots

Lors de sa deuxième journée d'inactivité, Bernard fit quelques erreurs de débutant. Il se leva avec Brigitte, lança son café tandis qu'il prenait une douche rapide. Après avoir englouti sa boisson chaude d'un trait, il observa du coin de l'œil son épouse qui était en train de vider sa penderie, créant un bazar monstre par terre. Il valait mieux la laisser, avant qu'elle ne lui demande un coup de main.

8 h 56. *Voilà, voilà.* Il était prêt.

Il enchaîna au pas de course le stand du boucher et du primeur et revint à la maison, journal à la main, pour lire tranquillement dans son fauteuil. Brigitte était repartie, l'amoncellement de vêtements aussi. Il n'avait pas vraiment écouté le programme de sa journée : elle devait sûrement être fourrée à la piscine municipale.

10 h 37. Le quotidien était achevé, les provisions non rangées, mais elles pourraient sagement attendre midi. *Voilà, voilà !*

Il regarda sa montre. 10 h 38.

Pou, pou, pou ! La journée allait être interminable. Par réflexe, il consulta l'agenda électronique de son portable : il était désespérément vide, alors que, quelques semaines plus tôt, il recevait encore continuellement des notifications bruyantes, jour et nuit, semaine comme week-end. Aujourd'hui, son téléphone ne sonnait plus.

À bien y réfléchir, il aurait dû se caler sur un rythme différent, un peu plus lent peut-être, ou saucissonner les tâches… Il était encore en mode « optimisation maximale du temps », or il était désormais préférable de changer de vitesse de croisière, car Bernard commençait à trouver le temps long.

Qu'était-on censé faire une fois à la retraite ?

Bernard repensa à son CV et à la fiche de description de son ancien poste, qu'il avait parcourue la veille pour utiliser les mots justes. Quel était son nouveau rôle ? Sa mission ? Ses obligations ? Ses nouvelles responsabilités ?

Bernard consulta le *Larousse* sur le moteur de recherche de l'ordinateur familial. Définition de « retraité » :

« Qui est à la retraite, qui a cessé son activité professionnelle. »

– Avec ça, on est bien avancé ! râla-t-il.

Bernard venait de découvrir un des avantages de son nouveau statut : à être tout seul, il pouvait se parler à lui-même, sans que personne n'y trouve à redire.

– Comment suis-je censé occuper mes journées ?

Il lut en diagonale le reste de l'article :

« Action d'abandonner, de cesser, de se retirer, de se cacher, de ne plus pouvoir se maintenir sur ses positions… éloignement, solitude, marche en arrière, diminution, marque la fin… »

– Quel programme ! constata-t-il, toujours plus amer.

Bernard tenta alors d'éclaircir le tableau en parcourant la page des synonymes :

« Abandon, abri, asile, débâcle, débandade, décrochage, défaite, disparition, éloignement, exil, non-activité, recul, réduit, reflux (!!!?), repli, retrait, solitude, trou ! »

– Eh bien, c'est gai ! conclut-il en refermant brutalement son ordinateur.

Il retourna au salon, brancha la radio grésillante, qui laissa retentir la voix d'Henri Salvador célébrant son « jardin d'hiver ». La mélodie traînante lui donna encore plus le cafard. S'il avait eu le moindre doute, il en avait désormais la certitude : autour de lui, tous les messages convergeaient pour lui rappeler qu'il était au crépuscule de sa vie.

10 h 56. Bernard attrapa le premier magazine qui traînait sur la table basse. *Senior magazine*.

– Tiens, une pub pour les pompes funèbres. Quand je disais que les choses se précisaient... bougonna-t-il.

Bernard avait beau scruter les horloges, les aiguilles ne bougeaient pas plus vite. Il constata surtout qu'elles n'étaient pas toutes à la même heure et entreprit de les régler. Cela lui prit plus de temps que prévu, car la cafetière, comme le four, étaient digitaux.

Il finit par s'assoupir, sombrant dans un sommeil lourd. Lorsque le téléphone sonna quelques minutes plus tard, il décrocha en rouspétant, puis eut un mouvement de recul en entendant la voix aiguë de son interlocutrice :

– Bonjour Monsieur. Je me présente, Anaïs. Êtes-vous propriétaire ?

– Oui, en quoi cela vous regarde-t-il ? demanda-t-il, à juste titre.

– Avez-vous déjà pensé à déménager, car votre maison n'était plus adaptée à votre âge, plus assez pratique ? Je pense notamment à un escalier trop raide à grimper pour vous-même, votre épouse, une aïeule, ou juste, imaginez le pire, un accident qui vous invaliderait... Eh bien, j'ai la solution pratique pour vous, à un coût négligeable en comparaison d'un déménagement, d'une modernisation ou de l'achat d'un logement neuf. Avez-vous déjà pensé aux fauteuils monte-escalier Dana ?

Bernard raccrocha brutalement.

— Le prochain qui me sort le mot « pratique », je lui en colle une ! hurla-t-il.

En fait, si, le téléphone sonnait encore. Le glas.

La journée parut durer une éternité avant le retour de Brigitte, en fin d'après-midi.

— Ah, je suis contente de moi, mon chéri. J'ai été très efficace, dit-elle en se laissant tomber mollement sur le canapé, avant d'enlever ses mocassins pour se masser les pieds.

— Moi aussi, je te ferais dire. J'ai remis toutes les pendules à l'heure et il y avait du boulot : je n'avais jamais remarqué, mais on en a une ribambelle ! Tout un tas d'horloges dans la cuisine, la chambre, le salon, même la salle de bains et les toilettes. Ça m'a bien occupé la moitié de ma journée, mentit-il. Tu pourrais me féliciter, quand même.

— Bravo, c'est juste dommage que l'on change d'heure à la fin du mois... Tu ne me demandes pas ce que, moi, j'ai fait aujourd'hui ? Eh bien, je vais te le raconter quand même. J'ai jeté, enfin donné. Ce matin, j'ai fait un grand ménage. Je me suis débarrassée de toute ma vie d'avant. Le tri, il n'y a pas à dire, mais ça vide la tête. On se sent mieux. Ça libère ! Tu devrais en prendre de la graine, Bernard.

Son mari la regarda avec de grands yeux ronds.

— Tout va très bien, je te remercie. Alors de quoi t'es-tu débarrassée ? interrogea-t-il, soudain effrayé, en voyant que le sourire béat de son épouse ne s'effaçait pas.

— De tout ! Tous ces vêtements qui me stressaient. Les talons quand j'avais une inspection, les tailleurs quand je surveillais les examens et que j'étais aussi angoissée que les élèves. J'ai passé ma vie à mettre le costume que l'on attendait de moi, pour avoir l'air plus grande, plus forte, plus mince, plus jeune, en bonne santé, dans le coup, à la mode…

Une fois à la retraite, Brigitte devait, comme tous, tirer un trait sur sa vie d'avant. Mais, contrairement à d'autres, il n'y avait chez elle aucune tristesse, aucun regret, au contraire. Elle rayonnait.

– Tu vois, ces tenues, ce n'était pas moi. Tout ce noir, ce gris, quelle tristesse ! Je suis bien plus joyeuse et colorée que ça. Maintenant, je ne veux plus paraître, je m'en fiche de ce que peuvent penser les autres. Je veux juste être bien, mettre des choses plus simples, plus confortables, qui me ressemblent. J'ai simplement envie d'être moi.

– N'est-ce pas dommage d'être soi à 60 ans passés ? lui fit remarquer son mari.

– Mieux vaut tard que jamais, Bernard. Mieux vaut tard que jamais.

– 16 –

Être dans de beaux draps

Bernard, qui avait choisi la solitude toute sa vie, retranché dans son bureau, tout à ses affaires, découvrait l'isolement imposé. Paul Valéry avait bien raison : « Un homme seul est toujours en mauvaise compagnie. » Du coup, il se chercha des activités. Il commença par son petit tour matinal habituel jusqu'à la maison de la presse et la boulangerie, puis navigua sur l'ordinateur, scrutant les offres d'emploi ouvertes aux hommes d'expérience – sans succès. Il décida alors de prendre rendez-vous avec le docteur, pour donner un sens à sa journée. Son nouveau médecin traitant pouvait le recevoir à 17 heures.

Toute la journée, Bernard scruta l'heure et maudit les paresseuses aiguilles, qui prenaient un malin plaisir à le faire tourner en bourrique. Il déjeuna de pâtes au beurre et au gruyère, avant de se plonger une deuxième fois dans son journal, le parcourant distraitement, un œil sur les titres, un autre sur la pendule : il ne fallait pas qu'il soit en retard.

À 16 heures il se mit en branle, à 16 h 03 il était dans la voiture de Brigitte, à 16 h 07 il était garé devant l'hôpital où le généraliste consultait. Il s'installa dans la salle d'attente, et il patienta, comme tous ici. Ils n'étaient pas patients pour rien.

Quand 17 heures arrivèrent, mais pas le médecin, il commença très sérieusement à s'agiter. Lorsque le docteur entra et appela un autre nom, il crut tomber de sa chaise. 17 h 12. On se foutait de la gueule du monde !

Bernard avait trop de respect pour les chefs, les haut gradés, les surdiplômés, pour leur dire quoi que ce soit en face. Par contre, cette attente interminable était forcément due à l'incompétence ou au manque d'organisation de la secrétaire médicale, qu'il décida d'enguirlander.

La petite dame, cheveux courts bouclés, bien charpentée, leva les yeux quand une voix au débit intarissable résonna à ses oreilles. Elle mit aussitôt le holà.

— On se calme, il n'y a pas mort d'homme. Que vous arrive-t-il, Monsieur ?

— Ce qu'il m'arrive ? Mais c'est un scandale ! Cela fait plus d'une heure que j'attends et ce n'est toujours pas mon tour. Vous croyez que je n'ai que ça à faire !

— Vous aviez rendez-vous à quelle heure ?

— 17 heures. Et il est déjà 17 h 15.

— Je crains qu'il ne faille alors prendre votre mal en patience. Votre nom ?

— C'est hallucinant, quand même, que l'on me traite comme ça ! Je suis M. Delcourt, quand même.

— Mais, ici, Monsieur, vous n'êtes personne. Chacun doit faire la queue comme tout le monde. Et si je ne me trompe pas, dit-elle en parcourant son planning, j'ai un autre conseil : apprenez à tourner sept fois votre langue dans votre bouche avant de prendre de haut les gens qui font correctement leur métier. Votre rendez-vous est à 17 h 30, Monsieur.

— Mais pas du tout ! Qu'est-ce que c'est que cette histoire ? s'indigna Bernard en trifouillant dans sa besace à la recherche de son vieux portable, dans lequel il avait pris plaisir à noter son rendez-vous du jour. Il garda la mine sévère, notamment lorsqu'il ouvrit l'agenda électronique, avant de ronchonner plus encore, car il lui fallait retrouver ses lunettes, puis, les ayant chaussées, il lâcha d'une toute petite voix :

— Ah, oui, effectivement, en levant de grands yeux ronds vers la petite dame de la réception, qui savourait sa victoire d'un sourire figé.

Au même instant, la porte du cabinet s'ouvrit, et un homme imposant en sortit.

— Tenez, vous avez de la chance, le docteur vient vous chercher. 17 h 22, ajouta-t-elle sournoisement, pour lui faire remarquer qu'on le prenait même en avance.

Elle décida d'enfoncer le clou.

— Demandez-lui de vérifier les oreilles, les yeux et le cerveau aussi… conclut-elle, alors que Bernard fulminait.

— Bonjour, tout se passe bien ? demanda le médecin, dont la poigne lui brisa tous les os de la main. On ne se connaît pas encore, mais nous avons un très bon ami en commun. Jean-Marc ne m'a pas dit : vous faites quoi dans la vie ?

Après s'être fait remettre à sa place, là, c'était la question de trop. Bernard bugua. Qu'était-il supposé répondre désormais ? Il n'y avait pas réfléchi. Il n'était pas encore résigné à déclarer « anciennement directeur », « Directeur Génial », comme l'asticotait souvent son épouse à défaut de n'avoir jamais été promu directeur général. Et il ne pouvait pas simplement dire « retraité »…

En fin d'après-midi, de retour chez lui, Bernard n'avoua pas à Brigitte qu'il avait tourné en rond toute la journée, ni qu'il s'était fait remettre à sa place par une secrétaire médicale particulièrement coriace, ni que le généraliste l'avait tellement épuisé avec ses tests qu'il avait failli repartir de la consultation sans son certificat d'aptitude à la plongée. Il lui raconta simplement qu'après le médecin il était passé chez l'opérateur téléphonique et qu'il avait enfin un portable nouvelle génération. Fièrement, Bernard dégaina son nouveau joujou, rabroué aussitôt par le regard sévère de son épouse qui commençait juste à raconter sa journée.

Lorsqu'ils allèrent se coucher, Brigitte, pleine de curiosité, pianota sur l'ordinateur et vit que les recherches d'emploi de son mari ne s'étaient pas arrêtées. De toute évidence, il était dans le déni de sa nouvelle situation et il tentait de le lui cacher. Il avait perdu plus que son poste : il avait perdu son statut, son identité, son utilité.

Il fallait qu'il reprenne du poil de la bête et vite. Et, pour cela, elle avait une idée !

– 17 –

C'est dans les vieux pots
qu'on fait les meilleures confitures

La nuit suivante, Bernard dormit mal. Comme souvent depuis qu'il avait pris sa retraite. Quand il ne cogitait pas à cause du travail, ou de son absence, c'était alors la faute du pisse-mémé de Brigitte. Si ce n'était pas malheureux ! Maintenant qu'il pouvait dormir, il n'y parvenait plus. Pire, il continuait d'être préocuppé par des réunions capitales et finissait par se rendre compte que même cet abruti de Godard lui manquait.

Au matin, alors qu'ils prenaient leur petit-déjeuner ensemble, Bernard tenta :

— Brigitte, tu es fatiguée, toi ?

— Non, pas depuis que je suis à la retraite. Je dors comme un bébé maintenant, s'exclama-t-elle. Avant, j'étais épuisée, car c'était stressant, finalement, d'être toujours en représentation, de devoir être performante, d'avoir l'esprit qui gamberge ou fourmille de projets, de responsabilités, de contraintes.

— Tu as bien de la chance, admit-il. Moi, je continue de subir tous les inconvénients du travail – notamment les réunions, que je prépare toutes les nuits –, mais pas ses avantages.

Brigitte était clairement plus heureuse que lui dans cette nouvelle vie, et même s'il souhaitait le refréner, Bernard sentait bien monter en lui une pointe de jalousie envers l'épanouissement, sans lui, de son épouse.

– Bonne journée quand même, puisque tu m'abandonnes encore, lui lança-t-il au moment où elle claquait la porte derrière elle.

Pour son petit-déjeuner, Bernard tenta une grande première. Se faire un œuf à la coque, tout seul.

– Ça a l'air mangeable ! annonça-t-il avec appétit, au bout de quatre minutes.

Brigitte fit irruption soudainement dans la maison.

– J'ai oublié mon sac. À qui parles-tu, Bernard ?

– Hein ? Personne.

Il aimait bien sa nouvelle petite manie de tout commenter à voix haute : cela le rassurait, puisqu'il s'entendait, c'est qu'il était bien là à vivre le moment, même s'il n'y avait personne d'autre autour pour en être témoin.

– Bon, moi, j'y vais, j'ai rendez-vous avec Éric de la maison de retraite, et après je vois Betty. Je rentre pour dîner ! Bonne journée, mon chéri !

Et elle claqua de nouveau la porte derrière elle.

– Je suis assez fier de moi, finalement. Comme quoi, je n'ai pas besoin de Brigitte.

Ce qui le déprima cependant ce matin-là, c'était qu'il n'avait rien de programmé dans son agenda. Même la plongée, qu'il avait planifiée, tombait à l'eau, car la mer était houleuse. Il en voulait à Brigitte, comme si le mauvais temps était en partie de sa faute.

Ne sachant rien des multiples divorces dont la voisine rebattait les oreilles de Brigitte, Bernard ne comprenait pas pourquoi, alors qu'elle lui avait reproché toute sa vie de n'être qu'un fantôme qu'elle ne faisait que croiser, pourquoi aujourd'hui, alors qu'il était à la maison, elle ne restait pas à ses côtés, à faire des choses enfin ensemble.

Dans le passé, Bernard avait autorisé sa femme à avoir une activité professionnelle, une raison valable de quitter le foyer. Mais, maintenant, il ne trouvait pas légitime qu'elle l'abandonne tous les jours pour aller se divertir à la piscine, jouer au bridge avec des petits vieux en maison de retraite, ou alors retrouver de nouveaux amis. C'était forcément qu'elle les préférait à lui.

Le midi, Bernard, qui refusait toujours de se mettre aux fourneaux, s'invita à déjeuner chez sa mère, qui de toute évidence n'était pas ravie de devoir changer ses plans à la dernière minute. Marguerite habitait dans un petit immeuble de la commune voisine, qu'elle avait rejoint quelques années auparavant, délaissant la campagne bordelaise à la mort de son mari.

— Je te dérange ? demanda Bernard au moment où sa mère lui ouvrait, sans un sourire. Tu attendais quelqu'un, peut-être ? Jean-Pierre... Pernaut ? ironisa-t-il.

Marguerite l'embrassa sur chaque joue avant de retourner dans sa cuisine, Bernard sur les talons. Alors qu'elle ajoutait un peu d'eau dans sa cocotte-minute, elle remarqua :

— Tu te soucies de la vie amoureuse de ta mère désormais ? Je suis embêtée, car il ne me reste qu'un fond de potage à nous partager.

Bernard fit une grimace, puis se pencha au-dessus de la marmite qui bouillonnait. Le parfum de clou de girofle ne le réconcilia pas plus avec le menu.

— De la soupe ? Tu n'as pas plus gai ? se plaignit-il.

— Elle est délicieuse. Goûte avant de critiquer, le somma-t-elle en lui enfonçant la cuillère en bois dans la bouche.

S'ébouillantant la langue et perdant instantanément toutes ses facultés gustatives, Bernard ne sut évaluer si, effectivement, le potage dilué était savoureux ou quelconque. Marguerite ajouta une assiette creuse sur la table en formica et prit place, glissant sa serviette dans son chemisier pour le protéger d'éventuelles taches. Même si elle n'avait prévu de voir personne, cette ancienne couturière était toujours apprêtée et, ce jour-là, ne faisait pas exception : elle avait endossé un joli haut en mousseline et une veste en tweed, que Bernard lui connaissait depuis des années. C'était une question de respect envers elle-même, répétait-elle à l'envi.

Bernard attrapa un torchon, qu'il positionna négligemment sur ses genoux, puis servit une louche de potage à sa mère. Après plusieurs lampées d'un calme religieux, cette dernière rompit le silence.

— Alors, tu survis ? demanda-t-elle en faisant référence à l'inactivité nouvelle de son fils.

Bernard grimaça. Il venait d'oublier de souffler et s'était, cette fois, brûlé le palais.

— Je suis un peu paumé, répondit-il. Tu m'as seriné toute ma vie de faire passer « les corvées avant les plaisirs », alors je culpabilise de n'avoir rien à faire.

Marguerite reposa bruyamment sa cuillère sur la table et le fixa durement :

— Tu seras gentil de prendre tes responsabilités. Ne rejette pas la faute sur moi. Tous les *babyboomers* ne pleurnichent pas à l'arrivée de la retraite. Au contraire... Regarde ta femme ! l'invectiva-t-elle, si pleine d'entrain qu'elle faillit lui envoyer par mégarde une cuillerée brûlante en pleine figure.

Habitué au sang chaud de sa mère, Bernard s'était reculé à temps. Loin d'attendrir Marguerite, dont l'œil était de plus en plus sévère, Bernard continua ses pleurnicheries.

— On me dit « profite ! », mais le temps file et j'ai l'impression de le gâcher. Elle n'est pas mauvaise, ta soupe, admit-il en puisant dans le fond de la marmite. Tu as mis quoi dedans ?

Ce compliment dérida un instant la vieille dame, qui, sans un mot, tendit son assiette par-dessus celle de Bernard pour l'empêcher de s'octroyer le restant tout seul. On n'arrêtait pas de lui seriner qu'elle n'avait que la peau sur les os : son fils n'allait tout de même pas lui enlever le pain de la bouche !

— Du potimarron, c'est de saison, et des patates, répondit-elle en levant le nez pour vérifier la quantité qu'il lui versait. Encore un peu, ordonna-t-elle, sachant très bien qu'ensuite il ne resterait pas grand-chose dans la cocotte. Voilà, merci. Parfois je rajoute de la crème ou de fromage frais, mais, là, je l'ai laissée nature. Tu finis, hein ? l'enguirlanda-t-elle, au moment où il allait se rasseoir, fatigué à l'idée de devoir racler la cocotte pour une demi-cuillérée.

Une fois la seconde assiette engloutie, Bernard sauça avec un gros morceau de pain.

— Elle n'est pas mal du tout, vraiment, cette soupe, admit-il la bouche pleine. Je demanderai à Brigitte d'en faire. Ça manque juste un peu de mordant pour moi, se moqua-t-il, lui rappelant ainsi qu'il avait encore toutes ses dents.

— Ne te fiche pas de moi, veux-tu, et apprends à cuisiner, bon sang de bon soir ! Un potage : il n'y a rien de sorcier. Il va falloir t'y mettre, un jour, mon petit : tout ne te tombera pas toujours tout cuit dans le bec, prévint-elle. La retraite, c'est le moment idéal pour tout réapprendre, ou apprendre, ajouta-t-elle, lourdement, à l'attention de son fils, qui inspectait le frigo. Il n'y a pas de fromage, si c'est ça que tu cherches. C'est fini, l'entreprise ou l'école qui mettent sur des rails sans que l'on ait besoin de réfléchir à ce que l'on aimerait faire, ou à qui l'on est vraiment. On est façonné par des « c'est comme ça et pas autrement », on nous a toujours fait rentrer dans le rang. Et on obéit, on court, on veut gagner toujours plus d'argent, mais, au final, on fait tout ça sans jamais se demander si cela nous rend vraiment heureux. Maintenant, il n'y a plus personne pour te dicter ta conduite. Tiens, aide-moi à faire la vaisselle, veux-tu, exigea-t-elle cependant, alors qu'il déambulait autour d'elle.

– Mais, tu ne peux pas faire comme tout le monde et t'offrir un lave-vaisselle… suggéra Bernard, agacé.

La technologie et les femmes avaient toujours sauvé sa vie de la moindre corvée ménagère.

– Je n'en ai pas besoin, j'ai quatre assiettes à tout casser. Il faudrait que je rachète de la vaisselle pour arriver à le remplir. Ça n'a aucun sens. Ça prend deux minutes, et ça ne m'embête pas. Nos mains, elles ne sont pas faites pour rester lisses et propres, tu sais, commenta-t-elle en observant les doigts graciles de son fils, qui n'avaient jamais eu à toucher autre chose qu'un stylo puis les touches d'un clavier.

Que ce soit avec sa mère ou avec Brigitte, Bernard n'avait jamais mis la main à la pâte. Surtout dans une cuisine. Un enfant unique, un garçon qui plus est, élevé à tort comme un pacha.

Bernard avait grandi avec Papa et Maman, avait passé tous ses étés en famille avec des cousins de son âge, avait été en pensionnat de garçons, avait rencontré Brigitte, s'était installé avec elle, avait toujours travaillé dans cette multinationale où le nombre de collaborateurs se comptait par milliers, puis Nicolas était arrivé quelques années plus tard.

— Il est temps que tu te poses les bonnes questions... Il faut que tu trouves par toi-même ce que tu *veux* faire, et pas ce que tu *dois* faire. Quelle personne as-tu envie d'être ?

— Elle est drôle, celle-là ! Bah, moi ! rétorqua-t-il, trouvant la question grotesque.

— Mais est-ce que tu te connais vraiment ? demanda-t-elle.

Bernard ouvrit la bouche pour répondre, mais rien n'en sortit. Marguerite savait qu'elle avait visé juste.

De par son éducation, il n'avait pas été armé pour la retraite. Il ne savait pas s'ennuyer, choisir par lui-même, ou tout simplement profiter des petits plaisirs de la vie. On ne l'avait pas préparé à cette solitude, à cette inactivité, au choix, au vide.

— À la retraite, tu es libre. Libre de vivre tes passions à fond. C'est que du *plus*.

— Des passions ? Mais mon travail, c'était ma passion. Et puis, j'ai surtout l'impression que le mot qui résume le mieux la retraite, c'est *moins*, pas *plus* : tu vois *moins*, tu entends *moins*, ton corps réagit *moins*, tu manges *moins*, tu dors *moins*, tu as *moins* d'amis, tu fais *moins* l'amour...

— Et sur la fin, parfois, c'est carrément *plus du tout* !

— Merci de me remonter le moral, commenta-t-il.

— C'est surtout différent. On passe de la sexualité à la sensualité, expliqua-t-elle.

Bernard eut un mouvement de recul, son visage se figeant dans une grimace de dégoût.

— Ça me dérange un peu d'avoir cette discussion avec toi, Maman...

Marguerite leva les yeux au ciel, avec l'air de dire « mon pauvre enfant », puis reprit :

– Voyons, Bernard, si à ton âge on ne peut rien te dire, je comprends mieux pourquoi tu discutes *moins*. Tout est tabou avec toi. Et la tendresse, bordel ? lâcha-t-elle, avant de lui proposer d'une voix mielleuse : « Un café ? »

La voyant attraper sa cafetière filtre, Bernard déclina aussitôt :

– Non merci, ton jus de chaussettes, je vais m'en passer. À Noël, je vais t'offrir une machine à capsules : il serait temps que tu entres au XXIᵉ siècle.

Marguerite, qui n'aimait pas qu'on la contredise, servit tout de même deux tasses, avant de lui faire remarquer :

– Rappelle-moi une chose, mon garçon : les cadeaux, tu les fais pour faire plaisir aux autres ou pour toi ?

Bernard grimaça : Marguerite venait encore de marquer un point. Elle en profita pour enfoncer le clou.

– Et puis, tu m'excuses, mais les dosettes que l'on doit jeter à chaque usage, non merci. Je refuse de gaspiller.

– Comme tu y vas… tenta Bernard, qui ne sut pas quoi lui rétorquer. Et, je te ferais dire, mes capsules sont compostables. Alors, tu vois…

– Je vois surtout que le meilleur déchet, c'est celui que l'on ne fait pas. Tu crois que ce moulin à café, c'est pour la déco ? le sermonna-t-elle. Commence déjà par arrêter d'utiliser tout ce qui ne sert qu'une seule fois, et après, tu pourras peut-être essayer de me donner des leçons de bon sens.

Bernard fit une moue sceptique de mauvais perdant et esquiva.

– Bref, tu ne m'enlèveras pas de l'idée que la retraite, c'est une grande arnaque.

– Mais tu confonds deux choses très différentes, Bernard : la retraite et la vieillesse. Tu peux être inactif à 40 ans comme tu peux avoir 80 ans et toujours travailler. Et puis, dans la vie, *tout* est une question de point de vue. La vieillesse, ça peut être que du *plus* : c'est *plus* de médicaments, *plus* de visites chez le docteur, *plus* d'enterrements, *plus* d'incertitudes, *plus* de peurs, *plus* d'insomnies, *plus* de rides, *plus* de petits bobos qui se transforment, parfois, en *plus* grands drames...

Devant son fils horrifié, qui se ratatinait toujours plus sur sa chaise, Marguerite éclata de rire. Décidément, sur ce sujet en général, et sur la mort en particulier, on ne pouvait pas le dérider.

– Je plaisante, Bernard, je suis d'accord, la retraite, on n'est pas programmé pour ça. C'est normal que tu sois paumé, surtout toi ! lâcha-t-elle d'une façon vexante. La première année, c'est la plus dure, il faut presque l'effacer et repartir de zéro. Ensuite, très vite, plein de choses vont se présenter à toi, et ce sera difficile de choisir. Comme quand on entre dans une pâtisserie et qu'on aimerait tout manger. Tu vas faire des petites erreurs, tu vas tâtonner, ce n'est pas grave. Sois patient. Fais-moi confiance : tout va bien se passer, le rassura-t-elle du mieux qu'elle put.

– Tu es sûr, Maman ?

– Ce n'est pas au vieux singe qu'on apprend à faire la grimace, non ? Et, au fait, comment le vit Brigitte ? demanda-t-elle soudain, se doutant que, si Bernard était dans une telle crise, c'était surtout pour Brigitte que Marguerite avait envie de s'inquiéter.

– Il faudrait encore qu'on arrive à se voir... rétorqua-t-il, bouder.

— Elle a bien raison de ne pas se laisser enfermer par un mari dépendant, ponctua Marguerite, soulagée. La retraite, c'est mûrir ! Penses-y !

— Il ne manque pas une lettre ? lâcha Bernard, dans un jeu de mots douteux.

– 18 –

Tenir le bon bout

Lorsqu'il rentra chez lui, Bernard se laissa tomber dans son fauteuil et se massa longuement les tempes. Marguerite était tellement heureuse d'avoir de la compagnie qu'elle papotait sans fin, jusqu'à déclencher chez lui d'horribles maux de crâne.

Il se souvint alors d'une constatation qu'il avait déjà faite à maintes reprises : « Ma mère, plus longtemps je la vois, moins bien je me porte. » Sauf que la nature était bien faite : cette observation, il l'oubliait dès le lendemain de chaque visite. Sûrement un coup des hormones maternelles, ou d'Alzheimer. Sauf si ces migraines cachaient autre chose de bien plus grave… À moins que sa mauvaise foi soit l'unique option valable, mais Bernard n'y songea pas un instant.

Lorsqu'il commença à avoir des palpitations à l'idée que ses douleurs puissent cacher une tumeur cérébrale, Bernard attrapa le téléphone, décidant qu'il était grand temps de sortir son ami Jean-Marc de sa routine golf / bateau. Ils se donnèrent rendez-vous en milieu d'après-midi pour un café. Il fallait que Bernard lui parle de ses dernières lubies.

À discuter de manière si passionnée, les autres tables alentour ne purent échapper à l'intégralité de leur conversation.

– Tu as pris quoi, toi, comme marque ? interrogeait Bernard.

– Je me suis fait un petit plaisir. C'était ma première.

– Et tu es allé chez qui ? demandait Bernard, toujours plus intéressé.

– J'ai pris italien pour la qualité, c'est ce qu'il y a de mieux, expliquait Jean-Marc.

– Ah oui, c'est bien, ça, acquiesçait Bernard, sans s'y connaître vraiment.

– J'ai mis un peu de temps à m'habituer, mais maintenant je ne pourrais plus vivre sans.

– Ah, ce n'est pas automatique ?

– Non, mais aujourd'hui ça va. Attends, je vais au vestiaire, j'ai tout laissé dans ma veste : je vais te montrer. Tu vas être jaloux... le titillait Jean-Marc.

Lorsqu'il revint, toutes les tables autour d'eux tendirent le cou pour mieux voir, mais seul Bernard, estomaqué, siffla finalement d'admiration :

– Beau petit bijou, en effet !

Les nouvelles lunettes de Jean-Marc suscitaient plus d'excitation chez les deux sexagénaires qu'une voiture de course. La curiosité des jeunes gens retomba aussi sec.

– C'est des montures assez hautes, tu es obligé pour du progressif. J'ai pris en titane. Léger, souple, confortable, flexible : il n'y a pas mieux. C'est assez cher, mais, à nos âges, il ne faut plus rien se refuser. Ne faisons plus de mauvaises économies, surtout pour nos yeux. Il y a un filtre UV solaire collé. Toi aussi, tu as ça ?

– Ah non, et c'est très emmerdant, je passe mon temps à les baisser, les relever : le pire, c'est dans les tunnels. Du coup, elles sont toujours très sales. Et puis, ça me donne des migraines. D'ailleurs, ça fait mal, une tumeur au cerveau ?

questionna Bernard en suivant des yeux une jeune femme qui passait devant leur table en les dévisageant comme deux extraterrestres.

– Il faut arrêter de regarder ton émission de santé ! Tu as remarqué combien de SMS tu m'envoies par jour ? À chaque fois avec un nouveau diagnostic. Tu sais, parfois, on peut ne rien avoir et tout à coup… Tiens, Jabert, tu as eu les nouvelles ?

Bernard réfléchit un instant. Jabert ? Ce nom lui était familier, mais il avait du mal à le resituer. Ah oui, c'était un vieux camarade de plongée avec qui ils avaient gardé contact quelques années, sans que Bernard développe jamais d'affinités particulières.

– Il est toujours fâché contre moi, je ne sais même plus pourquoi, se rappela-t-il. Il ne faut pas réussir dans la vie, tu finis toujours par faire des jaloux.

– Tu n'es pas au courant ? s'exclama Jean-Marc.

– Me dis pas que… s'arrêta Bernard de peur d'avoir compris.

Bernard ne redoutait pas de vieillir, il en avait l'habitude avec les années, mais la peur nouvelle de mourir s'était imperceptiblement installée. Il semblait, plus aujourd'hui qu'hier, qu'elle pouvait survenir à tout moment. Bernard n'avait jamais eu le temps de s'y attarder, encore moins l'envie, mais désormais il y pensait un petit peu chaque jour. De toute façon, comment y échapper quand la plupart des phrases qu'il entendait désormais commençaient par « Tu ne devineras jamais qui est mort » ? Jean-Marc ne faisait pas exception.

– Il aura bien vécu, mais 74 ans, c'est jeune quand même. Il faut dire qu'il avait chargé la mule : il a fait toutes les bêtises possibles et imaginables. C'est juste dommage de faire un arrêt cardiaque comme ça, sous sa douche. Sans prévenir. Il ne s'est pas relevé, le pauvre.

Bernard resta bouche bée.

– Ce n'est pas vrai ! Jabert ? Alors on n'aura pas eu le temps de se réconcilier ? regretta-t-il, abasourdi. À tous les coups, il a fait une crise cardiaque à cause des particules fines, qui lui ont bouché les artères, pensa-t-il à voix haute, venant de voir le matin même une émission sur le sujet.

– C'est toi ou moi, le médecin ? railla Jean-Marc.

– Je suis sérieux : c'est pire que le tabagisme passif, continua Bernard sans avoir entendu la remarque de son ami. 50 000 morts par an. Je ne vais encore pas fermer l'œil de la nuit, soupira-t-il en repoussant sa tasse. Et toi, tu dors bien ?

– Moi, oui, mais ma nouvelle compagne, Séverine, moins, admit Jean-Marc. Je ronfle, paraît-il, et comme elle s'est installée chez moi...

– Donc tu es reparti pour un troisième mariage ? se moqua Bernard.

– Ne me parle pas de malheur. On est indépendants, c'est ça le secret. Elle a son truc de son côté, moi du mien. Être collés l'un à l'autre, c'est la fin du couple.

– À ce qui paraît... maugréa Bernard.

– Et toi, alors, la retraite ? Ça va mieux ?

– Je préférerais retravailler, surtout pour éviter de me coltiner mon voisin déficient ! Il faut que je te raconte ce qu'il nous a encore inventé avec le bouleau...

Bernard lui expliqua les difficultés que leur posaient les Dugrin, après quoi Jean-Marc, qui avait eu son lot de querelles finissant devant les tribunaux, fit remarquer amèrement :

– On ne choisit pas sa famille, mais on ne choisit pas ses voisins non plus. Oublie-les un instant. Imagine que tu vives chaque jour sans objectif, en faisant uniquement ce dont tu as envie ?

— Quelle idée saugrenue ! rit Bernard, ne comprenant pas le sérieux de la question.

— C'est quand même la meilleure définition de la retraite. Il s'agit de profiter, et tu l'as bien mérité !

Bernard se raidit.

— Jean-Marc, le prochain qui me dit « profite », je crois que je lui mets mon poing dans la figure ! J'ai fait deux grasses matinées, c'est bon, j'ai profité ! J'ai plus l'impression de gâcher le temps qu'il me reste qu'autre chose ! Je ne sais même plus si on est lundi, jeudi ou dimanche. Je perds la notion du temps, ou carrément la boule...

— Je te rassure, ce n'est pas Alzheimer non plus. Tu n'en es pas à regarder ta clé de voiture en te demandant : « À quoi ça sert, ça ? »

— Non, quand même pas.

— Bon, tant mieux. Tu ne récupéreras pas ta vie d'avant, il faut que tu l'acceptes. Ils ont tiré un trait sur toi, tire un trait sur eux. Il faut désormais que tu existes, non plus pour ce que tu es ou étais, mais pour ce que tu *fais*. Les héros d'aujourd'hui sont ceux qui passent à l'action, pas ceux qui critiquent ou se lamentent. Prends le temps de la réflexion – de toute façon, personne ne te demande rien – pour trouver ce qui te botte vraiment.

— Ce n'est pas faux. Personne n'attend rien de moi. Je crois que tu as raison : je vais me servir de mon expérience pour aider les autres. Pourquoi pas me faire payer pour mon coaching ? Si on a besoin de moi, je suis là, même gratuitement, en fait...

Le portable de Bernard sonna. Il regarda, interloqué, le nom qui s'affichait sur l'écran, puis sourit à Jean-Marc :

— Je crois que finalement il y en a qui ont encore besoin de moi… Allô, non, vous ne me dérangez pas. Un rendez-vous avec Godard, heu, Monsieur Godard ? Attendez… Ah, aujourd'hui, ça va être compliqué. Laissez-moi regarder mon calendrier, mentit-il, faisant des moulinets avec la main. Non, pas à 16 heures, ni à 17 heures, malheureusement. Ah, j'ai un tout petit créneau, lâcha-t-il en faisant un clin d'œil à Jean-Marc, à 18 heures…

Jean-Marc gesticulait : il lui faisait signe de ne pas céder et de ne surtout pas accepter de retourner là-bas.

— Entendu, à tout à l'heure, répliqua-t-il, en raccrochant. Tu disais, Jean-Marc ? le nargua-t-il, avec aux lèvres le sourire de la victoire.

– 19 –

Il n'y a pas le feu au lac

Aussitôt après avoir quitté Jean-Marc, Bernard avait foncé tête baissée au siège de son ancienne entreprise. Le trajet avait été pénible, avec ses deux changements de bus, mais il était arrivé à bon port. En attendant l'heure du rendez-vous, il avait déambulé près d'une heure dans ce quartier moderne et sans âme. Lorsqu'il se rendit à la réception, il eut beau clamer qu'il était attendu par Monsieur Godard, ce dernier ne répondait pas à la standardiste. Et dès qu'il donnait le nom d'un de ses collaborateurs, personne n'était à son poste pour prendre l'appel et confirmer qu'il était attendu.

Au bout de vingt-cinq minutes, Bernadette, l'assistante du grand manitou, la quinquagénaire bavarde et peroxydée, finit par décrocher et le fit monter à son ancien étage. L'*open space* était désert : ils devaient tous être en réunion trimestrielle, la fameuse assemblée, celle dont il faisait encore tant de cauchemars.

Il n'y avait pas à dire, Bernadette était ravie de le revoir – ou d'avoir de la compagnie. Elle avait un milliard de questions à lui poser, car elle était elle aussi en pleins préparatifs pour sa retraite.

– Alors, Monsieur le Directeur, comment ça se passe pour vous ?

— Très bien, Bernadette. J'avais rendez-vous avec Monsieur Godard, à 18 heures, recadra Bernard, qui sentait le stress l'envahir. Il est en retard ?

— Non, pas du tout. Il n'est pas au bureau aujourd'hui, expliqua-t-elle.

— Je ne comprends pas. Vous m'avez pourtant appelé en me disant qu'il avait besoin de me voir rapidement : il avait quelque chose pour moi finalement...

Bernard se remémora la discussion rapide qu'ils avaient eue au téléphone. Les termes employés ne faisaient aucun doute : il devait passer au plus vite, car Godard avait besoin de lui. Il était évident qu'il avait un poste à lui proposer.

— Oui, tout à fait. M. Godard m'a laissé un document pour vous, qu'il faut que je vous remette en main propre et qu'on avait oublié de vous faire signer. Tenez, je vais chercher un stylo.

Bernard n'arrivait pas à saisir les mots qui sortaient de la bouche de l'assistante. Il voyait ses lèvres bouger, mais rien ne s'imprimait dans son cerveau. Que venait-elle de lui dire ?

— Que de changements, ici ! continua l'incroyable pipelette. Vous avez été le premier qu'ils ont mis dehors, mais beaucoup ont suivi. Les plus vieux, d'ailleurs, et les derniers arrivés aussi. C'est à n'y rien comprendre. Si vous saviez tout ce qui se passe, vous vous retourneriez dans votre tombe. Mais ne parlons pas de malheur ! se rattrapa-t-elle en lui tendant un papier et un stylo, afin qu'ils se débarrassent au plus vite de cette formalité et que la secrétaire puisse reprendre ses bavardages.

Bernard secoua la tête, il fallait qu'il reprenne le dessus. Godard n'avait donc pas changé d'avis au sujet de son retour, même après plus d'un mois d'absence ? Il devait sauver la face, il ne devait pas montrer sa méprise à Bernadette, qui semblait ne s'être rendu compte de rien, continuant gaiement à soliloquer.

— Alors, je parie que vous devez être DÉ-BOR-DÉ ! Vous ne teniez déjà pas en place chez nous.

Bernard fit mine effectivement que le poids du monde reposait encore sur ses épaules, avant de réaliser qu'il n'y avait aucune honte à dire la vérité.

— Oui et non, disons que j'ai changé de rythme. J'ai plus de temps.

Bernadette ne laissait jamais à quiconque l'occasion d'en placer une. Elle avait toujours une idée bien tranchée de la vie des gens et, une fois mis dans leur petite case, elle pensait les connaître par cœur.

— Vous faites du golf, je suis sûre ! C'est obligé, quelqu'un comme vous, jura-t-elle en lui attrapant le bras comme si elle voulait tâter du muscle.

— Je fais juste un peu de natation et de plongée, c'est tout, enjoliva-t-il en pressant à son tour ses biceps.

Elle continua, plus enthousiaste que jamais.

— Ah, vous êtes trop drôle, à blaguer comme ça, je ne vous crois pas, pas vous ! dit-elle en éclatant de rire d'une manière assez gênante et vulgaire, avant de lui taper sur le genou, comme s'ils avaient élevé les cochons ensemble. Vous faites le modeste, mais je vous connais : vous étiez partout à la fois, à éteindre tous les feux. Un hyperactif : vous ne changerez *jamais* !

Elle avait prononcé ce dernier mot avec une certitude si forte que Bernard en frémit.

— Je n'ai pas changé, je pense, se reprit-il, mais je n'ai plus besoin de courir.

Desserrant son étreinte et se reculant comme pour ne pas être contaminée, Bernadette comprit enfin.

– Ah ! Je vois le topo : vous vous emmerdez ! résuma-t-elle abruptement. C'est pour ça que vous nous avez envoyé votre CV ?

Bernard se tut : il peinait à se souvenir de la raison pour laquelle il le leur avait effectivement fait parvenir... surtout que son employeur était bien placé pour connaître son parcours professionnel, vu qu'il avait fait toute sa carrière ici. Soudain, il se souvint qu'il avait lancé cette bouteille à la mer, en pleine détresse, surtout pour confirmer son numéro de portable et son e-mail personnel, afin de s'assurer qu'en cas de besoin ils pourraient toujours le joindre. Pour une urgence comme aujourd'hui...

Bernadette, qui avait connu le cador, le patron respecté par tous à défaut d'être franchement apprécié, le dévisageait d'un œil neuf. Elle voyait désormais un tout autre homme, avachi sur sa chaise, quelque peu ventripotent, les épaules basses, le regard absent. Elle ne pouvait s'empêcher de penser que Bernard avait perdu de sa superbe. À moins que la seule raison pour laquelle il était devenu moins charismatique à ses yeux ne fût qu'il n'était plus « Monsieur le Directeur ». Elle ne s'en remettait pas.

– C'est dingue que personne n'ait plus besoin de vous. Pourtant vous n'êtes pas encore périmé, vous avez des connaissances, de l'expérience, un carnet d'adresses même. Et du jour au lendemain, malgré tout, vous n'intéressez plus personne. Moi, ça me ferait mal. On vous jette comme une vieille chaussette ! Et encore, les chaussettes, on les reprise. Ça fout les pétoches !

– À qui le dites-vous, Bernadette... admit-il en se levant.

Bernard n'attendit pas son reste. Il prit l'exemplaire que lui avait remis Bernadette, laissa le duplicata qui officialisait la fin des haricots et s'échappa. D'un coup, il eut honte de s'être montré ainsi désœuvré à son ancien travail, et surtout d'avoir osé espérer l'inespérable. Il reprit le chemin du retour, convaincu désormais qu'il n'avait plus le choix que d'accepter son sort et d'avancer dans sa nouvelle vie. Comme tous le lui avaient répété.

– 20 –

Comme un rat mort

Alors qu'il avait passé une très bonne soirée avec son épouse, Bernard ne s'était pas résigné à lui parler de sa mésaventure avec Godard. Une humiliation dans la journée avait suffi. Après s'être lavé les dents, Bernard resta un long moment à s'observer dans le miroir.

Il ne s'était pas regardé attentivement depuis très longtemps, et il devait faire un constat imparable. Lui qui avait toujours pensé être le sosie français de George Clooney devait bien reconnaître qu'il avait perdu son trait de ressemblance principale : les cheveux poivre et sel. Là, c'était devenu le Grand Blanc avec ses chaussures noires. Heureusement qu'il avait encore ses sourcils gris foncé : cela lui donnait un petit air de Sean Connery, c'était toujours cela de pris…

— Mais oui, tu es toujours beau ! commenta Brigitte en pénétrant dans la salle de bains et en déposant un baiser sur sa joue.

— C'est quand même mal foutu : on passe une vie à mieux se connaître, à échouer, à acquérir de l'expérience et savoir ce qui nous convient, reconnaître enfin ce qui nous rend heureux et, quand on se connaît et qu'on va commencer à en profiter, c'est la fin !

— Socrate disait : *Connais-toi toi-même.* Très peu de gens savent qu'il ajoutait ensuite : *Rien de trop.* Ce qu'il voulait dire, c'est qu'il faut revenir à l'essentiel, Bernard. On a tout à gagner à se défaire de notre vie d'avant... promit-elle, en l'enlaçant.

— On ne va pas avoir le choix de toute façon : tu as vu un peu la première fiche de retraite. J'ai perdu plus de la moitié de mon salaire, et je sais que je ne suis pas le plus à plaindre, admit Bernard.

— Oui, c'était la même chose pour moi aussi. On dit qu'on « part à la retraite », mais avec des retraites aussi petites, on ne va pas bien loin. Je me suis habituée, tu t'y feras aussi. Il va falloir faire attention désormais : fini les restos à gogo ou les trucs qu'on s'achète pour se faire plaisir, sans jamais compter ni se demander si on en a vraiment besoin.

— Humm, bougonna-t-il. OK, j'accepte le défi. Nouvelle partie de poker. Les cartes sont rebattues, j'ai un 7 et un 2. Mais tant pis. Réincarnation dans la même vie, mais pas en citron s'il vous plaît. Pas envie d'être sauvagement attaqué au couteau, pressé contre mon gré, utilisé au mieux à moitié, pour finir oublié dans la porte du frigo. Oignon, même combat.

— La fameuse destinée de toute notre société. Pressés. Surtout les uns à côté des autres, conclut Brigitte en câlinant tendrement son mari.

Cela sembla radoucir Bernard, qui la regarda dans les yeux avant de continuer.

— En tout cas, Brigitte, il faut que je te dise. Je ne sais pas ce que je veux faire, mais je sais que je veux le faire *avec toi*. Qu'on se retrouve plus souvent juste tous les deux, ensemble. Comme un couple de « plus tout jeunes » amoureux.

– 21 –

Avoir un pied dans la tombe

Le premier mois de retraite de Bernard s'acheva le vendredi 27 octobre, mais pas ses insomnies. Lorsqu'il s'éveilla ce matin-là, il eut besoin de bien plus qu'un café pour émerger. Brigitte, habillée plus élégamment qu'à l'accoutumée, lui annonça qu'elle avait un déjeuner important. Bernard, habitué, ne releva même pas, bien que son épouse le fixât pourtant avec un sourire énigmatique. Était-ce à cause de sa robe de chambre entrouverte ou de sa tête pleine d'épis, s'interrogeat-il, aplatissant de la main quelques mèches récalcitrantes.

– Tu ne me demandes pas avec qui j'ai rendez-vous ? le titilla-t-elle.

Bernard soupira et répéta, d'une voix sans entrain :

– Avec qui ?

Brigitte vint l'enlacer tendrement avant de déclarer :

– Avec toi, gros balourd. Pour fêter ton premier mois de liberté !

Bernard ne comprit d'abord pas, mais lorsque sa femme l'embrassa, une ampoule s'éclaira dans son cerveau.

– Quoi ? Ce midi ? Mais, si ça se trouve, je suis pris ! On est quel jour ? demanda-t-il, perdu, car tous les jours du mois passé s'étaient ressemblé de manière monotone.

Il attrapa son portable, ouvrit son agenda électronique et eut la confirmation qu'il attendait : non, toujours rien de prévu ! Il leva des yeux de merlan frit vers Brigitte, qui ponctua alors :

— Parfait, donc je t'attends à 13 heures directement chez l'italien. À tout à l'heure, mon chéri. Et n'oublie pas de prendre un parapluie : ils ont promis du grésil.

— Sympa, comme promesse. Et le soleil, c'est pour quand, sinon ? lança-t-il, au moment où Brigitte partait pour la maison de retraite en sautillant comme un cabri, contente de sa surprise.

Bernard se prépara tranquillement, puis quitta son domicile sur les coups de midi, attrapant le bus au vol. Tenant la barre, debout, secoué à chaque virage, il observa les gens autour de lui. Et plus il les dévisageait, plus il en était certain : il ne pouvait pas être vieux, car il détestait les vieux.

Ils avaient tous l'air tristes, et cela lui faisait drôlement peur. Avait-il aussi cette tête-là ? Si oui, il valait mieux qu'il se terre chez lui. Cependant, s'il était contraint à sortir, comme ce jour-là, il devait définitivement prendre un air supérieur : celui de l'homme affairé ! Car, il n'y avait pas si longtemps que ça, il était encore un vrai « actif ».

Bernard savait qu'il n'était pas vieux, mais tout le monde ne semblait pas s'en rendre compte. Il n'y avait rien de pire pour le mettre dans un état d'énervement qu'une jeune femme lui laissant son siège dans le bus. Même s'il avait horriblement mal aux jambes, jamais il n'accepterait de montrer le moindre état de faiblesse. Il était peut-être retraité, mais il avait sa fierté !

Bernard retrouva Brigitte, toute souriante, au restaurant. Elle l'accueillit avec admiration :

— Waouh ! Comme tu es élégant ! Et ça te va bien d'avoir mis une autre couleur que du noir.

Bernard sourit timidement. Il n'avait pas particulièrement fait d'efforts ni choisi cette tenue. C'était tout ce qui lui restait de propre, ses costumes étant tous au pressing.

Une fois les menus commandés, Brigitte se montra volubile comme jamais. Il n'y avait pas à dire : côtoyer ses petits vieux lui donnait une énergie et un bonheur sans pareils. À se demander si elle jouait vraiment au Scrabble, à la belote, ou *Au petit bac* avec eux.

Tout à coup, alors qu'ils passaient au dessert, Brigitte lui demanda sans préambule :

– Tu es attendu quelque part, Bernard ?

– Non, pourquoi ? questionna-t-il, étonné, connaissant mieux que personne la page blanche de son agenda.

– Je ne sais pas : tu n'arrêtes pas de jeter des coups d'œil à ta montre...

Bernard n'avait pourtant jamais été plus concentré de sa vie sur cette discussion digne des *Feux de l'amour* – feuilleton qu'il zyeutait de temps en temps. Son épouse l'avait tenu en haleine tout le repas en lui racontant les déboires des pensionnaires de la maison de retraite, et d'ailleurs, le suspense était à son comble : entre Micheline qui voulait la chambre avec balcon, et Lucien qui l'avait mais ne voulait pas la lui céder. Bernard nia donc.

– Ce n'est pas vrai, je ne l'ai pas regardée une seule fois depuis que nous sommes arrivés. Ou peut-être deux... C'est juste que je me demande si elle marche bien : les aiguilles me semblent lentes, ces temps-ci...

Brigitte fit une mine sceptique, montrant à son mari qu'elle n'était pas dupe. Tout à coup, son visage se crispa, une panique évidente s'empara d'elle : son portable vibrait quelque part dans son sac et, systématiquement, elle était infichue de mettre la main dessus dans les temps et loupait chaque fois l'appel. Quand elle le trouva enfin, à la deuxième tentative de son interlocuteur, elle ne cacha pas sa surprise.

— Tiens, c'est Nicolas. Sûrement pour savoir quand ils peuvent arriver pour le pont de la Toussaint. Allô ? Oui ? Tout va bien. Avec ton père, à la pizzeria. Non, on ne se refuse rien. Oui, la retraite, c'est la belle vie. Tu veux que je te le passe ?

Bernard fit de grands gestes pour signifier que ce n'était vraiment pas la peine, suite à quoi son épouse continua donc tranquillement sa conversation. Même si Brigitte avait toujours été la plus loquace des deux — d'ailleurs Marguerite, Alice et même Jean-Marc l'appelaient, elle —, Bernard fut vexé que Nicolas n'ait pas insisté davantage pour lui parler. Brigitte semblait heureuse de converser plus d'une minute avec son fils.

— Ce matin ? Non, rien de particulier. Si, je suis allée à la maison de retraite. Non, pas pour un repérage pour nous ! Dis donc, tu exagères, Nicolas : tu ne sais pas que ça fait des mois que j'y donne un coup de main, reprit-elle, froissée que, par deux fois, on puisse penser qu'elle y avait légitimement sa place. À 61 ans, elle était bien plus fringante que les seniors octogénaires et nonagénaires de la résidence.

Lorsqu'elle raccrocha, Brigitte rayonnait.

— Ils viennent pour la Toussaint et nous laissent les enfants une semaine. Tu te rends compte ? Je suis trop contente. Et pour info, notre fils pense comme moi...

— C'est-à-dire ? Que les cheveux gris, c'est...

— Non, qu'il est temps de préparer la suite, corrigea-t-elle.

— Quoi ? Hors de question, s'offusqua Bernard. Je refuse d'aller en hospice. Ma mère n'y est même pas ! On ne va pas aller s'enterrer dans un asile de vieux fous, alors qu'on n'a jamais eu le temps de vraiment profiter de notre maison.

– Ne monte pas sur tes grands chevaux, Bernard. On est d'accord. La maison de retraite, ce n'est pas demain la veille que je veux m'y installer. Par contre, j'aimerais un foyer accueillant, où l'on peut se projeter pour nos vieux jours, en espérant ne jamais devoir le quitter. Et aujourd'hui, chez nous, ce n'est pas, comment dire… très « pratique ».

Bernard inspira profondément. Ce mot lui donnait immanquablement de l'urticaire. Brigitte continua sans s'en rendre compte.

– Imagine que tu te casses quelque chose ? Comment feras-tu avec l'escalier ? Avec la salle de bains et la chambre à l'étage ?

Bernard l'arrêta net :

– Pourquoi ce serait moi qui me casserais quelque chose ? Je reste cloîtré toute la journée, ce ne serait pas de pot ! fit-il remarquer très justement.

Brigitte le corrigea, en enfonçant le clou :

– Ça se voit que tu n'as jamais lu les statistiques sur les accidents domestiques. On n'a plus besoin de tout cet espace maintenant que Nicolas est parti. Je dis ça comme ça, mais je pense qu'il serait judicieux de vendre et de commencer à regarder les appartements à acheter. Comme ça, avec la plus-value sur la maison, cela nous ferait des sous de côté, en cas de pépin.

– Pourquoi pas… Laisse-moi y réfléchir, maugréa Bernard, loin d'être convaincu. Moi, j'avais plutôt envie, une fois à la retraite, de profiter de ma maison. À brûle-pourpoint, comme ça, je serais d'avis de repousser cette discussion : rien ne presse. On est encore jeunes !

— C'est aussi ce que disait Didier, mon collègue, eh bien, sa retraite, il a juste eu le temps de la préparer, et tu sais ce qu'il lui est arrivé...

— Non, mais je vois l'idée... admit Bernard, qui commençait à être calé sur les coups durs qui surviennent à plus de 60 ans.

— Alors, anticipons, avant que ce ne soit trop tard ! insista Brigitte.

Bernard réfléchit un bon moment avant de partager le fond de sa pensée.

— Moi, ce qui me botterait, avec les beaux jours, c'est de m'occuper de mon jardin. Tu sais que j'ai grandi à la campagne, et que les immeubles, ça m'angoisse. Donc un appartement, c'est loin de me faire rêver.

Soudain le visage de Brigitte s'illumina. Venait de lui venir à l'esprit une idée qui l'emballa tout de suite.

— Et si on retapait la fermette au bout du terrain pour en faire une maison indépendante ? On en ferait une maison d'hôtes ! Et on pourrait l'utiliser pour nos vieux jours vu qu'elle est de plain-pied. Ça pourrait être notre projet commun : je m'occuperais de la maison et toi du potager ?

— Pourquoi pas ? On pourrait prendre quelques poules et faire du miel aussi ? s'imagina aussitôt Bernard. Ça pourrait être pas mal... Et ça ferait un complément d'argent, tout en évitant de déménager, conclut-il, souriant, de plus en plus séduit par cette proposition.

Brigitte rangea précipitamment ses affaires et fit une bise à son mari.

— Je te laisse payer, je suis affreusement en retard, mais là où je vais, cela ne doit pas leur arriver souvent. Ils devraient m'excuser.

— Tu vas où ? questionna son mari, surpris.

– Préparer mon enterrement ! lâcha-t-elle, d'un coup.
– Oh, tu es insupportable, Brigitte ! l'enguirlanda-t-il.
– À ce soir, mon chéri. Hâte de te raconter...

En fin d'après-midi, Bernard retrouva Brigitte, tout sourire : elle avait passé une journée de rêve.
– Ah Bernard, je revis ! Il faut que l'on ait une petite
conversation. Je me suis rendu compte que cela faisait
38 ans que l'on était ensemble et qu'on avait trouvé le
moyen d'esquiver la question la plus importante de notre
vie : notre mort !
Bernard se laissa tomber dans son fauteuil. Rangeant
des papiers dans le premier tiroir de la commode, Brigitte
continua avec toujours autant d'enthousiasme.
– Il faut que je te parle de mon rendez-vous avec les
pompes funèbres. Veux-tu être incinéré, comme moi, ou
souhaites-tu que l'on te mette dans une boîte ? Je t'ai rap-
porté le catalogue, tu feras ton choix.
Brigitte s'était débarrassée de cette formalité, sans chichis, sans l'avoir bâclée non plus, et en sortait plus sereine.
Délestée d'un poids, avec la sensation d'avoir fait ce qu'il
fallait.
– Brigitte, est-ce qu'il y a vraiment urgence à s'enterrer ?
fit-il remarquer, en prenant sur lui.
– Bernard, près de 40 ans que l'on évite le sujet ! Je
comprends que ce soit émotionnellement chargé pour toi.
De toute façon, il vaut mieux régler les choses tant que tu
n'es pas vraiment concerné de près.
Elle ne voyait pas que, même vivant, Bernard était déjà au
fond du trou. Et, sans mauvaise foi aucune, Brigitte aurait pu
se rappeler que cela faisait également 40 ans qu'elle ne s'en

était pas préoccupée, jusqu'à ce jour-là. Bernard, comme tout un chacun, avait le droit d'avancer à son rythme.

— Je n'y ai pas réfléchi, et je ne suis pas pressé, mais, si je comprends bien, être enterrés ensemble n'est pas dans tes projets ? découvrit Bernard, se rendant compte qu'ils n'avaient jamais abordé sérieusement le sujet auparavant.

— Bien vu, confirma-t-elle. Comme je lègue mon corps à la science, je ne vois pas l'intérêt de payer un cercueil. Je suis sûre que ça ne te tente pas de partager l'éternité avec une moitié de femme.

— Ça dépend de quelle moitié, ironisa-t-il, en attirant son épouse sur ses genoux.

— Je ne me souviens plus à quel moment on a cessé d'être romantiques, tous les deux... sourit-elle avant de l'embrasser.

– 22 –

Roule, ma poule

Bernard s'était levé du bon pied, avait débroussaillé son jardin, s'était rendu à la déchetterie puis, dans l'optique de commencer son potager, s'en était allé au marché pour questionner les maraîchers. À première vue, cela ne semblait pas si compliqué de faire pousser des légumes.

Il flâna, virevolta et, à la manière de Colombo, revint sur ses pas pour poser une ultime question cruciale, avant de repartir, satisfait, sans avoir rien acheté.

Il culpabilisa un court instant de leur avoir fait perdre gentiment leur temps, puis reprit la direction de la maison, sans plus y penser, en chantonnant.

Une voiture de police le frôla, sirène hurlante, puis s'arrêta net à sa hauteur. Bernard fut saisi d'un élan de panique et s'immobilisa à son tour. Il n'était pas complètement certain d'être innocent : c'était forcément criminel de flâner comme ça, sans objectif, simplement pour le plaisir.

Les policiers pénétrèrent à grandes enjambées dans un petit café, sans un regard pour Bernard : fausse alerte. Bernard continua son chemin, se retournant cependant à plusieurs reprises.

Une fois rentré chez lui, le temps étant clément, il décida de s'installer dans son transat pour profiter de son jardin. Les oiseaux chantaient, jouaient à cache-cache entre les branches de son bouleau majestueux, entièrement paré de jaune : tout ce petit monde semblait heureux, et Bernard aussi. C'était bien la première fois depuis des mois qu'il éprouvait du plaisir à ne rien faire. Comme un avant-goût de sa nouvelle vie. Pourquoi pas ?

Bernard observait son terrain et imaginait ce que leur projet de maison d'hôtes et potager pharaonique pourrait donner. L'idée était de faire le gîte dans la fermette au bout du terrain et si besoin, dans un second temps, d'accueillir quelques convives dans leur grande demeure.

Brigitte avait mis en place un plan d'action. Tout d'abord, elle prévoyait de rafraîchir certaines peintures de leur maison, celles de trois chambres et d'une salle de bains. Ensuite, elle qui aimait le tri souhaitait débarrasser la fermette. Elle demanderait un coup de main à leur ami Jean-Marc, qui bricolait avec passion : il faudrait transformer la simple arrivée d'eau en douche et vérifier l'électricité.

Ensuite, Bernard intervenait. Il avait toujours aimé s'occuper de ses plantes, depuis tout petit – c'était Marguerite qui lui avait enseigné les rudiments –, cependant, depuis des années, il avait manqué de temps, et chaque tentative en dilettante s'était soldée par un cuisant échec : coup de gel impromptu, sécheresse record la seule semaine où ils s'absentaient de l'année, ou tout simplement la faute à « pas de chance ».

Pour son potager, Bernard avait délimité la zone cultivable avec une ficelle, avait aéré la terre à l'aide d'une grelinette et recouvert la zone de cartons. Il lui restait à préparer ses semis dans une boîte d'œufs, les mettre au soleil à l'intérieur tout l'hiver et attendre janvier pour guetter le moment opportun de tout planter.

Les poules étaient la priorité, car le potager devait attendre le printemps, et les abeilles, un peu d'apprentissage. Il avait acheté un abri, mis un grillage haut pour délimiter le poulailler, avec l'intention de les laisser profiter de toute la pelouse en journée et de les rentrer le soir. Bernard avait bien envie de prendre un coq, pour accompagner sa Sabelpoot citronnée, mais il fut rapidement dissuadé par Brigitte :

— Tu as envie que tous les voisins nous déclarent la guerre ou quoi ? s'exclama-t-elle.

— Alors, on n'a qu'à installer une mare à grenouilles près des Dugrin. Je suis sûr qu'ils vont adorer la saison des amours, ajouta son mari, mesquin.

Brigitte mit le holà.

— C'est stupide : tu crois que notre jardin est si grand que ça ? C'est nous qui allons le plus les entendre, et nos hôtes.

Bernard se ravisa et ils optèrent pour cinq jolies poules dépareillées que Brigitte pourrait admirer depuis sa marche avec une tasse de thé fumante entre les mains : une rousse, une brune, une à pattes d'éléphant, une chevelue et une mouchetée. Comme les Spice Girls, plus ou moins...

Une fois lâchées dans le jardin, ils les observèrent avec plaisir : ces poulettes multipliaient les activités, un coup aux aguets, un autre à courir un sprint dès qu'elles étaient entre deux arbres à découvert, ou alors à gratter sans relâche la terre meuble de leurs pattes à la recherche de vers de terre. Mais, au bout d'une semaine, pas un œuf. Le vendeur leur avait dit qu'elles devaient être encore trop effrayées pour se sentir à l'aise.

Bernard, qui nettoyait l'enclos et les nourrissait grassement de leurs restes – qu'ils auraient pu se garder pour un second repas –, voyait ce rendement d'un mauvais œil. Elles étaient comme un coq en pâte ! Elles avaient intérêt à pondre, sinon, aux prochaines vacances scolaires, elles feraient de très bons déjeuners de famille. Cocotte à la casserole !

Les choses commençaient à se mettre en place et Bernard se créait de nouveaux repères. L'unique détail qu'il n'avait pas prévu dans son jardin était l'arrivée d'une nouvelle voisine. Après celle d'à côté, il découvrait les joies de celle du dessous. La taupe !

Elle saccageait tout : sa pelouse et l'enclos de son futur potager. Très vite, il avait décidé de passer à l'offensive : l'ail, très peu pour lui – il n'avait jamais été fan des remèdes de grands-mères. Il souhaitait investir dans un pétard, ce qui n'était absolument pas au goût de Brigitte, qui imaginait le pire avec la venue d'Alice, Nicolas, Charlotte et Paul, pour les vacances.

Bernard désirait plus que tout guetter la petite bête et la prendre la main dans le sac.

Il était assis depuis à peine trois minutes à scruter chaque recoin, tout en pensant aux belles promesses que pouvait lui offrir sa nouvelle vie d'oisiveté relative, lorsque retentit la souffleuse bruyante de son voisin, M. Dugrin. Bernard soupira.

Non, il ne le fait pas exprès. Il ne sait sûrement pas que je suis dans le jardin.

– Bonjour Bernard, j'espère que je ne vous dérange pas trop avec le bruit ?

Assurément, M. Dugrin ne pouvait pas ne pas avoir vu Bernard passer à côté de leur clôture commune pour s'installer sur son transat.

– Tiens, vous avez des poules, maintenant ? s'enquit M. Dugrin. Vous n'avez pas peur qu'elles se fassent égorger par une fouine, ou des chats ?

– Pas particulièrement.

Entre voisins, il est commun de parler de la pluie et du beau temps, mais, avec les Dugrin, les inepties étaient

légion, et ce niveau de discussion stérile, au ras des pâquerettes, irritait Bernard, qui avait l'impression de perdre son
temps.

– Belle journée, hein, aujourd'hui ? relança M. Dugrin.

– Beaucoup trop chaud pour la saison, lâcha Bernard.
C'est inquiétant.

– Du soleil fin octobre, on va pas s'en plaindre ! « Il y a
plus de saisons, ma pauvre dame », comme ils disent. C'est
devenu une expression populaire, je crois...

– C'est surtout une réalité, maugréa Bernard. On passe
directement de l'été trop chaud à l'hiver très froid, sans saison intermédiaire, et nous nous prenons quelques tempêtes
ou inondations au passage.

– On s'en fiche, on est assez épargnés ici. Allez, je
retourne à mes feuilles mortes. Parce que ce n'est pas tout
de souffler, de tondre et de désherber, c'est qu'il faut arroser
tout le temps aussi. Le réchauffement climatique, ça coûte
bonbon ! Déjà qu'ils nous forcent à changer de voiture tous
les deux ans. Et vous croyez qu'il y aurait quelqu'un pour
nous dédommager ?

– Vous n'étiez pas obligé de prendre un 4x4... fit remarquer Bernard.

– Ils ne fabriquent plus que ça, vous savez : c'est pour
notre sécurité. Il faut dire qu'on se fait vachement plus
respecter, là-dedans : les petites mémés, elles font moins
les malignes sur le passage piéton, maintenant.

– Oui, mais ça pollue... conclut Bernard en s'éloignant.

M. Dugrin souffla quelques secondes avant de s'arrêter et
d'ajouter à l'attention de Bernard, qui relevait le courrier :

– De toute façon, qu'est-ce qu'on peut contre le réchauffement climatique ? Rien, déclara le voisin en balançant son
mégot de cigarette par-dessus son portail dans la rue.

– Faites attention, je crois que vous avez fait tomber votre cigarette à côté de la poubelle, dit Bernard en la pointant du doigt.

– Un peu plus, un peu moins, vous avez vu toutes les crottes de chiens que les autres laissent sur les trottoirs. Moi, c'est mes mégots. Je paie des taxes pour que des mecs nettoient la rue. C'est pas pour que je m'emmerde à le faire à leur place. Il manquerait plus qu'on me force à trier, ou à ramasser les ordures des autres.

Bernard soupira d'exaspération. Très profondément, pour essayer de reprendre le contrôle de ses émotions. Il se baissa et prit le mégot encore fumant, qu'il écrasa contre sa benne, avant de le mettre au fond.

Plus que de l'urticaire, Bernard eut tout à coup le cafard à écouter son voisin. Il le trouvait toxique, à lui pomper le peu d'optimisme et de bonheur qu'il désespérait de trouver en lui.

Serait-ce cette réalité qu'il allait laisser derrière lui ? Un monde bousillé. Alors, foutu pour foutu, il fallait en profiter ? C'était ça, l'idée de « profiter », en fait ?

Quand la souffleuse redémarra et gâcha pour de bon son repos, Bernard sut qu'un jour il allait se l'emplafonner, celui-là. Une chose était devenue certaine pour lui : entre son bonheur à la retraite et la survie de son voisin, il faudrait choisir.

Lorsque Bernard pénétra dans la maison, Brigitte déambulait de pièce en pièce, soulevant chaque objet.

– Dis-moi, sais-tu où sont passés mes binocles ? demanda-t-elle. J'aimerais que l'on fasse le tri dans les médicaments avant l'arrivée des petits.

Nicolas, Alice et les enfants allaient bientôt arriver pour passer quelques jours de vacances avec eux.

Si Brigitte était le lynx de la famille, à toujours savoir où Bernard avait égaré ses affaires, où était rangée la moindre babiole inutilisée depuis des siècles, elle avait un talon d'Achille. Ses lunettes ! Sans elles, impossible de voir, et donc de les retrouver.

— Et toi, tu as vu la calculatrice ? interrogea Bernard, qui ne prit même pas la peine de répondre à son épouse.

Bernard, quant à lui, était myope comme une taupe, incapable de voir une paire de clés sur une serrure.

— À sa place : premier tiroir de la commode, répondit-elle, mécaniquement, en s'accroupissant sous chaque meuble.

C'était le même son de cloche depuis des années. Chaque jour, elle perdait facilement entre quinze et trente minutes à les chercher. Son mari et sa famille avaient bien tenté à plusieurs reprises de lui faire porter un cordon à lunettes autour du cou, il en existait de très élégants désormais, dans le style sautoir, mais Brigitte s'y était toujours fermement opposée. *C'était bon pour Marguerite ! Et puis, qu'est-ce que c'était, quelques minutes par jour ?* Rien, cela lui donnait surtout l'occasion de retrouver d'autres choses disséminées à des endroits improbables dans la maison.

Dans sa chasse aux trésors, Brigitte ne rechignait jamais à ouvrir le congélateur, le lave-linge, la poubelle, ou encore la porte du four, car elle y avait déjà retrouvé un bon nombre d'objets portés disparus.

Bernard, en bon financier qu'il était, avait décidé cette fois-ci de la convaincre et avait donc sorti, du premier tiroir de la commode, la vieille calculatrice.

— Brigitte, peut-on dire que tu passes environ quinze minutes à chercher tes lunettes à chaque fois ?

— Oui, facilement…

— Sachant que tu les égares minimum deux fois par jour, cela fait trente minutes au total. Disons que tu vas porter des lunettes pendant 40 ans de ta vie…

– Je ne vois pas, Bernard, où tu veux en venir avec tes calculs, l'interrompit sa femme.

– Tu vas vite comprendre. À faire ta coquette, Brigitte, tu vas perdre… un an : oui, presque un an de ta vie à chercher tes lunettes ! 304 jours pour être précis. Peut-être que tu aurais envie de les passer autrement, non ?

– Tu m'en diras tant. Passe-moi la machine, Bernard. A-t-on calculé combien d'années je ne récupérerai jamais à chercher *tes* affaires ?

Pas faux : *un point pour Brigitte* ! Pris à son propre jeu, son mari rangea la calculette dans sa poche, avant de conclure :

– C'est sûrement pour ça que l'espérance de vie des femmes est plus élevée. En dédommagement…

Une fois ses lunettes retrouvées – entre les coussins du canapé – et chaussées, Brigitte alla chercher la boîte à pharmacie. C'était un énorme carton kraft rempli d'emballages, plus ou moins vides, et surtout là depuis des lustres.

– Ibuprofène ? On n'a pas, constata-t-elle. Paracétamol ? Périmé depuis mai 2017. Bétadine : périmée. Sirop pour la toux aux trois quarts plein : périmé.

– Brigitte, rassure-moi. Tu ne jettes pas, hein ?

– Non, Monsieur « Je critique tout mais je ne fais rien par moi-même ». Je collecte et je vais rapporter au pharmacien. Rassuré ? Titoréïne, mars 2008 ? À quoi il sert, celui-là, déjà ? demanda-t-elle à son hypocondriaque de mari.

– Hémorroïdes.

– Eh bien, dis donc, mon chéri, on n'a donc pas été embêtés depuis… au moins 2008.

– Dire que c'est toi qui te plaignais du manque de romantisme dans notre couple !

On tient le bon bout

Une semaine plus tard, les vacances de la Toussaint avaient débuté, et Brigitte, derrière son carreau, attendait impatiemment Nicolas, Alice et leurs enfants, qui devaient arriver incessamment sous peu. Ils avaient fait le trajet en voiture depuis Paris. Marguerite, qui habitait la commune voisine de son fils, était également conviée à profiter de la venue de la petite famille. Nicolas était passé la chercher en chemin. Bernard et Brigitte avaient accepté de s'occuper toute une semaine de leurs petits-enfants. Alice et Nicolas devaient retourner travailler à Paris après le week-end. Les grands-parents étaient ravis, enfin, Brigitte surtout : c'était une grande première. Charlotte et Paul profiteraient autant d'eux que l'inverse.

Brigitte avait fini de faire tous les lits, mis le couvert, lancé le rôti et le gratin, alors que son mari apparaissait et disparaissait autour d'elle.

— Qu'est-ce que tu fabriques, Bernard ? Ils vont arriver d'une minute à l'autre ! Ça fait 50 allers-retours que tu fais depuis ce matin. Un coup la boulangerie, un coup le primeur, un coup le boucher, un coup le vin... Tu brasses du vent, là.

— Oui, mais je le fais bien ! répondit-il, fier comme Artaban.

– Ah, les voilà ! annonça-t-elle en les saluant à travers la fenêtre. Qu'ils sont beaux, nos petits-enfants. Ils ont encore grandi ! Il faut que l'on pense à les mesurer avant qu'ils ne repartent. Oh là là, Nicolas et Alice, la tête. Ce n'est pas la joie…

Effectivement, le couple de trentenaires avait les traits tirés.

– Dis donc, Nicolas a sacrément vieilli, remarqua Bernard.

– Comme quoi : il n'y a pas que nous ! ponctua Brigitte, qui avait le péché mignon d'aimer se rassurer de l'avancée en âge des autres, ses petits vieux de la maison de retraite comme ses proches.

Les mains dans les poches, Bernard continua ses commentaires, sans qu'à aucun moment l'idée d'aider à décharger la voiture ne lui vienne à l'esprit.

– Regarde ses cheveux, ce n'était pas comme ça avant ! Il en a encore perdu, non ? continua-t-il.

Brigitte surenchérit.

– Et Alice, elle a perdu combien de kilos ? s'inquiéta-t-elle. Tu crois que c'est à cause du décès de sa mère, ou il y a autre chose ? Il faut les remplumer, Bernard !

– Pour les cheveux, je ne pourrai pas grand-chose, mais pour leur bedaine, j'ai de quoi faire… plaisanta-t-il avant d'ouvrir grand les bras pour accueillir la troupe.

À peine arrivés dans la maison, les cinq invités observèrent intrigués le jardin.

– Dis, Maman, vous avez des poules maintenant ? demanda Nicolas.

– Oui, ce sont nos nouvelles compagnes, on va vous expliquer, répondit-elle d'un sourire énigmatique, en accrochant les manteaux. Venez ici que je vous embrasse, mes trésors.

Charlotte, en découvrant sa grand-mère agenouillée, lui sauta dans les bras, aussitôt imitée par Paul, qui ne perdit pas le nord :

— Mamie d'amour ! On mange quoi, j'ai trop faim ! Dis, on pourra faire une quiche de Rennes ce soir ?

— Une quiche ? C'est une excellente idée, mon grand.

— Une quiche lorraine, gros bêta, le sermonna sa petite sœur, qui, à 5 ans, était plus à cheval sur les erreurs de son grand frère que ne l'auraient été les Immortels de l'Académie française.

— Tais-toi, Madame Je-Sais-Tout, rétorqua Paul, vexé, avant de lancer un très sonore « Bonne fête, Papy ! ».

Son grand-père, qui revenait de la cuisine avec des verres d'eau pour chacun, faillit renverser le tout.

— Ce n'est pas ma fête ! s'arrêta net Bernard avec son plateau, évitant de peu le drame.

— Mais si, c'est la fête des vieux ! insista Paul.

— Non, c'est la fête des Morts, rectifia le grand-père. Tu confonds, mon petit, et ce n'est pas tout à fait pareil...

Nicolas ne put s'empêcher de glousser devant les perles que sortait son fils et qui finissaient toujours par vexer Bernard. Il mit un peu de musique pour adoucir l'atmosphère.

Ils étaient à peine arrivés que, déjà, Paul et Charlotte étaient partis à leurs occupations préférées : la fillette, la tête dans la malle aux trésors, et Paul, plongé dans la lecture de bandes dessinées. Ce dernier, le nez dans son livre, ajouta, à l'attention de son grand-père :

— En tout cas, moi, j'ai bien réfléchi, et quand tu seras mort, Papy, je voudrais toute ta collection de BD de Tintin !

– Et moi, tes vinyles, ajouta Nicolas, comme pour enfoncer le clou. Tu as des albums devenus « collector », tu sais, Papa.

Marguerite ne put s'empêcher de ricaner, chuchotant à l'oreille de Brigitte, qui sourit à son tour. Devant les yeux noirs de Bernard, l'arrière-grand-mère finit par dire tout haut ce qu'elle avait murmuré.

– Bernard, tu es devenu comme moi : tu n'es plus vieux, tu es *vintage,* prononça l'arrière-grand-mère avec un accent anglais à couper au couteau.

– Ah, les charognards ! s'indigna faussement Bernard, la main sur le cœur, mimant un arrêt cardiaque. Plus aucune pudeur, vous ne voulez pas attendre que mon corps soit froid avant de vous répartir les restes ? ajouta-t-il, un sourire en coin.

– En tout cas, si un jour malheureusement mon fils devait partir avant moi, commença l'arrière-grand-mère, je ne vous aiderai pas à faire du tri dans cette maison !

– Maman ! s'offusqua Bernard. Ne dis pas des choses pareilles, tu n'as pas peur que cela nous porte la poisse ?

– *Te* porte la poisse. Je constate juste que tu n'as pas dû te séparer de grand-chose depuis que tu as quitté le nid à 18 ans. Tes placards débordent de vieilleries, constata-t-elle en cherchant un mouchoir.

À la mort de son mari, Marguerite avait déménagé dans un plus petit appartement et avait dû se défaire de nombreux souvenirs. Sa maison contenait très peu d'objets, souvent très anciens.

– Je suis bien d'accord avec vous, Marguerite, insista Brigitte. Je n'arrête pas de le lui dire : Bernard s'accroche aux choses comme si sa vie d'avant allait revenir. Il vit dans les souvenirs, et cela ne le fait pas avancer.

– Ne *vous* fait pas avancer, rectifia Marguerite.

– Moi, j'ai fait le tri dans tous mes vêtements et dans ma paperasse : qu'est-ce qu'on accumule ! Je pourrais me faire cambrioler que ça ne me ferait ni chaud ni froid : à part mes albums de famille, je n'ai rien de valeur. Par contre, Bernard, si on lui enlève ses petites affaires, il déprime. Et ce n'est pas seulement pour le confort que ça lui procure, la moitié de ses achats prennent la poussière, il ne s'en sert pas. N'est-ce pas, mon chéri ? le taquina-t-elle.

– C'est ma fête ou quoi ?

– Bah oui, je viens de te le dire, Papy ! rétorqua Paul par-dessus sa bande dessinée, ne pouvant s'empêcher d'écouter les conversations des grands.

– Tu as fini de dresser un portrait matérialiste de moi, comme si, d'ailleurs, je n'étais pas dans la pièce ? Et puis, je ne suis pas si attaché aux choses.

– Prouve-moi que j'ai tort, Bernard ! N'as-tu pas, par exemple, encore le cordon de ton badge, celui de ton ancienne entreprise, mais sans le laissez-passer qui va avec ? Il faut faire de la place ! Là, je vais attaquer l'ancienne chambre de Nicolas et vider tous les placards, mais un coup de main ne serait pas de refus, hein mon chéri, lança Brigitte à l'attention de son mari, qui maugréa.

– Quoi ? Tu vas vider ma chambre ? intervint Nicolas. Tu ne peux pas faire ça !

– Toi aussi, tu as du mal à tourner la page ? Tu ne crois pas que Paul et Charlotte seraient mieux dans une pièce qui leur ressemble quand ils viennent ici, plutôt qu'avec tous tes posters de footballeurs et tes coupes ? Mais si tu veux, je mets tout dans un carton, et tu l'emportes chez toi à Paris.

— Même pas en rêve, intervint Alice, sans lever les yeux de son journal. Déjà qu'à Noël on va repartir avec le coffre rempli de nouvelles cochonneries... Ça me déprime d'avance, soupira-t-elle.

Bernard la regarda de travers.

Alice avait toujours eu tendance à sérieusement agacer Bernard avec son féminisme de bas étage ou ses grandes théories. Selon lui, elle voyait le mal partout, tendance paranoïaque, et s'emballait constamment pour des broutilles, qu'elle seule imaginait. Brigitte, qui prenait régulièrement le parti de sa belle-fille, avait exhorté Bernard à se tenir à carreau et à garder ses réflexions pour lui. Ce qu'il faisait, avec grande difficulté.

— Dois-je te rappeler, Alice, qu'on fait Noël plutôt pour faire plaisir à ses proches, en réalité ? lâcha-t-il, incapable de s'en empêcher.

Alice ne se laissa pas attendrir et surenchérit :

— Commencez par suivre mes recommandations. Pas de jouets neufs, pas de plastique, pas de trucs roses ou bleus, et surtout, s'il vous plaît, un seul paquet par enfant. Pas cinquante ! L'amour ne se mesure pas au nombre de cadeaux.

Bernard lui jeta un œil réprobateur et se fit la remarque qu'Alice était encore plus jolie quand elle était casse-pieds. Heureusement d'ailleurs, car elle l'était souvent.

La jeune femme était grande, mince, avec de longs cheveux châtains et raides, rehaussés d'une frange espiègle. Elle avait un petit air de Louise Bourgoin, le regard parfois hautain, surtout lors de ses rares silences, qui montraient qu'elle n'en pensait pas moins, trahie par quelques plaques rouges qui envahissaient son cou délicat. Le reste du temps, sa gouaille ne laissait personne indifférent. Alice avait du chien.

– Bernard, vous me prêteriez votre journal, deux minutes ? Je veux comparer quelque chose. Bernard ? répéta-t-elle à son beau-père, qui semblait dans la lune.

Ce dernier était plongé dans ses souvenirs. Il se remémorait très bien la fois où Alice était entrée dans la famille. Bernard avait tout d'abord sauté de joie. La jeune femme était vive, intelligente, avait de l'humour et un physique de Miss Météo, qui était agréable, pas seulement pour parler du beau temps.

Mais les choses s'étaient gâtées lorsqu'il avait découvert qu'elle n'avait pas sa langue dans la poche, une sacrée repartie et des avis bien tranchés, qui souvent finissaient par chambouler sa propre vie : il fallait acheter ailleurs, manger différemment, se déplacer autrement, penser alternativement. Elle commençait à lui courir sur le haricot. Surtout qu'elle ne semblait pas portée sur le respect du patriarche. Au final, elle semait immanquablement la zizanie dans son couple, après chacun de ses passages, retournant aisément le cerveau de son épouse. Faire plaisir, il voulait bien, se faire avoir, non.

Longtemps, il avait souhaité que son fils passe à la suivante. La mer était pleine de poissons, et Nicolas, par son métier, ne manquait pas d'occasions de rencontrer du beau monde. Bernard était plein d'espoir, jusqu'au jour où le ventre très rond de la belle la fit entrer à jamais dans la famille. S'ensuivit un petit mariage, une deuxième grossesse, et rapidement Bernard dut accepter le « dragon ».

Bernard lui tendit *Le Monde*.

– Tu verras, il y a un article très intéressant sur les *Pussy Riot*. Quand je pense qu'on en arrive à devoir montrer ses seins pour que l'on parle de soi dans les journaux…

– Je crois, Bernard, qu'elles font ça pour attirer l'attention sur des causes qui nous concernent tous. Si elles doivent se dénuder, c'est pour éviter d'utiliser la violence. Vous avez remarqué qu'à part le sexe il n'y a pas grand-chose qui intéresse les hommes ? Sans offense, fit-elle remarquer avec un sourire avant de reprendre. Là, dans mon article, il parle plutôt de « *Poussette riot* » : à Marseille, des mères se révoltent, car il manque 4000 places en crèche. Et tout le monde s'en fiche, les hommes surtout, alors que si elles manifestaient seins nus, d'un coup, on ne parlerait que d'elles au JT. Mais ce n'est pas ça que je veux vérifier.

– Tu lis quoi ? *Le Monde* et le... *New York Times* ? Madame ! On n'est pas du même milieu...

– Eh bien, ça... j'en étais sûre ! lâcha Alice, si absorbée par son papier qu'elle ne l'entendit même pas.

Bernard fit une drôle de moue : il ne savait pas si sa belle-fille parlait de lui ou de l'article qu'elle scrutait attentivement.

– Observez la différence entre les nécrologies du *Monde* et le *New York Times*.

– Toi aussi, tu lis les nécrologies ? Non pas que je les regarde régulièrement, mais au cas où... se rattrapa Bernard.

– Vous voyez ? lança-t-elle.

– Non, quoi ? répondit-il de ses yeux ronds.

– Pour le coup, c'est très intéressant, reprit-elle. Regardez, en France, on dit « Monsieur Dubois, chevalier de la Légion d'honneur, CNRS, etc. »... On le présente pour ce qu'il *est* ou était socialement, par son statut. Alors que, dans cet autre journal américain, on met en avant surtout ce qu'il a *fait*, sa contribution auprès des autres, comment il a *aidé* à laisser un monde meilleur derrière lui.

La belle-fille réfléchit un instant et résuma :

– La seule question que l'on devrait se poser de notre vivant est comment utiliser au mieux nos talents pour aider la société à perdurer après nous. Si les gens vivaient pour devenir célèbres après leur mort, et pas pendant...

– ... la Terre serait un monde meilleur à léguer à nos enfants, termina Bernard.

Le grand-père resta pensif. Il repensa à son voisin Dugrin et à ses mégots : serait-ce des déchets qu'il laisserait à ses petits-enfants ? Et si sa belle-fille, pour une fois, avec ses grandes théories, avait raison ? Et si tout était encore à écrire ? Après une longue réflexion, il prit une grande inspiration et conclut :

– C'est bien beau tout ça, mais tu ne m'enlèveras pas de l'idée que devoir mourir, c'est du gâchis. Regarde-moi, par exemple. Toute cette expérience accumulée, pour quoi, en fin de compte ? On ne dit pas qu'un vieux qui brûle, c'est une bibliothèque qui meurt ?

– Plus ou moins, Bernard, plus ou moins...

– 24 –

Les petits plats dans les grands

L'après-midi même, ils se rendirent tous à la plage, puisque le temps était extraordinairement ensoleillé. Cela faisait du bien aux Parisiens d'apercevoir enfin la lumière des rayons, qui réchauffait les visages.

Allongés sur leur serviette, lunettes noires sur le nez, ils scrutaient tous la mer. Plutôt paisible. Les enfants trépignaient d'impatience : ils voulaient sauter dans les vagues, mais, pour une raison obscure, il fallait attendre 16 heures. Ce qui pour Charlotte ne faisait aucun sens : ce ne serait plus l'heure pour le bain, mais celle du goûter.

Paul vint s'asseoir sur le paréo de sa mère et lui demanda d'une voix pas aussi discrète qu'il l'aurait souhaité :

– Maman, pourquoi Papy et Mamie, ils ne se changent jamais à la maison comme nous et mettent leur maillot sur la plage ?

– Je ne sais pas, Paul… répondit Alice, qui n'avait pas remarqué.

Bernard, loin d'être sourd, grommela un début de réponse, que sa belle-fille eut du mal à entendre.

– Que dites-vous, Bernard ? lança-t-elle.

Au moment où Alice tourna le regard vers lui, elle vit dépasser de sous la serviette nonchalamment posée bien plus que ce qu'elle aurait jamais voulu voir de son beau-père.

– Ah pardon, je ne regarde pas… Oui, ça se rafraîchit. En effet…

Un petit nuage vint masquer le soleil et la température sembla chuter d'un coup.

– On a vraiment envie de se baigner ? demanda-t-elle en grelottant, malgré ses trois couches par-dessus son maillot de bain.

Même Marguerite, qui les avait accompagnés, avait revêtu une combinaison intégrale de surfeuse pour se protéger du froid. Cela lui donnait un style certain.

Le vent avait redoublé et il soufflait désormais un air glacial. Les petits, en combinaison de surfeur, ne semblaient pas voir que leurs parents et grands-parents étaient frigorifiés.

Devant le manque d'entrain généralisé, Bernard finit par s'endormir, en ronflant allègrement.

Charlotte patientait comme elle pouvait. Elle avait couru sur la plage en long, en large et en travers, avait tenté de se jeter une bonne vingtaine de fois dans l'eau, rattrapée de justesse par Alice, qui, à court d'énergie, proposa de mettre fin aux hostilités et dégaina le goûter. La petite fille retrouva la joie de se barbouiller de chocolat et de manger un biscuit tombé à plusieurs reprises dans le sable : il avait le vrai goût des vacances.

Quand elle fut rassasiée, elle chercha une nouvelle activité pour attirer l'attention de ses parents, qui, un instant, étaient plus occupés par leur discussion sur le trajet le plus court pour rentrer à Paris, que par elle. Charlotte saisit une grande poignée de sable et fit mouche, dès la première tentative.

– Arrête de jeter du sable au visage de ton grand-père ! intervint immédiatement Alice.

– Mais c'est pour le réveiller, justifia la petite fille.

– Non, ça fait mal. Charlotte, il ne faut pas faire aux autres ce que tu n'aimerais pas qu'on te fasse, rappela la jeune mère.

– D'accord, mais est-ce que je peux lui lancer des petites crottes de mouettes, alors ?

Alice soupira, dépassée par l'ingéniosité infinie de sa fille. Cette attaque sournoise avait porté ses fruits puisque Bernard était désormais réveillé. Il se leva, sans jeter un œil au ciel gris et menaçant, bien décidé à emmener ses petits-enfants en plongée avec lui. Le fond marin était splendide dans la petite crique et il fallait absolument que Paul et Charlotte en profitent. Bernard découvrit alors qu'à 7 ans son petit-fils ne savait pas nager correctement. Encore moins Charlotte. Cela compliquait ses plans.

– Moi, à mon époque, on ne nous apprenait pas, mais lui, quand même. Qu'est-ce que vous attendez pour lui enseigner ? réprimanda-t-il.

Nicolas regarda Alice, qui inspira profondément, prenant sur elle afin de ne pas mettre d'huile sur le feu. Ni Alice ni son mari n'avaient eu le temps – ou pris le temps, diraient d'autres – de s'y atteler. À Paris, ce n'était pas aussi simple qu'on pourrait le souhaiter. Il fallait s'organiser, chercher le bon endroit et avoir une motivation à toute épreuve ! Heureusement que, avec l'école, Paul avait commencé son apprentissage à la piscine.

– Ne vous tracassez pas, je vais lui apprendre, moi. On a une semaine de vacances à mettre à profit. Ça va être un jeu d'enfant.

Le grand-père se sentit investi d'une mission capitale : il fallait que ce gamin se sente comme un poisson dans l'eau. Et peut-être qu'un jour il l'accompagnerait faire de la plongée.

Alice fit une moue dubitative. Ce serait la première fois que son beau-père s'occuperait de Paul et de Charlotte, il n'avait d'ailleurs pas été présent non plus pour Nicolas. La seule tentative de Bernard avec son fils s'était soldée par un échec. Nicolas s'en souvenait très bien : il n'avait rien retenu de sa leçon, sauf que la patience de son père était très limitée. Il n'était pas certain que ce soient les meilleures conditions pour rassurer Paul.

— Fais comme tu veux... Par contre, ça nous aiderait vraiment si tu pouvais nous donner un coup de main avec les devoirs, ajouta Nicolas. Paul a un exposé à faire.

— Aucun souci ! déclara le grand-père avec assurance.

— Tu es sûr ? vérifia Nicolas, soudain préoccupé par la note que risquait d'avoir son fils si son grand-père prenait les choses à la légère.

— Cool Raoul ! lâcha Bernard, le plus simplement du monde.

C'est à partir de ce moment-là qu'Alice et Nicolas commencèrent à regretter. Ils ne savaient pas du tout dans quelle galère ils venaient tous de se mettre...

– 25 –

On ne fait pas d'omelette sans casser des œufs

Le soir même, une fois le bain donné, les petits se réfugièrent au fond du jardin, à courir après les poules. Alice se retint de suggérer que, une fois propres, il était plus judicieux de les faire jouer à l'intérieur, mais comme cela ne semblait gêner personne d'autre qu'elle – ni ses enfants, ni sa famille –, elle se souvint de penser que « ce n'était pas si grave ». Elle se rendit dans la cuisine retrouver Brigitte afin de lui proposer son aide.

– Comment vas-tu, Alice, depuis l'enterrement ? demanda timidement Brigitte, sachant que sa belle-fille n'était pas du genre à se confier. Tu as une petite mine. Si je peux faire quoi que ce soit…

– C'est gentil : le fait que vous gardiez les enfants une semaine, ça va nous permettre de souffler un peu avec Nicolas. Il faut que l'on se retrouve. Et puis, ce long week-end nous fait déjà du bien. Je suis contente de vous avoir à mes côtés, Brigitte : vous êtes la seule famille qu'il me reste.

Sentant sa gorge se serrer à ces mots, Alice détourna le regard, se racla la gorge avant de changer aussitôt de sujet :

– Et comment va Bernard ? interrogea-t-elle.

– Il survit, et moi aussi, avoua Brigitte. Il a tout pour être heureux, mais il ne l'est pas encore. Ça va venir, soyons patients.

Alice sourit et reprit :

— Ça se saurait si le bonheur pouvait se décider.

— À qui le dis-tu ! À part ça, il parle tout seul, mais je crois que c'est bon signe.

— Il s'encourage, c'est déjà ça, admit la belle-fille. Je suis plutôt rassurée alors. Et comment occupe-t-il ses journées ?

— Pour le moment, il se concentre sur son potager : on verra si ça porte ses fruits au printemps. Il allume de temps en temps la télé. Il regarde *Télématin* : je crois qu'il devient plus accro que sa mère. Et puis, il adore *Le Journal de la santé,* qu'il ne manquerait pour rien au monde. Quant à *Silence ça pousse*, c'est sa messe…

— Stéphane Marie, la nouvelle idole des jeunes et moins jeunes ! sourit Alice en enfournant la quiche lorraine.

Ce fut le moment précis où Bernard se décida à entrer dans la cuisine, en déclarant avec aplomb :

— Ce soir, c'est moi qui fais le dîner ! Ça va être un chef-d'œuvre pour les papilles, je vous le dis !

— Très gentil, mon Bernard, mais tu arrives trop tard. C'est déjà prêt. On dîne dans vingt minutes.

Bernard la regarda d'un œil vexé.

— C'est toujours pareil avec toi. Je t'ai dit : « Je m'occupe de tout », et tu n'en fais qu'à ta tête ! Après, qui se plaint de tout faire ?

Pour la peine, Bernard se servit un verre de beaujolais et tartina un bout de pain avec des rillettes, sous le regard moqueur d'Alice.

— On ne se refuse rien ? lui fit-elle remarquer.

— Tu voulais un verre, Alice ?

— Surtout pas ! Vous avez oublié que je ne bois pas. En plus, ce n'est pas avec de la piquette que vous allez me tenter.

On ne fait pas d'omelette sans casser des œufs

— Tu confonds beaujolais nouveau et beaujolais. Tu te gâches les petits plaisirs de la vie, Alice. Tant pis pour toi... dit-il en savourant une gorgée, avant de rejoindre Nicolas et les enfants dans le jardin.

La belle-fille, surprise, interrogea Brigitte :

— Mais je n'ai pas le souvenir que Bernard ait jamais mis les pieds dans une cuisine... Il y a du progrès.

— Oui, il est censé me mijoter de bons petits plats, pour équilibrer les tâches ménagères, mais, à défaut de devenir un cordon-bleu, il est surtout devenu casse-pieds : il dérange tout. Tu verrais le bazar qu'il laisse à chaque fois et, bien sûr, c'est à moi de remettre en ordre. Pour le moment, je ne dis pas grand-chose : il ne faudrait pas l'arrêter dans un si bel élan.

Tout comme les repas du midi, la cuisine cristallisait le cœur des tensions. La retraite prenait des airs de stratégie géopolitique.

Bernard ne demandait pas grand-chose pourtant. Il souhaitait juste être à nouveau fier de lui. Peut-être moins pour ses capacités intellectuelles, mais pour des choses plus simples, qu'il aurait faites de ses mains, seul, de A à Z. Se préparer un repas, faire son marché, planter ses légumes, en prendre soin, les arroser, et peut-être un jour les déguster.

Bernard avait toujours aimé manger, mais n'avait jamais eu le temps pour cuisiner, expérimenter, rater, recommencer. Pour se prouver à lui-même qu'il n'était pas complètement incapable, que même si dans son travail il donnait des directives aux autres, il aurait su faire, lui aussi. Il avait juste oublié d'essayer pendant toutes ces années. Au final, avec ses dix doigts, il se découvrait un talent de chef étoilé que lui seul se reconnaissait.

Bernard entra à nouveau et ouvrit le four, pour vérifier que la quiche dorait à point, puis se retroussa les manches, annonçant avec entrain :

— Je vais vous faire un dessert alors, puisqu'il me reste vingt minutes avant de passer à table. Laissez-moi la place.

Nicolas, sur ses talons, vint chaparder un quignon de pain. Il tomba sur Brigitte et Alice, qui regardaient Bernard d'un œil inquiet, la tête dans les placards, le pied retenant la porte du frigo, la farine dans une main et le verre mesureur dans l'autre. Devant le déséquilibre évident, et craignant le drame, Nicolas ne put s'empêcher de chercher une alternative pour le bien de tous :

— Papa, on est sûrs que tu veux te donner cette peine ? On peut prendre un yaourt, ça ira très bien comme ça. Tu cuisineras une prochaine fois, sans précipitation. De faire les choses à la va-vite n'a jamais été ton fort.

— Merci pour ta sollicitude, Nicolas, mais je le fais quand même. Vous pouvez sortir de *ma* cuisine, houspilla Bernard en poussant doucement son épouse, sa belle-fille et son fils hors de la pièce.

Sur le pas de la porte, Brigitte, qui craignait le pire, plus pour sa vaisselle que pour son mari, tenta une dernière approche :

— Je vais te donner un coup de main, ça ira plus vite, mon chéri.

— Non, tu me laisses faire tout seul, s'il te plaît ! Allez, ouste, tout le monde dehors, lâcha-t-il en leur fermant la porte au nez.

Depuis le salon, on entendit des « aïe », des placards qui se refermaient brutalement, et un paquet se renverser par terre. Mais tout semblait sous contrôle jusqu'à...

— Brigiiiiiitte, où t'as mis le robot ?

— Sous tes yeux ! cria-t-elle depuis le salon.

S'ensuivit un silence. Brigitte se leva, prête à intervenir, aussitôt retenue par Nicolas. Elle hurla alors :

— Tu trouves ?

Au même instant, Bernard déboula dans le salon, le tablier plein de farine, et annonça :

— Attendez, je crois que j'ai vu une motte de terre bouger près de mon potager. À tous les coups, c'est la taupe ! Je vais lui mettre de la dynamite. Elle va moins rigoler...

Bernard détala derrière ce qui de toute évidence ressemblait plus à une pie qu'à un minuscule rongeur souterrain. Alice, Nicolas et Brigitte se regardèrent, ébahis.

Brigitte, qui avait effectivement oublié de leur parler de ce détail, leur fit un topo rapide de la situation. La taupe était devenue l'ennemi à abattre depuis quelques semaines pour le patriarche.

Dans leurs yeux effarés, ils se rendirent compte que la situation était pire que ce qu'ils avaient imaginé. L'heure était grave et ils eurent le pressentiment que ce ne serait pas la taupe qui allait le plus trinquer. Il fallait sauver le soldat Bernard !

– 26 –

Courir sur le haricot

Après le dîner, une fois glissés dans leurs lits, Bernard et Brigitte réglèrent gentiment leurs comptes.

– Tu aurais pu me laisser faire mon dessert jusqu'au bout, je te l'avais demandé, radota pour la quatrième fois Bernard.

– Oui, mais avec ta taupe, tu as déserté. J'ai sauvé le coup : tu devrais plutôt me dire merci...

Bernard, qui avait plus envie d'attraper la taupe que de s'excuser, botta en touche.

– Chut, ça se dispute entre le Dragon et Nicolas... Écoute.

– Non mais, ça ne va pas la tête ? Laisse-les tranquilles. Ça ne se fait pas d'espionner les conversations. Et arrête d'appeler Alice comme ça. Je mets mes bouchons. Quand je te dis qu'ici c'est mal insonorisé. Allez, bonne nuit Bernard.

– Non, attends, il parle de ta quiche, je crois... rusa-t-il.

– Quoi ? répondit Brigitte, estomaquée, qui tendit aussitôt l'oreille, délaissant ses boules Quies. Ils n'ont pas intérêt à critiquer : on l'a faite ensemble.

Effectivement, dans la chambre voisine, l'heure n'était pas au câlin nocturne, ni aux critiques gastronomiques d'ailleurs, mais bien aux mises au point. Alice semblait en colère.

— Tu sais, pour qu'une femme réussisse professionnellement, il faut que son homme la supporte...

— Ça, je te supporte... répondit Nicolas.

— Tu m'as comprise, je voulais dire « soutienne ». Il faut que l'homme fasse au moins 50 % des tâches – ménagères comme parentales –, sinon on en revient toujours à cette fameuse charge mentale.

— Tu te plains, mais je t'aide, dit Nicolas. Je vais récupérer les courses au Drive, je fais le repassage, je dépose les enfants le matin.

— Rien que de dire « je t'aide » prouve que tu n'as rien compris. J'ai démissionné pour te suivre à Paris, j'ai stoppé net ma carrière, et je sais que je ne la retrouverai pas. Et aujourd'hui webmaster *free lance*, c'est tout sauf mon rêve. J'ai l'impression de m'oublier. Tu sais ce qui m'exaspère, aussi ?

— Non, mais tu vas me le dire... suspecta Nicolas.

— Les femmes qui travaillent pensaient avoir gagné au change, mais en fait c'est la double peine. J'en ai marre de retravailler deux heures après le dîner, parce qu'on a dû tout arrêter à 18 heures pour aller chercher les enfants. J'aimerais bien de temps en temps passer une soirée avec toi.

— Mais, moi, je ne demanderais pas mieux que de partir tôt du travail, de profiter des petits et de me reconnecter tranquillement plus tard.

— Tu parles... Vu comment tu leur racontes l'histoire, tu n'y prends aucun plaisir.

Alice l'imita : « C'est l'histoire d'un lapin qui a sommeil, il se couche et s'endort illico ! Voilà. Bonne nuit ! »

— Ce n'est pas *tout à fait* vrai, fit remarquer Nicolas. Mais pourquoi tu ne me crois pas ? Tu crois que je fais exprès de rentrer tard pour te laisser tout faire ?

Alice ne répondit pas, préférant rester silencieuse, puis elle ajouta :

— Laisse tomber. Allez, il est tard, couchons-nous. Au moins je n'ai plus tout ça sur le cœur...

Alice enleva la dizaine de coussins posés en décoration sur leur lit et se glissa dans les draps en lin. Nicolas l'imita, puis éteignit sa lampe de chevet, avant de finalement se rasseoir. La dernière phrase de sa femme lui trottait dans la tête. Il lâcha :

— Enfin, si, c'est moi qui l'ai sur le cœur maintenant...

— Bonne nuit, mon amour, dit Alice en l'embrassant. Demain, on a de la route.

Après leurs longues journées de travail, Alice et Nicolas passaient plus de temps à se disputer à cause des enfants et à se dire ce qui n'allait pas qu'à profiter de leurs retrouvailles. Le quotidien les bouffait, et cela durait depuis plus de deux ans : ils étaient épuisés.

Nicolas, ne parvenant pas à fermer l'œil, avait rallumé :

— Tu abuses, quand même, de me reprocher de ne pas en faire assez avec les enfants...

— Tu rigoles ? se redressa subitement Alice dans le lit. Le bain, c'est moi, le conte, c'est moi. Même Doudou, c'est toujours à moi de le chercher pendant des heures, sous prétexte que Monsieur n'a pas mes yeux de lynx...

— Et dire que tu veux remettre le couvert... Je te préviens, pas de troisième enfant. Non, c'est non !

Dans l'autre chambre, alors qu'ils continuaient d'espionner, Brigitte fit une moue à Bernard :

— On a notre réponse... Mais ils ne parlent pas du tout de ma quiche, mon chéri.

— Ah bon, mais si, ils viennent de dire : « Je ne veux pas remettre le couvert », c'est qu'ils ont trop mangé. À mon avis, ils doivent avoir des ballonnements : il faudra prévoir du citrate de bétaïne demain, inventa-t-il, plein de mauvaise foi.

— C'est ça, Bernard. Prends-moi pour une quiche... lui sourit-elle. Attends, ça reprend de plus belle. Ils ne doivent pas savoir que l'on entend tout !

La voix grave de Nicolas résonnait encore plus fort.

— Comment ça, Paul ne veut plus aller au foot ?

— Il refuse. Il déteste. Il te le dit chaque semaine : tu écoutes ton fils, parfois ?

— Mais c'est une question de principe ! Quand on commence quelque chose, on finit. Je ne veux pas d'un fils qui abandonne à la première difficulté. Sinon, il est mal barré dans la vie. Et comment veux-tu qu'il socialise, qu'il se fasse des copains, s'il n'aime que les livres et les puzzles ?

— C'est de ma faute, c'est ça ce que tu sous-entends ? interrogea Alice.

À ce moment-là, un grand boum résonna dans leur chambre. Bernard venait de se casser la figure, renversant sa lampe de chevet, devant la mine affligée de Brigitte. Alice et Nicolas tressaillirent :

— Ça vient de la chambre de tes parents. Fais moins de bruit : je suis sûre que ton père nous écoute...

— Arrête ta parano, lança Nicolas, autant pour le reproche qui lui était fait que pour celui adressé à son père.

— Tout ce que je te dis, reprit Alice d'une voix plus basse, c'est que Paul a trop d'activités, avec le sport et la musique. Il ne peut pas être sur tous les fronts, et moi non plus. Je bosse.

Alice essayait de lui faire comprendre, tout en gardant son calme. Nicolas ne comprenait pas. C'était un dialogue de sourds.

— Tu travailles de la maison, tu peux t'organiser comme tu le souhaites. Ne te cache pas derrière lui.

Alice le prit comme un coup bas. Elle n'inventait rien : son fils n'avait jamais voulu s'inscrire au foot, c'était une idée de Nicolas, et par-dessus le marché, c'était à elle de tout arrêter pour l'y emmener. Elle sentait l'énervement monter en elle, elle chercha à se contenir comme elle put.

— Je ne me cache pas derrière lui, chuchota-t-elle, mais demande juste à l'épicière en bas de chez nous. Elle me voit courir tous les jours, littéralement courir ! Ça te semble normal ? Tu te rappelles la dernière fois où j'ai couru... pour attraper la navette qui m'emmenait au travail ? Je suis tombée sur le ventre, à sept mois de grossesse.

— Oui, je me souviens, on avait eu très peur pour le bébé.

— Écoute, Nicolas, ce n'est pas normal de devoir cavaler comme ça. On s'use la santé, en se rajoutant de la pression tout seul. On maigrit, parce qu'on est trop stressés, on saute des repas, déjà que je ne dormais plus depuis la naissance de Charlotte...

— Tu crois que, moi, je dors bien...

— Si on n'arrive pas à se ménager, protégeons au moins nos enfants. Ton fils a sa propre personnalité. J'ai envie qu'il fasse ce qui lui corresponde, et qu'il sache s'occuper tout seul. Regarde ton père à la retraite : infoutu de profiter de son temps libre, on ne lui a jamais appris à faire par lui-même, et maintenant, il galère. Un vrai mollusque.

Depuis sa chambre, Bernard écarquilla les yeux, estomaqué qu'Alice puisse parler de lui en ces termes.

— Tu vois, le Dragon ne me ménage pas non plus, commenta-t-il pour son épouse.

— Bonne nuit, mon bernard-l'ermite ! lui dit-elle en l'embrassant tendrement.

— Ne confonds pas mollusque et crustacé, s'il te plaît ! Je ne suis pas si mou. J'ai ma dignité, s'offusqua-t-il faussement.

De l'autre côté de la cloison, Alice reprenait sur un ton plus doux :

— Je veux qu'il apprenne à observer la nature, à être créatif, à penser par lui-même, voire à s'ennuyer si nécessaire. Je veux que Paul en fasse moins et qu'il ralentisse.

— Mais il est déjà trop lent, tu as entendu son enseignante, rappela Nicolas.

— Stop. Il fera du foot quand toi tu feras du sport, d'ailleurs. Mon fils n'aura pas des parents qui le contraignent à avoir un agenda de ministre dès le CE1. Tu n'as jamais entendu parler du *burn-out* des enfants ?

— Il faut toujours que tu exagères, Alice. On était d'accord avant, on dirait qu'aujourd'hui tu le surprotèges.

— Avant j'avais des principes, maintenant j'ai des enfants !

Sentant que sa voix s'éraillait, Alice se retourna pour que Nicolas ne voie pas son désarroi. Ce dernier, qui la connaissait par cœur, vint se lover derrière elle. Ils avaient une règle : ne jamais s'endormir fâchés. Sauf que c'était la théorie, et qu'en pratique ce n'était pas toujours simple. Nicolas était celui qui faisait le plus facilement le premier pas.

— On va se prendre quelques jours de vacances à Noël, d'accord ? Juste tous les deux. D'ailleurs, tu as déjà une idée d'un cadeau qui te ferait plaisir ? lui demanda-t-il en lui caressant les cheveux.

— Je n'ai besoin de rien, j'ai tout. Tout pour être heureuse, dit-elle, avant de se mettre à trembler.

Dans les bras de Nicolas, elle laissa s'échapper les larmes qu'elle avait trop longtemps retenues devant lui.

— Qu'est-ce qui nous arrive ? Je ne nous reconnais plus, hoqueta-t-elle entre deux soubresauts.

Nicolas resta interdit. Alice s'essuya les yeux, puis attrapa sur le chevet de leur chambre la photo de leur mariage. Lorsqu'elle l'enleva du cadre, Nicolas se raidit plus encore. Elle retourna le cliché et lut au verso :

Je te promets de t'aimer toujours, je veux prendre soin de toi, être à tes côtés toute ma vie, te tenir la main, même quand on sera deux petits vieux, continuer à avoir des fous rires ensemble, des discussions enflammées sur notre vision du monde, et surtout, construire avec toi une famille heureuse.

– C'étaient nos vœux, rappela-t-elle. Ce que l'on s'est promis le jour de notre mariage. J'ai l'impression qu'on s'en éloigne. On passe notre temps à se disputer pour des broutilles. On est à cran. Quand a-t-on cessé de se tenir par la main ? demanda-t-elle sérieusement, incapable de s'en souvenir.

Nicolas réfléchit un long moment, puis la réponse lui vint. Assez logique.

– Depuis la poussette, je crois. Puis, les enfants dans les bras, pour aller plus vite.

– Ça ne peut donc pas être que la faute des enfants… précisa Alice. On ne fait que courir, côte à côte, on se croise, on ne partage plus rien. À part nos boulots, les urgences à gérer, plus rien ne compte vraiment. La famille, les amis, nos loisirs, même notre santé, tout passe après. Notre couple surtout. Quand est-ce qu'on est devenus carriéristes ? On n'était pas comme ça avant !

Nicolas ne sut quoi répondre. Elle continua à lire :

Partager, aider, rendre notre famille fière, faire nos propres choix, ne pas suivre la route tracée par les autres pour nous, et faire de notre mieux pour que nos enfants grandissent dans un monde plus solidaire, qu'ils aient une vie plus en accord avec ce qui est vraiment important pour eux…

– On s'est oubliés en chemin, Nicolas.

– Ce n'est pas trop tard, mon cœur, susurra-t-il, sans nourrir aucun doute quant à son envie de finir sa vie avec Alice.

Nicolas éteignit la lumière, et ils s'endormirent lovés l'un contre l'autre.

Un grand silence régna enfin. Bernard, l'oreille toujours collée contre la cloison, se tourna vers Brigitte qui s'était endormie. Il lui fit une bise et conclut pour lui-même :

– La vie est mal foutue. À 35 ans, on n'a le temps pour rien. À 65, on a le temps, mais rien à faire !

27

Se coucher avec les poules, se lever avec le coq

Alors qu'Alice et Nicolas étaient retournés à Paris avant que le jour ne soit levé, Paul descendit sur la pointe des pieds et se glissa entre ses deux grands-parents.

Le petit garçon avait toujours été un lève-tôt, trop tôt même, au grand dam de ses parents. Il avait donc pris l'habitude de rejoindre Papy et Mamie, qui se montraient toujours accueillants et ne rechignaient pas à lui préparer son petit-déjeuner avant celui des poules.

En calant la tête sur l'oreiller de sa grand-mère, il pouvait sentir son odeur si particulière de crème qu'il adorait. C'était cela, pour lui, l'odeur des vacances. Brigitte, qui ne dormait pas, l'enlaça tendrement. Il était ravi de ce moment privilégié, uniquement pour lui, sans sa sœur, sans partage.

Bernard, qui avait passé une nuit à lutter contre ses insomnies, ronflait joyeusement à leurs côtés. Souvent, au petit matin, quand son mari faisait trop de bruit, Brigitte sortait du lit et allait lire sur la méridienne dans la pièce d'à côté. Si sa nuit était fichue, elle était suffisamment philosophe pour en tirer parti et commencer sa journée du bon pied.

Le petit était intrigué.

– Mamie, pourquoi le nez de Papy, il fait trompette ?

– On ne sait pas très bien, il a toujours fait du bruit en dormant, mais, avec l'âge, ça s'amplifie. Je vais lui prendre rendez-vous avec le médecin pour vérifier que tout est normal.

– Pas étonnant qu'avec un boucan pareil, quand on est vieux, on devient sourd ! commenta judicieusement Paul.

– Je suis bien d'accord avec toi. J'espère que le docteur va trouver une solution, car, sinon, la prochaine fois, Papy, il dort dans une tente au fond du jardin.

– Oh, Mamie, moi aussi, je veux camper avec lui dehors, s'il te plaît, supplia-t-il, enthousiaste comme jamais.

– Eh bien, pourquoi pas, mon chéri… Tu sais ce qu'on pourrait faire, là, maintenant, vu que nous sommes tous les deux éveillés ? Viens avec moi, mets tes chaussons et ta robe de chambre. Je vais te montrer mon petit secret.

Ils quittèrent la maison à pas de loup et s'installèrent sur la marche supérieure du perron. Brigitte attendait sereinement. Paul, dubitatif, lui lançait des coups d'œil furtifs.

– Le spectacle va commencer, annonça la grand-mère. Regarde.

Paul observait la cime des arbres au fond du jardin quand tout à coup la couleur changea. Au cœur des teintes bleues froides apparut une touche de jaune, puis de rose. Et enfin le soleil, orange tendre, vint pointer le bout de son nez. Les oiseaux, qui avaient commencé leur concert discret quelques heures auparavant, saluèrent généreusement le jour qui se levait.

Le petit garçon resta bouche bée.

– Tu vois, chaque insomnie est une chance, finalement.

– Et d'être un lève-tôt aussi ! J'aurais pu être une marmotte, comme Charlotte.

– Oui, tu profites de certaines choses qu'elle loupera peut-être. C'est un cadeau que de pouvoir venir épier ce moment unique. Chaque matin est différent : il y a quelque chose de rassurant à savoir que le soleil sera toujours là, avant nous, et après nous. Et j'aime me dire que n'importe où sur la planète il y a toujours quelqu'un qui s'extasie devant tant de beauté. Cela ne coûte rien, et pourtant se lever aux aurores est l'une des choses qui me donnent le plus de bonheur au monde.

– Moi aussi, je te donne un peu de bonheur, quand même ? interrogea Paul, inquiet.

– Tu es largement devant. Imagine comme je suis heureuse de partager cela avec mon petit-fils préféré…

Brigitte aimait passer des moments privilégiés avec chacun de ses petits-enfants. Elle espérait aussi s'émerveiller un jour devant l'aurore rougeoyante avec sa petite-fille préférée.

– Regarde, continua le garçon. On dirait que le soleil nous sourit et que les oiseaux ne chantent que pour nous. C'est pour ça, je suis sûr, que l'on dit « la vie sourit à ceux qui se lèvent tôt ».

– Le monde t'appartient, Paul. Profites-en. Je te laisse, dit-elle en lui posant sa couverture sur les épaules. Je vais aller préparer le petit-déjeuner.

Depuis un certain temps déjà, Bernard observait en catimini le petit garçon assis sur la marche devant la maison. C'était d'habitude le lieu de contemplation de son épouse. Voir son petit-fils en solo, sans sa sœur pour le taquiner ou ses parents pour le divertir, était assez inhabituel. Bernard vint s'asseoir à côté de lui.

– Ça va, mon grand ? Le petit-déjeuner est prêt : il y a même de la confiture maison… tenta le grand-père pour lui mettre l'eau à la bouche.

— Encore de la confiture ? râla le petit. On ne peut pas plutôt s'occuper du jardin, Papy ? Regarde toutes les mauvaises herbes !

Bernard fronça les yeux, essayant d'identifier les quelques intruses, avant de comprendre ce que désignait Paul.

— Ce ne sont pas des mauvaises herbes, c'est mon futur potager ! répondit-il tout de go, vexé.

— Dans *Copains des jardins*, ça ne ressemble pas à ça, dit le petit garçon avec une moue perplexe.

Il semblait l'avoir feuilleté plus attentivement que son grand-père, qui le lui avait offert au Noël précédent. Soudain, Paul se mit à courir vers le fond du terrain : les poules venaient de sortir de leur enclos. Il revint triomphant avec trois beaux œufs !

— Tu as vu, Papy, elles ont bien travaillé aujourd'hui, dis donc.

C'était la première fois depuis leur arrivée qu'elles en donnaient autant. Enfin ! Restait à convaincre les deux dernières de s'y mettre aussi.

— Effectivement, beau butin. Allez, viens, je vais te préparer un œuf à la coque : tu m'en diras des nouvelles ! Et puis, vu que tu sembles calé en horticulture, tu vas me donner ton avis pour mon potager.

Une fois les mouillettes de beurre demi-sel trempées dans le jaune ultra-frais, Paul les dévora à pleines dents et fut rapidement repu. Il était ravi de son premier petit-déjeuner non sucré. À Paris, il n'avait jamais le temps pour un tel festin.

Bottes en caoutchouc aux pieds et petit carnet de notes à la main, Bernard revint à la charge. Il tendit une paire de chaussures à Paul, pointure 33, que celui-ci enfila par-dessus son pyjama, avant de mettre un coupe-vent. Bernard l'imita et ajouta en sortant de la maison à côté de son petit-fils :

— Paul, tu vas me donner un coup de main pour préparer la terre de mon potager. On va voir comment Monsieur le Petit Parisien se débrouille.

Ils s'immobilisèrent devant la parcelle qu'avait délimitée Bernard. Le carré de terre ne ressemblait à rien.

— D'ici quelques mois, après l'hiver, je vais commencer à planter. Alors, qu'est-ce qui te ferait plaisir ? demanda le grand-père, prêt à prendre des notes.

Paul réfléchit intensément, puis, après de longues secondes, il se mit à lister ses différentes envies :

— Moi, j'aime bien le chocolat, Papa le café, Maman les fruits rouges, et il faudrait mettre de la salade pour Charlotte : elle déteste.

— Je pensais plutôt à des légumes…

Mince, Paul n'y avait pas du tout réfléchi.

— Beurk, Maman, elle ne t'a pas dit que je n'aimais pas les légumes verts ? fit-il remarquer.

Bernard grimaça. Il ne s'avouerait pas vaincu. Que son petit-fils aime ou non les légumes, cela ne l'empêcherait pas de les lui faire goûter.

— OK, mais les autres couleurs, ça te va ? vérifia, plein de mauvaise foi, le grand-père.

— Bah, oui. Je suis allergique qu'au vert. C'est depuis la cantine, ça, expliqua-t-il avec une logique irréfutable.

— C'est que tu n'as pas eu la bonne cantine, constata Bernard, qui avait quant à lui de très bons souvenirs des midis avec ses copains. Dans un premier temps, voilà ce que je peux te proposer : tomates, carottes, aubergines, pommes de terre, radis, courges, panais, haricots blancs, poivrons jaunes ou rouges, choux-fleurs et patates douces.

– Tout ça ? Tu as assez de place ? Et tu es sûr que ça va me plaire ? Ce n'est pas des légumes verts au moins ?

– Croix de bois, croix de fer. Si je mens, je vais en enfer ! promit Bernard.

– Tu n'oublieras pas les cornichons aussi. C'est mon péché tout mignon ! rappela Paul.

– Et ce n'est pas vert, ça ? constata le grand-père.

Paul sourit de toutes ses dents, l'air amusé, avant de reprendre :

– Toi, tu n'as jamais bien écouté la maîtresse. Dans la vie, il y a toujours des exceptions qui confirment la règle.

28

Ce n'est pas au vieux singe que l'on apprend à faire la grimace

L'après-midi même, profitant d'un ciel gris relativement clément, Bernard commença la leçon de natation avec Paul, comme il s'y était engagé. Le grand-père, un peu gauche, décida que pour une première fois il se limiterait à jouer dans les vagues. Cela ne devrait pas être trop sorcier.

Il avait emporté tout l'attirail pour son petit-fils : une combinaison de surf, pour éviter les coups de froid et assurer une bonne flottaison. Des brassards, pour protéger ses arrières et faire plaisir à Alice. Des chaussures pour éviter de marcher sur des vives. Et une planche en polystyrène, pour le fun.

Arrivés sur la plage, Bernard lui enseigna d'abord le code couleur du drapeau, vert ce jour-là – la mer était d'huile –, et ils entreprirent de démarrer la séance. Accroché à sa planche, le ventre bien calé, Paul surfait là où les rouleaux cassaient. Son grand-père le poussait pour lui donner un peu de vitesse. Rien ne semblait rendre le petit garçon plus heureux que de jouer dans les vaguelettes. Même Bernard s'en donnait à cœur joie, enchanté de voir son petit-fils aussi épanoui.

Lorsque le grand-père sentit une violente piqûre sous son talon, il retint une injure stridente entre ses dents. Au même instant, Paul prit une vague de côté et passa sous sa planche. Quand sa tête refit surface, il but la tasse. Bernard se précipita pour le relever et le sortir de l'eau. Paul était furieux.

— Mais qu'est-ce que c'était que cette vague, Papy ? C'est illégal, un truc pareil ! Et tu étais où, d'ailleurs ?

— Quoi ? demanda le grand-père qui cachait à son petit-fils que son pied lui faisait un mal de chien.

La douleur causée par la vive irradiait sous le talon piqué.

— Tu as vu le tsunami : c'était comme au journal télé !

Alors qu'il frictionnait le petit garçon, Bernard constata que la mer était toujours d'huile, comme depuis le début de leur baignade. Il tenta de calmer Paul, qui ne décolérait pas. Pour leur première fois ensemble, il préférait que son petit-fils n'ébruite pas qu'avec lui il avait failli se noyer.

— Tu t'es fait peur, Paul. Ce n'est rien. Tout va bien. Ça arrive à tout le monde de boire la tasse. Ce n'est pas grave.

— On va aller se plaindre, Papy ! répliqua-t-il.

— À qui ? À tes parents ? s'inquiéta le grand-père en herbe.

— Aux sauveteurs. Ça aurait au moins dû être drapeau rouge !

— Au moins, Paul, au moins.

C'était à se demander si la mauvaise foi n'était pas un gène familial.

De retour à la maison, les deux sportifs retrouvèrent Charlotte et Brigitte. Cette dernière, qui n'avait rien pour préparer le dîner, fila aussitôt au supermarché. Elles s'étaient également beaucoup amusées toutes les deux, à repeindre les murs de la future chambre d'amis.

Une fois Paul séché et habillé, Bernard prépara le goûter pour ses deux petits-enfants.

— Qui veut de la confiture maison ? proposa-t-il.

— Moi, répondit Charlotte en levant le doigt aussi haut que possible, alors que son frère, qui avait repéré le pot de pâte à tartiner dans le placard, attendait une autre proposition.

— Tu n'en veux pas ? s'étonna Bernard.

— Non, moi je préfère ça, pointa-t-il du doigt.

Charlotte fit une moue de réprobation. On aurait dit une enseignante qui prenait un élève sur le fait. Elle lâcha d'un air hautain :

— Tu sais très bien qu'on n'a pas le droit...

— Ah bon, et pourquoi ça ? interrogea le grand-père, qui savait que Brigitte l'avait acheté uniquement pour faire plaisir aux enfants, eux n'en mangeant pas.

— C'est Maman qui ne veut pas, répondit Paul avec une mine coupable. À cause des orangs-outans. Ceux qui fabriquent la pâte à tartiner coupent les palmiers sur lesquels sont accrochés les singes. Du coup, ça les tue.

Charlotte leva les yeux au ciel.

— Mais qu'il est bête, mon Dieu ! lâcha-t-elle, mortifiée devant le raccourci hasardeux de son frère.

— Bien sûr que si, c'est ça. Arrête de faire ton intelligente, Charlotte ! Tu m'énerves, s'indigna le petit garçon en se retroussant les manches.

Bernard voulut calmer les enfants. Il n'allait quand même pas être responsable d'une noyade et d'une bagarre le même jour.

— OK, la prochaine fois j'achèterai un pot en vérifiant qu'il n'y ait pas d'huile de palme, admit le grand-père en signe de réconciliation, tout en tartinant un bout de pain sous le regard délateur de Charlotte. Tu peux en prendre, mais tu ne diras rien à ta mère, d'accord ?

Brigitte revint des courses : elle était chargée comme une mule.

– Tout s'est bien passé, les enfants ? lança-t-elle.

– Impeccable, coupa court Bernard.

– Alors, Paul, tu n'as pas eu le temps de me raconter : comment c'était, la mer avec Papy ?

– Bien, enfin, j'ai quand même failli mourir… lâcha-t-il, avant de croquer à nouveau dans sa tartine, qui lui laissa de belles moustaches marron.

– Quoi ? s'inquiéta tout à coup la grand-mère en cherchant son mari des yeux pour qu'il s'explique.

– Mais non, il plaisante. Hein, Paul ? corrigea Bernard d'un regard insistant vers son petit-fils.

– Ah ! Oui, oui, je plaisante, je n'ai pas du tout failli mourir dans les vagues. Ce n'était qu'un tout petit tsunami, hein, Papy… répondit le petit garçon en donnant un coup de coude bien visible à son grand-père.

Ce dernier renchérit.

– Il te fait marcher, Brigitte, et toi, comme d'habitude, tu cours. Comme un lapin, se moqua-t-il en débarrassant la table, tout en boitant, car sa douleur au talon ne s'était pas totalement dissipée.

– Tu t'es fait mal, mon chéri ? accourut-elle.

– Pas du tout, grimaça-t-il. Laisse-moi ranger les courses, plutôt.

Devant cette proposition hâtive et bien trop rare, elle n'insista pas et embrassa Paul et Charlotte sur le front. Même si elle était intimement persuadée qu'on lui cachait quelque chose, cela l'amusait de voir une complicité naissante entre le grand-père et son petit-fils.

– Les enfants, qui veut venir se mesurer pour voir qui a le plus grandi ?

— Moi !!! répondirent-ils en chœur.

Le frère et la sœur enjambèrent les marches quatre à quatre jusqu'au grenier, où les attendait la poutre verticale sur laquelle les marques précédentes avaient été soigneusement notées par Brigitte.

— Allez, venez, on va comparer par rapport à la dernière fois. Paul, vas-y. Bien droit contre le mur. Parfait. Tu as pris… un centimètre ! C'est très bien, mon champion. Charlotte, à toi.

Brigitte cala la petite fille, ajusta plusieurs fois ses lunettes pour être certaine de bien lire, puis lâcha :

— Déjà ? Trois centimètres ! Bravo, ma grande.

— C'est normal, vu tout ce qu'elle engloutit, répliqua Paul, vexé. À toi, Mamie ! Tu ne bouges pas.

Paul était monté sur un tabouret. Il tenait adroitement une petite règle et le crayon à papier, et s'appliqua à tracer fermement la nouvelle marque à côté de celles repassées au stylo. Brigitte se décolla du mur et vint observer le trait. Chaque fois, il venait exactement épaissir celui dessiné la fois précédente.

— OK. Alors, voyons voir… lança Brigitte, les yeux plissés.

Oubliant de remettre ses lunettes, Brigitte ne comprit tout d'abord pas. Paul la coupa dans sa perplexité.

— Moins un centimètre, Mamie ! annonça-t-il fièrement. Attention, je vais bientôt te rattraper…

— Mais qu'est-ce que c'est que cette histoire ? demanda la grand-mère, sous le choc.

— Il faut manger plus de soupe, Mamie. C'est tout !

– 29 –

On n'y voit goutte

C'était le premier coucher des petits sans leurs parents. Comme elle avait entendu la dispute entre Alice et Nicolas à propos du conte, la grand-mère prit les devants.

– Ce soir, c'est Papy qui vous raconte l'histoire, informa Brigitte.

Bernard, qui était confortablement installé dans son fauteuil, manqua de s'étrangler.

– Quoi ? C'est toujours toi, d'habitude. Je fais comment ? Je dis quoi ?

Bernard n'avait jamais lu d'histoires à Nicolas. Ce serait une grande première. Brigitte le rassura :

– Tu vas trouver, ne t'inquiète pas.

Lorsque leur grand-père pénétra dans la salle de bains et lâcha : « Les enfants, qui veut que je raconte une histoire ? », le frère et la sœur restèrent silencieux, les yeux écarquillés, ne sachant pas s'ils avaient gagné au change.

Bernard attrapa les deux petits monstres, inspecta la propreté de leur trompe et la fraîcheur de leurs gosiers, lutta avec Charlotte pour lui mettre son pyjama – en plus du caractère, elle était d'une force physique à toute épreuve –, s'énerva contre la multitude de petits boutons à fermer sur le haut de Paul, puis les houspilla vers leur chambre.

– Chacun dans son lit, et que ça saute ! Alors vous êtes prêts ? Vous avez vos doudous ? vérifia le grand-père.

– Non, répondirent-ils en chœur.

Bernard ronchonna et appela Brigitte à la rescousse :

– Je ne peux pas tout faire, non plus. Peux-tu mettre la main sur tes lunettes, puis sur les deux « machins qui puent », s'il te plaît, ma chérie ?

Le grand-père éteignit la lumière, créant une relative pénombre grâce à celle du couloir, puis commença à chuchoter. Il ne s'était pas embarrassé à choisir un livre. Il était inspiré et improvisa.

– C'est l'histoire d'un lapin qui rencontre un loup qui a très faim. Alors le loup, voyant dépasser deux longues oreilles, les attrape d'un coup de griffes et dévore le lapin aussitôt ! Voilà. Bonne nuit !

Bernard tourna les talons, puis rejoignit sa femme au salon. Lorsqu'il descendit avec son air victorieux – preuve que ce n'était pas « si sorcier » –, des cris stridents retentirent :

« Maaaaaaaaamie ! »

Imperturbable, le grand-père reprit sa place dans son fauteuil, comme s'il n'entendait pas les hurlements qui redoublaient. Il lâcha perfidement :

– Je crois qu'ils préfèrent leur Mamie pour les histoires, annonça-t-il en plongeant son nez dans son portable. Tu n'oublieras pas de leur apporter leurs peluches, d'ailleurs.

Irritée, Brigitte se releva, fixant d'un regard noir son mari :

– Bernard, qu'est-ce que tu as fait, encore ?

– Mais rien… J'ai raconté une histoire, comme tu me l'as demandé. Tu pourrais me dire merci au moins. Ils sont dans leur lit.

– Tu te moques de moi ? Là, ils ont l'air morts de trouille. Si c'est pour que j'y retourne...

– Tu n'es jamais contente, remarqua Bernard. Allez, moi, il faut que j'aille espionner ma taupe, dit-il en enfilant sa lampe frontale.

– On ne peut rien te demander, conclut Brigitte.

– Et toi, on ne peut rien te dire. Allez, je mets ça sur le compte de la faim. Qu'est-ce qu'on mange, nous, d'ailleurs ? interrogea Bernard, qui sentit d'un coup son ventre se réveiller.

La tête de Brigitte le fit filer directement à la cuisine, où il lança, armé de sa lumière sur le front, de l'eau à bouillir pour des pâtes. Puis il imita sa femme qui lui aurait sûrement répondu :

– « Je ne sais pas ? Tu as cuisiné quelque chose, mon chéri ? »

Devant la gazinière, Bernard, perdu dans ses pensées, dépassa bien largement le temps prévu pour la cuisson. Brigitte en ferait sûrement un gratin finalement. Il était préoccupé, il n'arrêtait pas de jeter des coups d'œil par la fenêtre de la cuisine, jurant que quelque chose bougeait dehors. Mais il faisait trop sombre pour distinguer la moindre silhouette.

Bernard n'en pouvait plus de ces nouvelles mottes de terre qui foisonnaient chaque matin et dévastaient sa pelouse. Il fallait qu'il mette un terme à la folie des grandeurs de sa voisine du dessous. Vingt mètres de galerie souterraine par jour, et autant de taupinières alignées en surface : on aurait dit un champ de bataille après un bombardement ennemi.

Après un dîner frugal avec son épouse, Bernard, déterminé à prendre la taupe en flagrant délit, décida de planter une tente dans le jardin et d'y dormir. Il avait installé un piège avec un seau, et il espérait bien attraper la bestiole vivante. Avec, dans l'idée, de la faire passer, pourquoi pas, chez les Dugrin...

Brigitte avait refusé de guetter avec lui toute la nuit, elle avait mieux à faire : dormir sans fond sonore. Alors qu'il commençait à regretter son installation sommaire, allongé à plat ventre sur le matelas de yoga de Brigitte, le fantassin de pacotille vit un petit homme en pyjama débarquer et se réfugier à ses côtés. Paul voulait évidemment être de la partie. Il était toujours partant pour les bêtises de son grand-père. C'était la première fois qu'une taupe allait se faire épier !

— Papy, tu crois qu'on va voir un ours ? interrogea-t-il, plein d'espoir.

— Ici, il y a peu de chances, mais une taupe, j'espère. Qu'on lui règle son compte.

— Pourquoi, qu'est-ce qu'elle a fait de mal ? chercha-t-il à comprendre.

— Tu as vu tous les trous qu'elle laisse derrière elle : elle se croit tout permis. Je vais lui montrer qui est le patron.

Bernard, l'ancien directeur financier, qui dormait au chaud dans sa maison, aurait pu laisser l'usufruit de son jardin aux animaux de passage. Mais c'était une question de principe !

— Tu te souviens, Papy, l'année dernière, le Père Noël m'a apporté le livre *Copains des jardins*. Eh bien, je l'ai lu attentivement et ils disent que la terre qu'elles retournent est parfaite pour aérer le potager. Elle travaille pour nous, la taupe. Pour nos futures carottes, tu ne crois pas ?

— Ce serait un agent double ? J'en doute... grimaça Bernard.

– Papy, qu'est-ce qui bouge, là, dans le ciel ? Une étoile filante ?

– Non, ce n'est pas la saison. Ça, c'est un satellite. Et quand ça clignote, c'est un avion.

– Un avion, ça peut voler la nuit ? Mais il ne doit rien voir ! Ça a des phares ?

Bernard, n'ayant pas la moindre idée des équipements aéronautiques, botta en touche.

– Paul, tu connais un peu les étoiles ?

– Non, et toi ? répliqua le petit.

– Moi non plus, je comptais sur toi, en fait. On ne t'apprend pas ça à l'école ? Moi, je ne saurai retrouver que la Grande Ourse, au-dessus de nous, en forme de casserole, avoua le grand-père.

Paul sortit de la tente et scruta le ciel.

– Si, j'en connais une autre, Cassiopée, derrière. Ça ressemble à un W. Tu crois que là-bas aussi ils ont des problèmes de taupe ? questionna Paul.

– Peut-être...

– Dis, Papy, en parlant d'école, tu pourras m'aider demain avec mon exposé ?

Bernard avait délibérément commencé la semaine de vacances avec ses petits-enfants par un plaisir – la séance de surf – et avait espéré échapper à la corvée des devoirs, malgré sa promesse à Nicolas. Cependant, devant la bouille de son petit-fils, qui l'observait comme une étoile, avec de grands yeux ébahis, il ne put dire non.

– Bien sûr mon grand, sinon, à quoi ça sert, un grand-père ?

Paul réfléchit un instant, comme si cette question nécessitait une vraie réponse de sa part, puis déclara :

– À faire toutes les choses interdites qu'on n'a pas le droit de faire avec Papa et Maman.

– J'aime bien ta définition, mon grand. D'ailleurs, tu ne le diras pas à ta mère qu'on a dormi dehors. Sinon, elle va me passer un de ces savons...

– D'accord, mais en échange de mon silence, ajouta malicieusement le petit garçon, je veux bien un chocolat : j'ai vu que tu en avais dans ta poche...

30

Comme chien et chat

Le lendemain, comme promis, Bernard s'installa sur la table de la cuisine aux côtés de Paul qui avait étalé le contenu de son cartable sur la nappe vichy. Le grand-père chaussa ses lunettes et se retroussa les manches.

– Alors, mon grand, ton exposé, c'est sur quel sujet ?

– Sur le 7ᵉ continent, répondit le petit garçon, d'une voix excitée.

Bernard faillit s'étrangler avec sa salive en ne comprenant rien à l'intitulé. Quelle idée avait-il eue d'accepter de faire les devoirs avec Paul ? L'enseignante dans le couple, c'était Brigitte, elle était bien plus à même d'aider son petit-fils. Mais elle s'était défilée, prétextant que « cela ne lui ferait pas de mal » de s'atteler à ce sujet.

– Aucun souci, j'ai toujours été très fort en géographie, mentit-il. Alors, si je me souviens bien, nous avons l'Europe, l'Amérique, l'Afrique, l'Asie et l'Océanie. J'ai de bons restes, commenta-t-il, content de lui.

– Mais ça fait cinq, Papy, le rabroua Paul.

– Tu es sûr ?

Bernard comptait à nouveau sur ses doigts et tombait inévitablement sur cinq.

– Tu ne t'es pas trompé en recopiant ? Ou la maîtresse peut-être ? demanda le grand-père, sans remettre en cause ses propres connaissances. À moins qu'elle ne compte l'Antarctique. Attends, il y a bien 5 anneaux sur le drapeau des Jeux olympiques ? C'est à s'y perdre. Nous allons demander de l'aide à notre ami Gogol.

— La maîtresse ne veut pas qu'on utilise Internet.

— Elle commence à nous casser les pieds, celle-là. Comment veux-tu faire sans ? s'agaça le grand-père.

— On peut aller à la bibliothèque, peut-être, suggéra timidement Paul.

— Tu as oublié d'être bête, toi. On va aller chercher la solution dans les livres, comme au bon vieux temps, conclut le grand-père.

Laissant Charlotte et Brigitte, les deux comparses se rendirent à la médiathèque de la ville. Très rapidement, ils se plantèrent devant le rayon géographie, mais ne trouvèrent pas de mentions précises. Ils sollicitèrent l'aide de la bibliothécaire, qui leur demanda s'il s'agissait d'un véritable territoire ou d'un concept. Ne comprenant pas la nuance, Bernard rumina :

— Elle débloque complètement, ton enseignante. Il n'y a pas de 7e continent. Fais-moi lire l'intitulé.

Sensibilisation au monde qui nous entoure.

— Très bien.

Répertorier les 6 continents connus.

— OK, on progresse.

Chercher quel est celui que l'on nomme aujourd'hui « le 7e continent ».

— Déjà moins clair.

Identifier de quelle matière il est composé.

— Ça y est, on ne comprend plus rien.

Quelles conséquences à court, moyen et long terme.

— Ce n'est pas du tout du niveau CE1 ! s'énerva Bernard.

À TOI DE JOUER ! Collecte des preuves, catégorise-les en lieux ou en utilisation. Imagine quelles solutions peut-on individuellement et collectivement mettre en place.

— Non, mais elle ne veut pas non plus qu'on dessine la Joconde, tant qu'on y est ?

Quelles idées as-tu ? Quel serait ton engagement aujourd'hui ou celui de quelqu'un de ta famille : hier, je faisais x, aujourd'hui, je décide de faire y.

— Elle en a de bonnes, celle-ci…

Bonus : Ne pas hésiter à illustrer ton exposé de dessins, photos, découpages ou autres.

— Qu'est-ce que je disais ! Mais bien sûr, et la marmotte…

Mots indices à réutiliser dans l'exposé : Environnement, Déchets, Plastique, Colibri.

— Rien compris ! conclut le grand-père, désemparé.

Bernard se gratta la tête, chercha du regard la bibliothécaire, qu'il aurait bien rappelée à l'aide, avant de demander à son petit-fils :

— C'est toujours aussi clair lorsqu'elle vous donne des devoirs ? Tu n'as pas des maths à faire à la place ? Là, je suis perdu.

— Dis plutôt que tu n'y connais rien. Ce n'est pas grave, tu vas t'instruire avec moi, continua, enjoué, son petit-fils.

— Je ne suis pas sûr d'en avoir très envie… rétorqua le grand-père, qui n'avait jamais été passionné par l'école.

Paul, qui visait toujours juste, et qui ne comptait pas laisser Bernard s'en sortir aussi facilement, demanda :

— Dis, Papy, la soif d'apprendre, ça se perd à quel âge ?

— Je ne sais pas, par contre, j'ai soif tout court, constata Bernard.

Paul se leva d'un bond et ajouta :

— Attends, je vais chercher de l'eau à la fontaine, et après on s'y met !

Tandis que Paul s'absentait, Bernard se précipita sur son téléphone pour interroger le moteur de recherche : il ne pouvait pas montrer à son petit-fils qu'il n'était pas à la hauteur de ses espérances. Il parcourut quelques pages pour découvrir ce qui se cachait derrière ce 7e continent. Lorsque son petit-fils revint, il enfouit maladroitement son portable au fond de sa poche et sourit pour cacher son malaise. L'image de sa triche lors du baccalauréat lui revint.

— D'accord, d'accord... Je crois que je me souviens, maintenant, déclara Bernard en se frottant le nez. Si je ne me trompe pas, il ne s'agit pas d'un territoire à proprement parler, mais d'un regroupement de déchets dans la mer, gigantesque comme cinq fois la taille de la France.

— Ça t'est revenu comme ça ! D'un coup ? demanda Paul super impressionné.

— Oui, il suffisait que je me concentre un peu, enroba-t-il sans aucune honte. Finalement, je crois qu'on va y arriver.

Menteur comme un arracheur de dents ! pensa-t-il.

La matinée touchait à sa fin, et Bernard et Paul avaient réussi à mettre en place la structure de l'exposé. Si le petit garçon comprenait que ce continent était formé de plastique, il avait du mal à saisir d'où celui-ci provenait – du sol ? d'un arbre, comme le caoutchouc ? des fonds marins ? –, comment il était formé et où il se trouvait dans sa vie de tous les jours.

— Le gobelet d'eau, là, il est en plastique ?

— Je crois, oui.

— Et mon stylo ? continua le garçon.

– Je pense aussi, répondit, très peu sûr de lui, le grand-père.

– Waouh, ça va être facile comme exposé : il y a du plastique partout.

Paul en voyait aisément autour de lui, mais ne comprenait pas comment un déchet jeté correctement dans une poubelle pouvait finir dans la mer et créer ce fameux « 7e continent » ?

En rentrant de la médiathèque, direction la maison pour déjeuner, Bernard proposa de faire un petit détour pour aller sur le terrain et identifier, comme des enquêteurs, les produits faits à partir de cette matière. Il emmena Paul aux bennes de recyclage, puis ils se baladèrent en centre-ville. Alors qu'ils étaient enfin rentrés et que Brigitte préparait des croque-monsieur avec sa petite-fille, ils firent un rapide tour de chaque pièce de la maison – salle de bains, cuisine notamment.

Bernard, qui n'était pas le plus pédagogue ni vraiment patient, répondit autant qu'il put aux différentes questions, sans trop broder. Mais il était encore loin de comprendre quel message l'enseignante voulait faire passer. S'asseyant à table, le grand-père se souvint d'un détail.

– Dis-moi, Paul, je ne vois pas bien pourquoi ta maîtresse veut qu'on utilise le mot outil « colibri ». Tu as une idée ?

– Je connais une histoire, que Maman nous raconte le soir, c'est d'ailleurs mon livre préféré, mais je ne vois pas le rapport.

Paul pouvait réciter par cœur la fable de cet oiseau minuscule qui, pour éteindre un gigantesque incendie, était le seul de la forêt à enchaîner des allers-retours en prenant deux gouttes d'eau à chaque fois dans son bec. Ce valeureux colibri ne s'arrêtait pas aux moqueries des autres animaux sauvages, qui lui demandaient pourquoi il faisait cela, alors que c'était inutile. Le colibri répondait : « Moi, je fais ma part. » Et alors tous les autres s'y mettaient à leur tour.

Bernard embrassa tendrement son épouse lorsqu'il la retrouva dans la cuisine. Au déjeuner, les deux enfants et leurs grands-parents dégustèrent les croque-monsieur maison, qui réjouirent tout le monde.

Une fois le repas terminé, la fillette et sa grand-mère annoncèrent qu'elles partaient se balader à vélo. Pour Bernard et Paul, l'après-midi s'annonçait plus studieux : ils restèrent à la maison pour avancer sur l'exposé.

Brigitte tournait en rond sur le seuil de la porte. Cela faisait plusieurs minutes qu'elle attendait sa petite-fille, qui se préparait, et le temps se gâtait.

– Charlotte, tu es sûre que tu veux aller faire les courses à vélo ? On irait bien plus vite en voiture. Et il risque de pleuvoir. Tu vas être toute mouillée… argumentait-elle sans fin.

La grand-mère tentait sa chance, elle n'avait pas exactement envie de remonter sur sa bicyclette. Mme Dugrin lui avait récemment expliqué comment un de leurs voisins avait mal tourné en voulant reprendre le vélo une fois à la retraite. Il s'était « cassé la binette, avant de casser sa pipe », comme avait résumé la voisine.

Même si elle ne distinguait pas le vrai du faux dans ces racontars, Brigitte n'avait plus trop envie de prendre des risques inutiles.

– Charlotte ? Où es-tu ? demanda la grand-mère en retrouvant sa petite-fille dans sa chambre, en train de lire. Allez, en tenue, Mademoiselle.

– Dis donc, je ne me suis pas lavée ce matin ? remarqua soudain la petite fille.

— Ce n'est pas le moment. On le fera après les efforts de la journée ! rappela Brigitte.

— Mais, hier, on a oublié alors ? Faudra pas le dire à Maman, ajouta la fillette, heureuse d'avoir un nouveau secret à partager avec sa grand-mère.

— Moi, je suis déjà prête ! continua Brigitte.

Après de laborieuses minutes à la recherche du chouchou bleu apparemment indispensable pour la balade, Charlotte avait tout l'attirail du cycliste professionnel. Casque de biker en premier lieu.

— J'ai gagné, Mamie. Je suis prête la première ! annonça fièrement Charlotte, enfilant ses chaussures plus vite que sa grand-mère.

— Pas du tout, je t'attends depuis vingt minutes ! Allez, on y va… annonça résolument Brigitte en ouvrant le portail.

La petite fille la rabroua aussitôt, refusant de pédaler.

— Mamie, on part pas tant que tu auras pas mis ton casque !

— Non, mais, moi, je n'en ai pas besoin, se défila la grand-mère.

— Tu mets bien ta ceinture en voiture ? interrogea Charlotte de sa logique imparable.

Brigitte ne voyait pas le rapport.

— Oui et alors ?

— C'est pareil, c'est pour ta sécurité, continua la petite fille.

— Pas faux ! admit-elle en cherchant autour d'elle un casque de substitution.

— Allez, Mamie, on t'attend, là ! Même Doudou a le sien ! Dépêche-toi, la boulangerie va avoir vendu toutes les tartes !

Le lapin avait effectivement été affublé d'un fichu noué solidement sous le menton.

– Je veux bien mettre un casque, mais je n'en ai pas, moi...

– Prends celui de Maman !

Alice avait effectivement laissé le sien. Décidément, cette petite avait réponse à tout : n'ayant plus d'excuses possibles, Brigitte capitula et aplatit son brushing. Elle avait une tête à la Jeannie Longo, en moins crédible. Il restait à lui souhaiter la même tenue de route chevronnée.

Prudemment, elles se rendirent toutes deux à la boulangerie, puis chez le boucher, où elles firent une razzia de rillettes, jambon et saucissons, pour leurs apéros dînatoires. C'était la fête, les vacances chez Papy et Mamie.

Lorsque Charlotte et Paul avaient le droit de prendre l'apéritif avec les adultes, cela tournait toujours au grand n'importe quoi. Même si on leur attribuait un bol de petits gâteaux salés à se partager à deux, c'était la folie : en trente secondes, ils avaient tout dévoré et venaient rôder comme des vautours autour des biscuits des grandes personnes.

Mais le pire, c'était avec la charcuterie. À les voir, on aurait pu imaginer qu'ils n'avaient pas mangé depuis trois semaines. De véritables gloutons, qui avalaient tout sous le regard consterné des grands-parents qui attendaient que les parents calment leurs ardeurs. Comme disait Charlotte, ils n'y pouvaient rien, c'était plus fort qu'eux : c'était « la guerre de Saucisson ».

Sur le chemin du retour, Charlotte freina brusquement. Brigitte faillit tomber à la renverse. Elle vit sa vie défiler devant ses yeux.

– Que se passe-t-il, ma puce ? demanda-t-elle, apeurée.

– Mamie, j'ai jamais vu ça ! Regarde, là !

– Qu'est-ce qu'il y a ?

– Un chien vache ! s'exclama Charlotte.

Un dalmatien, pas vexé pour un sou de la comparaison, vint saluer la petite fille en la léchant de partout. Elle riait aux éclats à chaque coup de langue.

– Mamie, là, c'est sûr : j'ai vraiment pas besoin de bain ce soir !

31

Petit à petit l'oiseau fait son nid

Les deux jours qui suivirent, Brigitte et Bernard les passèrent ensemble auprès de leurs petits-enfants, mais quand
vint le vendredi, dernier jour de leur semaine avec eux,
Brigitte reçut après le déjeuner un coup de fil qui l'ennuya
profondément. Alors qu'elle s'était organisée pour que cela
n'arrive pas, elle dut s'éclipser l'après-midi pour donner un
coup de main à la maison de retraite.

Elle confia donc la garde des deux loustics à Bernard,
qui avait assuré comme un chef toute la semaine. Elle partit
plus sereine que lui.

– Je reviens pour préparer le dîner avant le retour d'Alice
et Nicolas. Je fais au plus vite. Ne faites pas les fous en mon
absence ! recommanda la grand-mère.

– On peut rien te promettre, Mamie. Tu sais bien que
quand le chat est pas là, les souris dansent... rappela
Charlotte.

Pour les occuper, Bernard avait prévu de poursuivre ses
balades à la recherche de bouts de plastique. Cela semblait
intéresser Paul. Restait à canaliser sa petite-fille, et il avait
un pressentiment : ce serait une autre paire de manches.

Les grands-parents s'émerveillaient toujours de la différence si prononcée entre le frère et la sœur. Tout opposait
Paul et Charlotte.

Quand le premier était réfléchi, mesuré, indépendant, solitaire, taiseux, loyal, respectueux des règles, honnête, la seconde était impulsive, pleine de repartie, effrontée, intelligente, bruyante, et ne tenait pas en place.

Paul n'avait jamais rien réclamé à personne, mais, si on lui avait demandé son avis, il aurait répondu qu'il aurait préféré un chien plutôt qu'une sœur. Depuis le début de leur cohabitation, Charlotte lui avait toujours fait des misères et était à l'origine de toutes les bêtises ou disputes. Elle ne cessait de le titiller quand lui ne rêvait que d'une chose : être tranquille !

Prêt à partir à l'aventure, Bernard rameuta ses troupes.

– Venez, les enfants, on y va. Charlotte, où te caches-tu, ma puce ?

Alors que Paul avait lâché sa bande dessinée en accourant aussitôt, la fillette était introuvable. Bernard la cherchait depuis près de dix minutes, sans succès. Lui qui n'avait jamais été fort pour trouver quoi que ce soit, n'avait en l'occurrence pas le droit de s'avouer vaincu. Et, puis, il lui serait impossible de refaire le coup de la calculette s'il avait égaré sa petite-fille.

– Charlotte ! Sors de ta cachette tout de suite, commença-t-il avec une grosse voix.

Il avait envie d'ajouter qu'elle allait se prendre un sacré savon, mais se ravisa, connaissant sa passion modérée pour les douches.

Bernard inspecta toute la maison, fouilla chaque pièce, vérifia sous les meubles. Lorsqu'il revint bredouille et sortit dans la rue, son cœur s'accéléra. Ce n'était pas une rue passante, mais il y avait toujours un risque d'accident. Ou pire…

– Charlotte !!! Où es-tu ? s'époumonait-il depuis près d'une demi-heure, avant d'avoir l'idée d'aller fouiner vers l'enclos des poules.

Au fond du jardin, alors qu'il soulevait chaque bâche et était à deux doigts d'aller sonner chez les Dugrin, une petite voix résonna enfin.

– Là-haut, Papy, dans l'arbre !

Son cœur se desserra immédiatement. Bernard leva la tête et constata qu'elle était là, vivante et en un seul morceau. *Ouf !*

Grimper aux arbres avait été le grand jeu de Bernard toute son enfance. Charlotte était comme lui, même si, devenu grand-père, il comprenait un peu mieux la peur viscérale de ses parents à chaque fois qu'il escaladait toujours plus haut.

– Oh mon Dieu, qu'est-ce que tu fais là ? Viens ici, tout de suite, et que ça saute. Si ta grand-mère te voit, elle va me faire la peau, lâcha-t-il, ne trouvant pas de meilleurs arguments.

La fillette, tel un singe, redescendit de l'arbre à une vitesse impressionnante, sous les « moins vite » pleins de reproches de son grand-père. Dès qu'elle mit le pied à terre, Bernard vint lui ébouriffer les cheveux, puis se reprit.

– Tu ne me refais jamais une frayeur comme ça. Compris ? ordonna-t-il, avant de la prendre dans ses bras.

Le grand-père n'était plus à une contradiction près. Loin d'être vexée ou penaude, Charlotte mit la main dans sa poche et en sortit un trésor.

– Regarde, Papy, ce que j'ai trouvé.

– Qu'est-ce que c'est ? Des bracelets ? Mais ils sont en or. À qui les as-tu pris ?

– J'ai rien volé, je les ai trouvés dans l'arbre. Je te jure, Papy.

– Charlotte, attention à toi. Dis-moi la vérité.

– Mais c'est vrai, puisque je te le dis. Quand même, Papy ! Tu me fais pas confiance, ou quoi ?

La fameuse question qui remettait n'importe quel parent ou grand-parent à sa place. Les enfants avaient beau traverser une période d'affabulations plus ou moins courte et temporaire, démêler ensuite le vrai du faux restait un exercice délicat.

— Il y avait un nid plein de bouts de verre et de plastique super brillants, mais j'avais peur de me couper, alors j'ai pris que les petits bijoux.

Paul, qui avait accouru, attrapa le trésor de sa sœur et dit :

— Je suis sûre que ce sont les pies. Ce sont elles les voleuses dans *Tintin*, ajouta-t-il, ravi que la réalité rejoigne la fiction.

Finalement réunis, ils se mirent en route, direction la forêt, juste derrière la maison. En plus des plastiques, ils auraient aimé ramasser des champignons, mais, par manque de pluie, ils se rabattirent sur les châtaignes. Pendant deux heures, ils ratissèrent les bois, grossissant leur butin. Bernard ne savait pas comment cela se cuisinait, mais il trouverait bien. Lorsque leurs poches débordèrent, ils décidèrent de rebrousser chemin.

— Par où on rentre ? demanda Charlotte. Par la route ou à travers les bois ?

— Par le même chemin, Papy ! supplia Paul.

— Ce n'est pas le plus court, prévint Bernard.

— Non, mais c'est le plus beau ! répondirent les deux enfants.

Ils étaient parvenus à une clairière, lorsque Charlotte poussa un grand cri d'effroi :

— Papy, regarde ! C'est quoi, ça ?

— Vous voyez, les enfants, ça, c'est du plastique ! expliqua le grand-père.

– Mais c'était pas là quand on est passés tout à l'heure ? C'est dégoûtant ! observa la petite.

Quelqu'un avait utilisé la forêt pour déverser tout le contenu de ses poubelles. Des pots de yaourt, des bouteilles plastique mêlées à des emballages. Un vrai dépotoir se trouvait désormais au bord d'un petit chemin si joli jusqu'alors.

– C'est révoltant, enchérit Paul, attrapant la main de son grand-père, tout en regardant, peu rassuré, si autour de lui le coupable n'était pas encore dans les parages.

Le bruit d'une voiture qui s'éloignait le fit sursauter.

– Tu crois que ce sont les pies ? demanda naïvement le petit garçon.

– Non, je ne pense pas. Seule une personne très peu respectueuse de la nature, et des autres, a pu faire ça.

D'un seul coup, Paul repensa au conte du colibri. Il avait trouvé ce qui le chagrinait dans cette histoire : la fin. Elle ne disait pas si, une fois tous ensemble, les animaux parvenaient à vaincre l'incendie.

– Dis, Papy, qu'est-ce qu'on peut faire contre ces gens méchants ?

– C'est une très bonne question ! Beaucoup d'éducation, surtout, expliqua Bernard, commençant à comprendre le message caché de la maîtresse.

– C'est tout ? demanda, déçu, son petit-fils, qui ne voyait pas comment *lui* allait éduquer quiconque.

Paul resta songeur. La réponse de son grand-père était loin de le convaincre.

– J'ai l'impression que ça ne va jamais suffire pour sauver tous les animaux, s'il n'y a que nous qui faisons des efforts… constata-t-il, amer.

Tous les trois se regroupèrent autour du monticule. Outrés. Ce n'était pas la première fois que des riverains déversaient leur poubelle, surtout la nuit, sans se préoccuper de chercher une benne ou de trier. Les déchets sauvages étaient devenus une plaie dans la région.

— Tu as raison, trier, c'est un très bon début, mais il faudrait aller plus loin et arrêter de gaspiller, par exemple. Le meilleur déchet, c'est celui que l'on ne fait pas, affirma Bernard, s'appropriant, mot pour mot, les paroles de Marguerite. Il faudrait aussi ne prendre de la nature que ce dont on a besoin. Moi, par exemple, maintenant que j'ai le temps, je vais essayer de consommer uniquement ce que mon potager et mes poules vont me donner.

— Tu ne vas plus manger grand-chose, Papy, l'interrompit Charlotte avec une grande lucidité.

— Ne te moque pas, ma petite. Il faut respecter la nature, sinon elle se retournera contre nous.

Bernard leur raconta alors qu'il avait lu dans le journal l'exemple d'un petit maire de l'Oise qui avait décidé de ne pas laisser impuni ce genre de dérives. Il retrouvait toujours le responsable de cette infraction et lui téléphonait en lui laissant deux possibilités.

— Lesquelles ? demandèrent-ils en chœur.

— Soit c'est le malotru qui vient à ses déchets – et les récupère immédiatement –, soit ce sont eux qui reviennent à lui...

Bernard n'avait pas eu le temps de voir la voiture responsable de cet acte répréhensible, ni d'en relever la plaque d'immatriculation, mais il se pencha et trouva une enveloppe. Un criminel laisse toujours une trace derrière lui. Et Bernard allait réserver une petite surprise nocturne à un énergumène qu'il ne connaissait que trop bien...

32

Ah, tu verras, tu verras...

Quand Nicolas et Alice revinrent le vendredi soir de leur semaine de travail, ils retrouvèrent Bernard habillé en combinaison intégrale de plongée, cagoule comprise. Le petit garçon passait lui aussi sa tenue de surf.

– Mais qu'est-ce que vous faites ? questionna Nicolas, surpris. Paul, tu n'es pas censé être dans le bain avec ta sœur ?

– On fait des exercices pratiques, rétorqua son fils. J'ai parlé à Papy du devoir sur le continent de déchets et il m'emmène les ramasser sur la plage, pendant que lui va carrément plonger dans la mer. C'est pour sauver les tortues : il faut empêcher qu'elles ne s'étouffent avec du plastique. Après on ira tout mettre à la déchetterie. C'est un « Nageant Secret », Papy, tu sais.

– À 17 heures ? On fera ça une autre fois. Il commence à faire nuit et froid. Papa, j'apprécie tes efforts pour être un grand-père formidable, mais ce n'est pas raisonnable d'emmener le petit dehors par ce temps-là ! Ça suffit les bêtises, vous deux. Allez, viens, Paul, direction la salle de bains. Alors, cet exposé, tu ne m'as pas raconté, c'est intéressant ?

– Tu n'y connais vraiment rien, Papa, s'énerva Paul. De un, ce n'est pas intéressant, mais alarmant. De deux, il n'y a pas un continent de plastique, mais cinq sur toute la planète. Et on a beau envoyer un bateau récupérer ce qui flotte, c'est une goutte d'eau dans l'océan. Pour un kilo repêché, tu as 10 millions de tonnes rejetées au même moment, exagéra le petit.

— Vous avez vérifié les chiffres avec Papy ? s'inquiéta Nicolas. Il ne faudrait pas avoir une mauvaise note.

— Il faudrait surtout que l'on arrête de faire des déchets ! continua Paul.

— On ne peut pas faire zéro déchet, c'est impossible, rappela Nicolas.

— « Impossible n'est pas français », rétorqua Bernard. Alors, il faut au moins essayer.

— Et comment comptes-tu t'y prendre ? demanda Nicolas.

— Comment *on* va s'y prendre, Papa. Chacun doit faire sa part. Comme dans l'histoire du colibri que Maman nous raconte. Papy s'est porté volontaire pour tenter l'aventure zéro plastique. S'il réussit, ça va être un héros ! Je parlerai de lui à toute l'école !

Bernard, dans sa combinaison de Super Grand-Père, gonfla le torse.

— Oui, un héros, conclut-il, très fier. D'ailleurs, accompagne-nous, Nicolas. J'aurais besoin de toi, après la plongée, pour une mission top secrète.

— Ce n'est pas que je ne veux pas t'aider, mais Alice... se défila-t-il.

— Ne cherche pas d'excuses. Sauver la planète et rendre fier mon petit-fils n'attend pas. Toi et moi...

— Et moi ! s'exclama Paul.

— ... on va préparer une petite surprise zéro déchet, annonça Bernard.

Le garçon attrapa la main de son grand-père et de son père avant de s'écrier :

— Un petit pas pour l'homme, un grand pas pour l'humanité !

La vengeance est un plat qui se mange froid

À bord de la petite voiture rouge de Brigitte, Bernard au volant, Nicolas côté passager, Paul à l'arrière, revenaient de leur pêche abondante en plastique, lorsque surgit de nulle part un fourgon de police. Les deux agents les firent se ranger sur le bas-côté et leur braquèrent une lampe torche en pleine figure. C'est qu'ils étaient fort suspects avec leurs combinaisons intégrales et leurs cagoules.

– On peut savoir pourquoi vous êtes accoutrés ainsi ? interrogea l'un des deux policiers.

– Nous revenons de plongée, expliqua Nicolas, peut-être un peu trop simplement.

– En pleine nuit ? Mais bien sûr, vous nous prenez pour des imbéciles ? On les connaît, les adeptes de la pêche illégale : vous savez ce que vous encourez ? Sortez du véhicule, Monsieur, donnez-nous votre permis et ouvrez votre coffre, s'il vous plaît.

Tout dégoulinant, Bernard obtempéra comme il put. Lorsqu'ils eurent inspecté l'arrière de la voiture et découvert tout un tas de saletés, les agents ne furent pas plus rassurés. Paul expliqua alors :

– Nous avons sauvé 86 tortues et 71 cormorans, extrapola-t-il quelque peu, comptant les bouts repêchés ainsi que ceux ramassés le long de la mer. Regardez tous les morceaux de plastique que nous avons trouvés en moins d'une heure !

Les agents restèrent un long moment perplexes. Le petit garçon continua ses explications.

– C'est pour un exposé de l'école, lança-t-il. Vous avez vu toutes les bouteilles aussi ? Les gens prennent vraiment la mer pour leur poubelle. Maintenant, nous les apportons à la déchetterie.

N'ayant aucune preuve de délit, les policiers décidèrent de les laisser repartir, mais, au moment de redémarrer, ils leur barrèrent à nouveau la route. Le cœur de Bernard fit un bond. Il n'avait rien à se reprocher, mais, tout de même, il n'était pas serein. Les policiers mirent alors le gyrophare et déclarèrent :

– Suivez-nous, on vous y conduit.

Nicolas et Bernard n'auraient su dire si les agents leur ouvraient la voie pour s'assurer de leur destination ou s'ils avaient, eux aussi, l'impression de faire une bonne action. En tout cas, cela ne devait pas arriver si souvent aux policiers d'escorter des hommes complètement cagoulés jusqu'à la déchetterie. Devancée par le fourgon des forces de l'ordre qui brillait avec toutes ses lumières, la voiture rouge avait fière allure lorsqu'ils parvinrent à destination.

Tous les trois avaient bien œuvré : ils étaient fiers, et le responsable de la déchetterie, à qui ils confièrent leur chargement, aussi. Lorsqu'ils prirent le chemin de la maison, Paul déclara :

– Moi, j'aime bien Papy, parce qu'il a toujours des idées farfelues !

Et encore, le petit garçon n'avait pas tout vu... Alors qu'ils arrivaient chez eux, il put constater que le coffre débordait encore de détritus dégoûtants, mais il ne saisissait pas la raison pour laquelle on ne s'en était pas débarrassé à la déchetterie :

— Papy, pourquoi on garde toutes ces poubelles ?

— Tu vas voir, mon petit, on va faire une belle surprise à quelqu'un qui ne s'y attend pas du tout... chuchota le grand-père, très content de ce qu'il préparait.

Dans l'obscurité la plus complète, Nicolas et Paul le regardèrent porter, avec grande difficulté, tirer, suer, puis s'infiltrer à pas de loup de l'autre côté de la clôture, avant de sortir en courant, après avoir déversé dans le jardin des Dugrin l'intégralité des sacs trouvés dans la forêt.

Avec un sourire triomphant, les poings sur les hanches, il déclara solennellement :

— Retour à l'envoyeur !

– 34 –

Tout va bien, Madame la Marquise

Le lendemain, dès les premières lueurs du jour, Bernard sortit dans son jardin pour épier ses voisins. Il ne put s'empêcher de faire un petit signe à Mme Dugrin qui transpirait à grosses gouttes avec son mari, en chargeant à l'arrière du pick-up les déchets sauvagement redéposés chez eux, avant d'être transportés cette fois jusqu'à la déchetterie.

– Tout va bien ? lança Bernard, moqueur.

C'était bien la première fois qu'il les saluait en premier, et de bon cœur.

Bizarrement, la voisine ne vint pas raconter sa mésaventure, dont elle avait apparemment envie de cacher l'existence. Elle ne mentionna pas non plus le fait qu'on avait mis en évidence, au sommet du monticule, toutes les enveloppes jetées où leur nom et leur adresse figuraient. Il y avait plus malin pour effectuer un crime parfait. Avait été ajoutée une déclaration de loi, où était entourée la sanction de 75 000 euros d'amende prévue pour de tels abus. De quoi décourager n'importe qui de recommencer.

Après le départ de ses voisins, Bernard reprit le cours de ses activités normales. Il s'activa sur son potager, décidant de mieux délimiter les différents espaces. Il en créa un pour les aromatiques, un autre pour les légumes, et un dernier à l'endroit réservé aux futures ruches. Il suait et il commençait à avoir des courbatures partout. Qu'on lui dise encore une fois qu'il avait besoin de faire du sport, après avoir passé un après-midi à genoux les mains dans la terre, sur la pointe des pieds à tailler les haies, ou plié en deux à couper les branches basses des arbustes.

Il sollicita l'aide de Charlotte et de Paul pour ratisser la pelouse et enlever les feuilles mortes, mais ceux-ci l'envoyèrent paître, trop occupés avec les portables chapardés à leurs parents.

Une fois Nicolas et Alice revenus de Paris, Bernard et Brigitte furent stupéfaits par le changement de comportement des deux loustics. Eux qui avaient été si mignons et obéissants pendant une semaine, se transformèrent en gamins capricieux dès lors qu'ils retrouvèrent leurs parents.

Bernard ne pouvait s'empêcher de penser que les rares crises de larmes de ses petits-enfants étaient finalement toujours causées par des addictions dont ils feraient mieux de se passer – les écrans, la pâte à tartiner, les bonbons. Bernard n'avait jamais eu droit, en une semaine, à la moindre colère quand il les appelait alors qu'ils guettaient les écureuils dans le jardin.

Après avoir débarrassé la fermette de son contenu disparate et fait venir les entrepreneurs pour un devis, Brigitte s'affairait désormais à l'intérieur de la maison principale. Elle n'avait pas complètement écarté l'idée que, un jour peut-être, il faudrait revendre cette maison. Du coup, elle avait vidé, bricolé et rénové afin de l'entretenir et de la mettre au goût du jour. Elle en était aux peintures des chambres à l'étage. Avant qu'ils ne repartent tous les quatre à Paris le lendemain, Alice proposa un coup de main à sa belle-mère.

– Qu'est-ce que vous faites, là ? interrogea Alice, curieuse.

— Je rafraîchis tous les murs, comme ça, si jamais on se décide à vendre, elle sera nickel.

— Humm, humm. Mais ce serait peut-être mieux de laisser les nouveaux propriétaires choisir ? suggéra la jeune femme.

— Croyez-moi, répliqua Brigitte pleine d'assurance, toutes les émissions de déco le disent : il faut que les nouveaux propriétaires puissent se projeter.

Alice fit l'inspecteur des travaux finis.

— Mais on est vraiment sûr que le caca d'oie, ça aide à se projeter ? ne put-elle retenir.

Brigitte sourit.

— Absolument, tu verras. Si tu veux m'aider, tu peux aller chercher un deuxième pot de peinture, dans la fermette du jardin. Ce serait parfait.

Alice obtempéra et ce fut à ce moment-là que Mme Dugrin, revenue de la déchetterie, passa une tête par-dessus la clôture, pour mieux surprendre la nouvelle venue. La curiosité était décidément son plus vilain défaut.

— Alors ça se passe bien pour vous, Mme Alice ? Professionnellement, je veux dire ! J'ai cru comprendre que vous étiez à votre compte maintenant ?

Mme Dugrin réussissait de temps à autre à chaparder des bribes d'information à Brigitte.

— C'est gentil de vous intéresser à nous, Mme Dugrin. Vous m'excusez, mais je suis un peu occupée. Bonne journée ! conclut-elle en lui tournant le dos, ce qui ne découragea pas la commère.

— Vous avez pas un peu vieilli, là, autour des yeux ?

— Ce ne sont pas des rides, c'est de la déshydratation. Bon… vous vouliez me dire quelque chose en particulier ? s'énerva Alice, en remontant ses manches, malgré le froid.

La voisine continua sans se rendre compte de rien.

— La chance que vous avez, c'est que votre mari est très compréhensif : il vous permet de travailler de chez vous, il vous laisse cette liberté. Moi, mon bonhomme...

— Pardon ? la coupa furieusement Alice. Avez-vous déjà entendu quelqu'un dire le contraire à un homme : « Ta femme te laisse la liberté d'aller au bureau » ? Non. Donc je n'ai à recevoir la permission de personne. On est un couple soudé, j'ai mon travail, et il a le sien, tout va bien. Merci.

— Je veux pas jeter de l'huile sur le feu, car j'ai cru comprendre qu'entre vous il y avait de l'eau dans le gaz. Avec votre beau-père, aussi, d'ailleurs. J'ai pu voir comment Bernard s'occupe de vos enfants quand vous êtes pas là. Vous avez confiance, c'est tout à votre honneur. Moi, j'aurais peur à votre place. Être grand-père, ça s'invente pas. Bernard, il en est clairement aux balles du ciment...

— Balbutiements ? C'est-à-dire ? Soit vous dites les choses, soit vous les gardez pour vous, Mme Dugrin.

Sans écouter la remarque d'Alice, la voisine continua son monologue. Elle aimait jouer avec le feu.

— Je sais pas bien ce qui peut attirer les femmes vers ce type de bon à rien, lança-t-elle, oubliant qu'elle avait un spécimen de taille à la maison.

Au même instant, M. Dugrin sortit de chez lui et fit un geste de la main en direction d'Alice.

— En parlant du loup, ce n'est pas votre mari, là ? Il a décidé de ne plus s'habiller...

Mme Dugrin se retourna et, sans sourciller, comme si plus rien ne l'étonnait, reprit de plus belle.

— C'est que je fais la grève des lessives, pour le faire suer, chuchota-t-elle comme si les deux femmes avaient l'habitude de se faire des confidences.

— Ça n'a pas l'air de le déranger, par contre, moi… reprit Alice, c'est à deux doigts de me couper l'appétit. Sur ce…

Avec son pot de peinture, la jeune femme fila, sans demander son reste, à l'intérieur de la maison. Elle fulminait quand elle retrouva Brigitte.

— Celle-là, je vais me l'emplafonner ! Je ne sais pas comment vous faites, Brigitte, pour la supporter. Moi, je n'ai pas votre patience. Il va falloir trouver quelque chose pour faire déménager les Dugrin.

Si Brigitte parvenait à rester zen, c'est qu'elle s'était mise à la méditation. Tout avait commencé sur un malentendu, enfin, plutôt à cause de Bernard et de ses coups de sang. Après le yoga, une collègue lui avait fait découvrir un art japonais ancestral, le Wabi-Sabi, qui prônait de vivre plus simplement en acceptant l'imperfection des choses abîmées par le temps.

Une table rayée par les enfants racontait une histoire unique. Ces marques du temps qui passe venaient embellir les objets et leur donner une valeur. Brigitte s'efforçait d'être également plus tolérante avec elle-même, d'accueillir avec bienveillance ce qu'elle appelait jusqu'à présent ses « défauts ». Cela l'aidait à accepter son vieillissement.

Toute sa vie, elle avait vécu la fuite du temps avec angoisse, elle voyait tout ce qui ne serait plus jamais possible de réaliser. À 45 ans, elle avait frémi à l'idée de ne jamais donner de petit frère ou de petite sœur à Nicolas ; à 55 ans, elle avait perdu ses deux parents, coup sur coup, l'un de maladie, l'autre de chagrin, et sa propre fin s'était imposée comme une angoisse permanente. Cela lui avait demandé un sacré effort pour être désormais capable de ne plus se concentrer sur les impossibilités, mais sur le champ des possibles.

Quand elle se regardait dans le miroir, elle portait, comme Bernard, les traits d'une vie passée, heureuse et en bonne compagnie, pourquoi les renier ? Ces nouvelles taches lui faisaient penser à l'été dernier avec ses petits-enfants, ces rides autour des yeux avaient fini par immortaliser des moments joyeux, cette cicatrice sur la main lui rappelait chaque jour que tout aurait pu très mal finir, bien plus tôt.

Elle s'en rendait compte : voir la beauté en toute chose, même imparfaite, n'était pas donné à tout le monde. Alice la tira de sa rêverie.

— Il est joli, ce fauteuil, il est nouveau ? demanda la jeune mère.

— Oui et non. Je l'ai déniché sur le Bon Coin. Il a au moins 50 ans, et il est magnifique ! Dire qu'il a failli passer à la poubelle.

— Et cette commode, aussi ? s'exclama Alice.

— Tout à fait. Elle a une histoire rocambolesque. Son propriétaire est un excentrique. Il habite à deux rues. C'est dingue, les rencontres que l'on peut faire quand on se donne la peine de chercher autour de chez soi… Elle était dans un état impeccable, j'ai juste repeint le plateau en noir.

— Vous avez bien fait : ça lui donne beaucoup de cachet. Et, au moins, vous êtes sûre que personne n'a la même. On n'est jamais mieux servi que par soi-même.

Pour meubler sa chambre d'hôtes, Brigitte épiait régulièrement les bonnes occasions sur Internet. Plus qu'un passe-temps, cela tournait à l'obsession !

— Moi, je suis très contente de mes trouvailles. Je leur offre une deuxième vie, et ça fait un petit complément à la fin du mois à ceux qui les vendent : tout le monde y gagne.

– Complètement d'accord, moi, j'en ai marre de voir les mêmes meubles aseptisés partout chez mes amis. Sachant qu'ils rasent les forêts pour nous fabriquer des objets neufs et souvent moches, alors que les vieux font plus que l'affaire. Ils ont un truc en plus.

– Ah, je suis ravie que tu dises ça, Alice. Si tu veux, je peux chercher des petites choses pour toi ou les enfants. J'ai vu plein de pupitres d'écolier, je n'ai pas osé, je ne savais pas si cela te plairait.

– Rien ne me ferait plus plaisir. Vous savez, même pour moi, en cadeau de Noël, je préférerais savoir que vous avez sauvé un objet de la poubelle que de vous imaginer en acheter un neuf, admit Alice. D'ailleurs, depuis quelques mois, j'ai décidé que la famille essayerait de vivre mieux, avec moins.

Alice était celle qui, dans son foyer, faisait la pluie et le beau temps en matière de consommation et provoquait les petites révolutions : manger bio ou moins de viande était passé comme une lettre à la poste. La suppression de la pâte à tartiner, moins. Alice était l'exemple qui confirmait la règle selon laquelle lorsque l'on éduque une femme, on inculque des valeurs à toute une famille, alors que lorsqu'on éduque un homme, on inculque des valeurs à une seule personne.

Ce moment d'intimité que partagea Brigitte avec Alice était précieux. Elles discutaient rarement ainsi de leurs passions communes, plus habituées à s'entretenir pour convenir des préparatifs du dîner ou de l'éducation des enfants. Alice avait toujours été un peu distante, racontant très peu ce qu'elle ressentait dans le fond, même si elle ne se privait jamais pour dire ce qu'elle pensait à chaud, comme lorsqu'elle ajouta :

– Après, chacun fait en fonction de ses moyens, de sa conscience : moi, la meilleure solution que j'ai trouvée pour contrer ces industriels qui nous prennent pour des imbéciles ou des vaches à lait, c'est de ne plus rien acheter de neuf. On a besoin d'histoire, de vie, de valeurs, d'humain, de sens aussi. Vous n'êtes pas d'accord, Brigitte ?

– À qui le dis-tu ! J'ai toujours aimé les vieilles choses qui ont une âme, conclut-elle.

– Je comprends mieux, sourit Alice : je m'étais toujours demandé pourquoi vous aviez craqué pour Bernard.

– 35 –

Donner de la confiture aux cochons

Plus tard ce soir-là, alors que les enfants étaient montés se laver les dents, les adultes, prêts à passer à table, observaient un spectacle étrange. Presque un ballet.

Depuis près de vingt minutes, Alice retournait toute la maison, soulevait chaque coussin, se pliait en quatre pour vérifier sous chaque meuble, râlait, soupirait et repartait de plus belle dans une autre pièce, qu'elle avait déjà inspectée. Le tout sous l'œil goguenard de sa belle-famille, qui l'attendait pour dîner. Leur tarte aux poireaux refroidissait.

– Ne vous levez surtout pas pour me donner un coup de main... commenta-t-elle, rouge comme une tomate.

– On veut bien, mais qu'est-ce que tu fais exactement ? On t'attend. Viens à table, pria Bernard.

– Qu'est-ce que je fais ? Bah, ça se voit, non ? rétorqua la belle-fille.

Les trois se lancèrent des regards circonspects. Alice s'expliqua.

– Je cherche Doudou !

Brigitte se leva d'un bond.

– Ah oui, je sais.

Alice regarda sa belle-mère : elle hésitait entre l'étrangler de l'avoir laissée s'échiner pour rien et lui sauter au cou, pleine de reconnaissance.

– Il était… Il était…

Bernard s'amusait de cette situation qui se répétait très souvent, même s'il sentait qu'Alice était à deux doigts d'exploser. Il se leva et attrapa un petit objet du premier tiroir de la commode.

– Prenons la calculatrice… Alors, 15 minutes de temps perdu par soir, pendant 10 ans, par enfant… Vous comptez en avoir un de plus ? tenta-t-il, alors qu'il connaissait parfaitement la réponse.

– Très subtil, comme approche, avoua Nicolas. Tu ne nous donnes pas envie, là…

Le jeune homme se leva à son tour, sans savoir comment aider son épouse. Brigitte continuait de déambuler mollement dans le salon.

– Il était… Je l'ai vu, ce matin, dans un endroit improbable, et je me suis dit : « Là, ils ne vont jamais le retrouver. »

– Tu n'aurais pas pu le ramasser ? l'enguirlanda Nicolas.

– Et il était où, ce doudou, Brigitte ? s'impatienta Alice.

La grand-mère resta pensive de longues secondes, qui parurent durer une éternité, quand soudain elle lâcha pleine d'entrain :

– Aucune idée ! Ça ne me revient pas. Désolée.

– Tant pis, à table… décréta Bernard, qui fronça les sourcils en observant sa femme repartir dans l'autre sens pour apporter à ses petits-enfants deux peluches de substitution.

À la fin du repas, alors que la famille terminait le fromage, qu'Alice ne pouvait goûter à cause de son alimentation bio sans lactose et sans gluten pour cause d'eczéma, Bernard se moqua :

– Et tu ne veux pas essayer d'arrêter de manger tout court ?

Chaque repas tournait pour Alice à la justification. Qu'on ne mange pas de viande ou ne boive pas d'alcool pour certains, ou qu'on suive un régime un peu spécial, comme Alice, cela semblait si étonnant auprès des autres qu'immanquablement ce sujet finissait par monopoliser la conversation. Devoir constamment se justifier commençait à être plus que pesant. C'était vexant pour la jeune femme d'être régulièrement accusée d'être une personne triste, qui ne savait pas profiter des petits plaisirs de la vie, parce qu'elle avait décidé de faire différemment. Nicolas vint à sa rescousse.

– Moi, j'ai entendu parler du régime « mono-diète ». Tu ne manges qu'un seul aliment pendant 7 jours, par exemple, juste du chou, et c'est censé être détox. C'est ça qu'il te faudrait, Papa, pour ton ventre...

Tous sourirent, sauf Bernard, qui tira une tête de six pieds de long. Brigitte intervint alors.

– Mais ça fait des années que Bernard le fait, ce régime ! Il peut se nourrir exclusivement de fromage pendant une semaine ! Ah non, mince, ça ne marche pas, car il ne peut s'empêcher d'y ajouter du vin et du saucisson, le taquina-t-elle en lui caressant la main.

Bernard s'apprêtait à rouspéter lorsqu'il sursauta : Alice venait de crier. S'il n'était pas encore sourd, avec des hurlements pareils, il risquait de le devenir rapidement.

– Là ! Je crois que j'ai vu la taupe, Bernard ! hurla-t-elle.

– Où ? Où ? s'exclama-t-il en se dressant sur ses pieds.

– Juste derrière la porte vitrée de la cuisine, dehors. Le long du muret.

Bernard trébucha en s'extirpant de sa chaise et courut dans le jardin en boitant, armé d'une tapette à mouches qu'il avait attrapée au vol. On l'entendit râler, se cogner, soulever tous les arbustes, se griffer, biner, puis ce fut le silence.

Quelques minutes plus tard, quand il revint écarlate, couvert de terre et d'écorchures, toute la famille le scruta, avant de se rendre compte qu'il semblait bredouille. Sa déception fit place à un énervement contenu.

– Tu es contente de ta blague, Alice ? lança-t-il sous les regards désorientés de Brigitte et de Nicolas.

Le visage d'Alice s'illumina alors.

– Très ! lâcha-t-elle, hilare. Vous ne m'avez pas beaucoup aidée pour chercher Doudou, alors c'était plus fort que moi... Vous auriez vu votre tête ! Il faut arrêter avec cette pauvre bête, Bernard. Vous vous minez. Allez, sans rancune ?

Bernard fit un sourire hypocrite et changea de sujet.

– Vous n'oublierez pas de dire à la maîtresse de Paul que je me suis porté volontaire pour relever son défi. Dès aujourd'hui, je m'engage, solennellement, à faire « zéro plastique » jusqu'au mois de juin.

Tous hochèrent la tête avec une moue sceptique, l'air de dire « mais bien sûr », sauf qu'ils ne savaient pas encore que cela allait polluer leur vie.

Ce fut quand Brigitte et Bernard se glissèrent dans leurs lits, qu'ils retrouvèrent finalement les deux doudous. Discrètement, ils allèrent les déposer, agrémentés d'un baiser, à côté de chacun de leurs petits-enfants. C'était leur dernière soirée chez eux avant de les retrouver fin décembre, un mois et demi plus tard. Bernard et Brigitte observèrent silencieusement leurs deux anges rêver, découvrant rapidement qu'en réalité ils étaient tout ce qu'il y a de plus éveillé.

Puisqu'ils ne dormaient pas, Bernard et Brigitte en profitèrent pour leur faire un long câlin, puis leur vint l'idée de leur poser une question cruciale.

– Qu'est-ce que vous voulez que le Père Noël vous apporte, les enfants ?

– Moi, je sais, cria Paul. En plus, ça va être facile et ça va faire plaisir à Papa.

– Ah oui ? s'exclama Brigitte, intriguée.

– Je veux que le Père Noël m'apporte une des souris de son travail.

– Comment ça ? Il y a des souris dans son hôtel ? déclara Bernard, surpris. Il vaudrait mieux changer d'idée, car ça risque d'être *impossible*, Paul. On n'arrive jamais à les attraper vivantes, ces coquines. Elles sont trop malignes.

– Mais si, c'est possible. Pourquoi sinon la petite souris elle entre et sort comme elle veut de chez nous quand je perds une dent ?

– Pas faux ! Laisse-moi réfléchir, mais je te dis déjà, la souris du travail, cela me semble très compliqué. Il ne faut pas que tu aies trop d'espoir. Un ballon de foot, peut-être ?

Devant la grimace de Paul, Bernard n'insista pas.

– Et toi, ma Charlotte chérie, qu'est-ce qui te ferait plaisir ?

– Rien, Papy, annonça la fillette d'une voix résignée.

– Comment ça, rien ? Il y a forcément quelque chose qui te plairait, insista Brigitte.

Charlotte baissa les yeux et fit une moue triste. Lorsque son grand-père lui caressa les cheveux, elle finit par lâcher :

– Oui, mais ça aussi ça va être impossible, alors je préfère pas vous le dire.

— Si, dis-nous… reprit la grand-mère d'une voix douce.

Charlotte, la tête basse, abusant de son efficace regard de cocker, finit par dire :

— Moi, j'aimerais passer plus de temps avec Papa !

— Mais tu sais bien qu'il travaille beaucoup, ce n'est pas possible, expliqua Bernard.

— Bon, alors je voudrais que son travail soit pas ce qu'il y a de plus important dans sa vie. Pour qu'on compte un peu, nous aussi…

Les grands-parents furent très surpris, mais pas autant que Nicolas, tapi derrière la porte de la chambre des petits. Cette déclaration le frappa de plein fouet, mais plus encore la vérité qui se cachait derrière.

Merde ! Je suis comme mon père !

– 36 –

Ce n'est pas la mer à boire

Le lendemain du départ de ses petits-enfants, juste après avoir englouti son petit-déjeuner gastronomique avec son œuf à la coque désormais cuit à la perfection, Bernard téléphona à Nicolas pour vérifier que toute la petite famille était bien rentrée à Paris. Brigitte lui avait demandé de faire des efforts – d'ordinaire, c'était toujours elle qui appelait pour prendre des nouvelles –, alors Bernard s'y mettait.

Il fallait surtout admettre que la maison lui avait semblé bien vide après leur départ, et Bernard ne pouvait pas s'empêcher de repenser aux moments qu'il avait partagés avec ses petits-enfants, et encore plus à la fierté future de son petit-fils, puisqu'il allait commencer son fameux défi.

Sauf qu'appeler un lundi matin, juste avant l'école, ce n'était pas une bonne idée, comme lui fit remarquer Nicolas.

– Excuse-nous, on a oublié de vous envoyer un SMS. C'est très gentil à toi, mais là, c'est tout sauf le moment idéal. Je dois te laisser. On est très en retard.

Effectivement, même l'épicière de leur petite rue parisienne aurait pu le confirmer. À son horloge, 8 h 23. Comme chaque matin, la petite famille qui habitait l'immeuble d'en face courait. Littéralement. Alice, qui tenait d'une main son sac, de l'autre celle de Paul, qui, lui, traînait son cartable par terre, son manteau complètement débraillé. Ils étaient

223

suivis par Nicolas, avec la petite Charlotte sous le bras, dont la raie irrégulière faisait penser que ses parents avaient dû batailler avec l'enfant pour obtenir ce flou artistique. Une bise devant la grille de l'école primaire d'un côté, un câlin tout en se délestant d'une veste, d'un cahier signé et de Doudou, de l'autre. Puis un baiser furtif accompagné d'un « bonne journée mon amour » habituel, sur un bout de trottoir, entre les deux parents.

Rien n'aurait pu présager de l'épilogue de la journée que Nicolas allait vivre. Tout commença normalement : café, réunion sans prise de décision finale, déjeuner qui saute, car urgence de dernière minute à régler devant l'ordinateur. Puis café, de nouveau une réunion avec énervement crescendo dû à l'hypoglycémie ambiante, puis pot de départ désorganisé, alors qu'on aurait pu anticiper vu qu'il s'agissait de remercier le plus vieux salarié de l'entreprise, et part de gâteau engloutie à la va-vite. Enfin, nouveau café suivi d'une dernière réunion – sans filtre et très sucrée en attaques personnelles –, avant de pouvoir véritablement se mettre à travailler aux environs de 18 h 30, c'est-à-dire répondre aux 150 e-mails qui s'étaient entassés dans la boîte de réception depuis le matin.

Au siège de ce groupe hôtelier, on était dans un vieux modèle à la française, où le vouvoiement était de rigueur et le départ d'un collaborateur ne devait jamais se faire avant que le chef ne soit rentré chez lui.

Cela faisait des mois que Nicolas attendait la promotion – et accessoirement l'augmentation de salaire qui allait avec – que son patron lui avait promise l'année précédente. Et il ne voyait toujours rien venir, à part des excuses et une demande de compréhension de sa part. Il fallait toujours attendre, car, au niveau européen, tous les avancements avaient été gelés. Mais combien de temps fallait-il patienter encore, alors que Nicolas assumait déjà ses nouvelles responsabilités, occupait le poste sans en avoir officiellement le titre, devait trimer plus longtemps, plus tôt, plus de week-ends, sans recevoir la moindre reconnaissance ?

On lui en demandait toujours plus, toujours plus vite, en lui laissant toujours moins de latitude (budget coupé, équipe décimée, *timing* resserré), et en lui intimant constamment l'ordre de faire une croix sur ses besoins les plus légitimes, avec des « J'espère que tu n'as pas prévu de manger aujourd'hui ? » ou des « Je t'enverrai un e-mail avec le texte retravaillé samedi, il faudra le valider puis le transférer à l'agence avant dimanche ».

Lorsque tous les collaborateurs sortirent du bureau du grand patron à la fin de la réunion, Nicolas demanda à rester.

— Je voulais m'entretenir avec vous à propos de ma promotion : cela fait des mois qu'elle est repoussée, et je commence sérieusement à en avoir assez.

— Je comprends, mais je n'ai pas plus de nouvelles à vous donner. On s'est toujours dit les choses, Nicolas, et, en toute transparence, je dois vous prévenir que ce ne sera pas dans l'immédiat.

— C'est-à-dire ? J'ai besoin d'un horizon plus précis, s'il vous plaît.

Son patron se gratta la tête, manifestement embarrassé.

— Au moins un an, peut-être moins, peut-être plus, je n'ai pas de visibilité, mais vous êtes le prochain sur la liste, ça, vous pouvez en être sûr.

Nicolas avait toujours été un élément prometteur de l'entreprise, celle-ci avait pu compter sur lui en toutes circonstances, et le trentenaire avait immanquablement répondu présent, quelles que soient les obligations personnelles avec lesquelles il devait jongler.

Mais, si on changeait les règles, Nicolas n'avait plus envie de jouer.

— Vous trouverez ma démission ce soir sur votre bureau, s'entendit-il prononcer en sortant sous le regard éberlué de son chef.

Ce qu'il fit, après avoir tapé sur le moteur de recherche de son ordinateur professionnel : « lettre de démission type ». Jusqu'au bout, il voulait faire les choses de manière conforme et réglementaire.

Comme son père.

Mais, contrairement à Bernard, Nicolas savait comment il allait occuper tout ce nouveau temps libre : il voulait profiter de ses enfants, les voir grandir et ne pas se réveiller un matin en se rendant compte qu'il était vieux et qu'il était passé à côté de tout.

Malgré tout ce que cela impliquait de bouleversements dans son quotidien, Nicolas n'était pas inquiet, mais plutôt soulagé. Pour la première fois depuis longtemps, il savait que, cette nuit-là, il allait dormir comme un bébé. Il le ressentait déjà dans ses tripes : plus aucun nœud, ni aucun poids. Il en était certain, c'était la bonne décision à prendre. Restait à en informer Alice…

Jamais deux sans trois

Nicolas rentra étonnamment tôt. Alice avait passé sa journée à enchaîner les obligations familiales et n'avait pas avancé d'un iota dans ses priorités professionnelles, malgré le fait qu'elle travaillait de la maison. Lorsqu'il revenait de ses longues journées au bureau, Nicolas ne savait jamais à quelle sauce il allait être mangé. Alors, ce soir-là, il appréhendait, à juste titre, puisque Alice était remontée comme une pendule.

— Je sais que ce sont les cordonniers les plus mal chaussés, mais la femme du cordonnier en a marre d'avoir des semelles pourries !

— Bonsoir à toi aussi, mon amour, répondit Nicolas en rentrant. Tu as passé une bonne journée ? Apparemment, non !

— J'en ai ras le bol de courir à droite, à gauche. J'ai besoin de vraies vacances, et vite, sinon je ne vais pas tenir. J'ai un boulot à plein temps moi aussi.

— Mais de quoi parles-tu ? Je rentre tôt, au cas où tu ne l'aurais pas remarqué, et tu m'agresses.

— Mamaaaaaaan !!! hurla à s'époumoner une petite voix d'enfant.

— Ils ne sont pas encore au lit ? interrogea Nicolas.

— Bah, non, pas à 19 h 30. Je te laisse les coucher. Je n'en peux plus !

— Allez, les enfants, Maman a mal à la tête. Qui veut que je raconte une histoire ?

— Oh, non ! Pas Papa ! répondirent-ils en chœur. Tu ne lis jamais en entier, expliquèrent-ils, déçus.

Nicolas déglutit silencieusement devant tant d'entrain, puis choisit le livre préféré de Paul, celui du Colibri, qu'il lut avec passion, en sautant à peine quelques phrases, sous l'œil réprobateur de son fils. Une fois le conte fini, il embrassa tendrement ses deux bambins avant de rejoindre sa femme dans le salon, avec un air satisfait, qui disparut quand il se souvint de ce qu'il avait à annoncer.

Il décida de commencer par du positif : il fallait caresser son épouse dans le sens du poil.

— J'ai une bonne nouvelle...

— Ah, merci ! J'en ai besoin. J'ai passé une journée horrible...

— Tu n'as pas à cuisiner pour mes collègues demain soir, c'est annulé.

— C'était ça, la bonne nouvelle ? J'avais déjà fait les courses. Tant pis. On aura de quoi manger cette semaine, se consola-t-elle.

Pas tout à fait désamorcé, comme prévu, se dit Nicolas.

— Sinon, j'ai une deuxième nouvelle...

— Bonne ? demanda-t-elle immédiatement.

— Plutôt, oui, enfin...

Il prit une profonde inspiration, puis lâcha d'un trait :

— J'ai démissionné...

Au même instant, le portable de Nicolas se mit à sonner. La photo de son père, sur laquelle il avait l'air d'un imbécile heureux, apparut : Bernard retentait sa chance, puisqu'il avait gêné le matin. La fin de journée lui avait semblé plus pertinente. Il avait décidément bien oublié le rythme d'une petite famille. Nicolas regretta aussitôt de lui avoir demandé de rappeler. En croisant le regard interrogateur de son épouse, il ne décrocha pas.

— Hein ? Comment ça, « démissionné » ? répéta-t-elle, abasourdie.

— Ce sera requalifié en « départ à l'amiable ». Tu devrais être contente : j'ai réussi à négocier un an de salaire en remerciement de mes bons et loyaux services.

— Je rêve. Dis-moi que tu n'as pas fait ça ? Sans m'en parler avant en plus ! continua-t-elle.

Alice ne tenait plus en place : elle arpentait la pièce de long en large, se tenant la tête entre les mains. Elle essayait de comprendre, mais quelque chose avait dû lui échapper. Nicolas n'avait jamais mentionné auparavant l'idée de quitter son travail, qu'il adorait.

— Bah, ça s'est fait comme ça. Sur le coup. Ça fait combien de nuits que l'on ne dort plus bien, tous les deux ?

Alice avait du mal à saisir le rapport entre leurs insomnies et la démission brutale, voire précipitée de Nicolas.

— Oui, mais ça, c'est les enfants, c'est normal, temporisa-t-elle.

— Et ça fait combien de kilos que tu perds ? Combien de déjeuners ou de dîners a-t-on sautés parce qu'on n'a même plus faim ? Tu penses que c'est normal ? Est-ce que ce ne serait pas le corps qui essaie de tirer la sonnette d'alarme pour nous alerter avant qu'il ne soit trop tard ?

— Tu crois ? demanda-t-elle, en s'asseyant sur le canapé.

— Le salarié modèle trop gentil, trop dévoué, prêt aux sacrifices, c'est fini pour moi. J'ai travaillé tous les week-ends sans exception depuis trois mois. Je me couche à 2 heures du matin, on se lève quatre heures après, et tout ça pour quoi ? Est-ce que je suis vraiment heureux ? Combien de temps encore avant de s'effondrer ?

Nicolas était venu se blottir contre Alice, lui attrapant la main. Il avait, plus que jamais, besoin de la force de son épouse et de son soutien aussi.

— Bonne question, admit-elle, en glissant ses doigts entre les siens.

— J'avais l'impression d'être indispensable, mais la promotion méritée, elle ne vient jamais. On me prend pour un con... Argh ! J'ai envie d'être en colère !

Dans l'entreprise de Nicolas, rien ne changeait : les *burn-out* explosaient, les employés défilaient, mais les responsables n'y voyaient pas de problème d'organisation, de surcharge de travail, de management ou de harcèlement moral. Pourtant, depuis quelques années, l'environnement était devenu toxique. Les heures supplémentaires n'existaient plus, les RTT, c'était au bon vouloir de chacun, même le droit à la déconnexion, le soir ou le week-end, il fallait l'oublier depuis qu'on les avait généreusement équipés de cadeaux empoisonnés : les redoutables *smartphones*.

— Toutes ces dérives ne se sont pas faites du jour au lendemain. Tu as toujours accepté tout cela, et jusqu'à hier ça ne te posait pas de problèmes, non ? chercha à comprendre Alice qui, sincèrement, n'avait pas vu l'évolution opérer dans l'esprit de son mari.

— Parce que, comme tout le monde, j'avais la tête dans le guidon, et je ne voyais plus clair. On bosse comme des tarés et on n'a pas le temps, encore moins pour les choses qui seraient vraiment importantes. On ne se rend pas compte que tout ça n'a pas de sens !

Nicolas tremblait. Il venait de prendre la décision la plus difficile de sa vie, et son corps commençait à réagir. Alice caressa la joue de son mari pour le calmer.

— Bon, l'avantage, c'est que tu seras un peu plus souvent avec nous à la maison, admit-elle.

Alice posa sa tête sur l'épaule de Nicolas. Celui-ci soupira : contre toute attente, son épouse semblait prendre plutôt bien la nouvelle. Il en profita.

— D'ailleurs, je me disais, quitte à changer, autant tout plaquer... commença-t-il, alors que le visage d'Alice se crispait de nouveau.

La jeune femme se méfiait des gènes de Bernard, qu'elle retrouvait parfois en Nicolas : une euphorie peu réfléchie pouvait embarquer toute la famille dans un délire irresponsable et sans limite. Nicolas, qui ne vit pas les froncements de sourcils soucieux de sa femme, continua sur sa lancée.

— Et si on en profitait pour quitter Paris ? proposa-t-il en la regardant droit dans les yeux.

— Quoi ? lâcha-t-elle, tombant presque du canapé, sous le coup de l'idée farfelue qu'il lui assénait.

— Je me disais Bordeaux...

Et voilà, nous y sommes ! pensa-t-elle. Une mauvaise surprise pouvait en cacher une autre.

— Habiter à côté de chez tes parents ? Tu n'as pas une autre bonne nouvelle pendant qu'on y est ?

− 38 −

Mettre la charrue avant les bœufs

De toutes les réactions, Nicolas redoutait plus encore celle de Bernard. Tétanisé par la peur de le décevoir, il tourna longtemps en rond, avant de se décider à le rappeler le soir même.

Nicolas avait été de ces élèves brillants qui n'avaient pas pu suivre ses passions, et il avait cédé aux considérations pragmatiques de ses proches. De son père notamment.

On lui avait fortement conseillé de faire une classe préparatoire et une grande école pour ne pas gâcher son potentiel. Quand il avait évoqué d'autres voies, tous avaient essayé de le dissuader, et il s'était laissé convaincre, même s'il savait qu'il était plus intéressé par le dessin que par le business. Cela faisait si plaisir à son père qu'il marche dans ses pas, qu'il fasse une meilleure école que lui, obtienne un diplôme plus prestigieux encore, un statut plus envié, un salaire très confortable dès son entrée dans la vie active. Pour le mettre à l'abri de tout. De son épanouissement aussi.

En prépa, il lui était arrivé de pleurer, non pas parce que la pression scolaire était forte ou ses notes basses, mais parce qu'il était convaincu de ne pas être à sa place. Il avait honte de lui, car il avait manqué de courage pour tenir tête à son entourage.

Il était près de minuit lorsque Nicolas se décida. La voix pâteuse, Bernard avait d'abord eu peur qu'un drame ne soit survenu – Nicolas pouvait d'ailleurs distinguer les chuchotements inquiets de sa mère dans le fond –, puis, lorsqu'il comprit de quoi il en retournait, le patriarche resta silencieux. Sonné. Retrouvant peu à peu ses esprits, il passa aux questions pratiques.

– Et tu sais ce que tu vas faire à présent ? Tu as contacté les hôtels d'Aquitaine avant de donner ton préavis, je suppose... insista Bernard, redoutant le contraire.

– Non. Je veux changer de vie. C'est fini pour moi, le monde de l'entreprise, avoir un chef. Je ne sais pas ce que je vais faire, mais je me laisse un an pour trouver. Je veux être à mon compte. Peut-être un métier manuel...

Bernard inspira profondément. Son fils filait un mauvais coton, c'était totalement déraisonnable. Il ne l'avait pourtant pas élevé comme cela. Bernard avait du mal à le reconnaître : cela lui ressemblait si peu de tout plaquer ainsi, du jour au lendemain. Nicolas, qui avait toujours suivi des chemins bien tracés, faisait une sortie de route, incontrôlée, semblait-il.

– Tu ne vas quand même pas faire comme mon boucher ? Tes études, ton diplôme, tu ne vas pas tout abandonner ? Repartir de zéro. Vivre sans savoir comment boucler le mois, parce que tu n'es pas seul, au cas où tu n'aurais pas remarqué : pense à toi, d'accord, mais à ta famille aussi. Ça m'étonne qu'Alice te laisse faire une bêtise pareille !

Nicolas déglutit. Son père ne comprenait vraiment rien à rien.

– Sans vouloir te vexer, je ne veux pas de ta vie, Papa. Je veux voir mes enfants grandir, être là pour les devoirs et les moments importants. Je ne souhaite pas me réveiller à 60 ans passés et me rendre compte que j'ai raté l'essentiel. Je veux être heureux, car tout peut s'arrêter demain.

– Tu as fini de me remonter le moral ? l'enguirlanda Bernard, qui s'éclaircit la gorge, ayant du mal à avaler ces vérités que son fils lui assénait.

– Presque. Je ne suis pas inconscient, je sais ce que je fais. Oui, la situation va être précaire, oui, je renonce à plein de privilèges, mais c'est mon choix.

– Tu mérites mieux que ça, Nicolas, insista Bernard.

Nicolas soupira dans le combiné, son père ne voulait pas l'entendre, encore moins le comprendre. Il se tut un instant, avant de reprendre.

– Nous n'avons pas la même vision de la réussite, Papa. Quand, toi, tu raisonnes en termes de salaire et de prestige, moi, je pense épanouissement. Tu sais, il en faut du courage pour s'écarter du chemin tout tracé. Et ça fait sacrément peur, parce que je me trompe peut-être.

Tu te trompes, assurément, pensa Bernard avant de poursuivre.

– Mais tu ne peux pas faire ce que tu veux. Tu as la chance d'avoir un cerveau bien fait, ça te donne une responsabilité, que tu le veuilles ou non.

– Justement, ma tête fonctionne bien, je ne veux pas la mettre au service d'une entreprise dont je ne partage plus les valeurs. Laisse-moi trouver ma voie. J'ai décidé de démissionner, car je suis entré dans la vie active pour changer le monde de l'intérieur, et c'est moi que j'ai senti changer.

– Tu es un utopiste, lâcha Bernard, exaspéré.

Nicolas se rendit compte soudain qu'il avait appelé son père pour l'avertir, pas pour obtenir son approbation. Il ne cherchait pas à le convaincre et souhaitait encore moins que l'on essaie de le dissuader. Il était adulte désormais et assumait ses décisions seul. Nicolas avait bêtement espéré qu'il se réjouisse de son rapprochement géographique, plutôt que de l'accuser d'avoir « fait la plus grosse connerie de sa vie ». Finalement, son père n'avait pas tant changé que ça.

Bernard était un handicapé du sentiment, et dire les bonnes choses au bon moment, cela ne s'apprenait pas en une nuit.

– 39 –

Tout vient à point à qui sait attendre

Le froid était arrivé d'un coup, mi-novembre, et Bernard, frileux, retardait chaque jour le moment de mettre un orteil dehors. Brigitte, elle, continuait de vaquer à ses occupations et, en cette fin d'année, elle parcourait les grands magasins, s'attelant à dégoter les cadeaux de Noël qui feraient plaisir à toute sa famille.

Contrairement à son mari, qui avait eu du mal à avaler la pilule, Brigitte était aux anges à l'idée que Nicolas puisse venir avec toute sa famille s'installer près de chez eux. Si elle n'avait pas eu le temps de discuter des détails pratiques avec Alice ou son fils, elle était cependant convaincue qu'ils ne déménageraient jamais en cours d'année scolaire. Elle espérait secrètement qu'aux prochaines vacances d'été ils quitteraient Paris pour de bon.

Essayant d'oublier des problèmes qui, finalement, n'étaient pas les siens, Bernard se concentra sur ce qu'on attendait de lui – et tout particulièrement Paul : il était temps de commencer à relever le défi de l'école.

Bernard avait huit mois pour réduire drastiquement sa consommation de plastique et atteindre, fin juin, son objectif proche de zéro. L'exercice était simple. Chaque semaine, il s'était engagé à peser ses poubelles et à communiquer à Paul, et donc à l'enseignante, ses progrès.

Chaque réduction de ses déchets pouvait engendrer de 10 à 50 points. Par ailleurs, il pouvait récupérer un bonus, qui lui conférerait une avance non négligeable s'il agissait également en dehors de la sphère domestique, en collectant, par exemple, des détritus dans la nature. Chaque kilo le gratifiait de 100 points supplémentaires et le rapprochait du Graal : le premier de la classe atteignant les 5 000 points.

Ce matin-là, pour son premier jour de challenge, Bernard n'était pas encore caféiné que, déjà, il sentait que la journée allait être compliquée. Très compliquée.

Les yeux collés, il se dirigea vers les toilettes et fut scotché par le film transparent qui entourait les rouleaux. Dire qu'il s'embêtait depuis des années à prendre un papier « éco machin-chose recyclé », pas aussi doux ou blanc que les rouleaux des hôtels de son fils, et pourtant, l'emballage restait de cette matière qu'il voulait bannir de chez lui. Et un changement à effectuer. Un.

Il descendit faire couler son espresso. Ayant fini la boîte la veille, il attaqua un nouveau paquet de capsules biodégradables, lorsqu'il se retrouva, dans un réflexe pavlovien, à jeter la protection : il resta ainsi, en suspens de longues secondes, au-dessus de la poubelle. Il ne pouvait pas s'en débarrasser comme ça et en voulait au fabricant de le mettre dans une mauvaise posture dès le réveil : pourquoi suremballer ? Il grinça des dents. Même pour son café, il allait devoir trouver une alternative. Et de deux.

Après avoir capitulé, en se débarrassant du film plastique, Bernard continua son petit-déjeuner, avant de fermer les yeux et souffler d'exaspération lorsqu'il vit sa bouteille de lait, sa margarine et son pot de yaourt. Tous à bannir ! Il se rendait compte qu'il devrait changer bien plus que ses dosettes, en réalité. Ce projet commençait déjà à lui taper sur les nerfs. Il décida d'arrêter de compter. C'était trop déprimant.

Quand Bernard fila dans la salle de bains, il faillit faire une crise cardiaque. Partout où il regardait, ça n'allait pas. Il avait oublié à quel point cette pièce lui avait mis le moral dans les chaussettes lorsqu'il en avait fait le tour avec Paul. Il se brossa les dents sans les desserrer, il se frotta le corps de manière énergique, presque coupable, en tournant le dos à son gel douche si énervant, puis tailla ses pattes en scrutant le rasoir jetable d'un mauvais œil. Il finit par détourner le regard au moment d'appliquer sa crème après-rasage, et sa noisette de cire dans les cheveux, quand ses yeux se posèrent sur les étagères de Madame : une intervention radicale allait être nécessaire, et pas que pour lui.

En sortant de la maison, il eut besoin de se défouler. S'il avait fait de la boxe ou de l'athlétisme, il aurait tapé, sauté ou couru longtemps, très longtemps. Il se dit que, s'il tombait sur la taupe ou son voisin, ils passeraient un sale quart d'heure. Il saisit la grande cisaille et s'acharna contre les branches des Dugrin qui dépassaient dans son jardin. Pour mieux la tenir, Bernard la cala contre son torse et força : une violente douleur lui traversa la poitrine. Il inspira, mais la douleur persistait : à tous les coups, il venait de se fêler une côte.

Lorsqu'un petit vent vint lui chatouiller les narines et qu'il ne put contenir un très sonore éternuement, le mal l'irradia de manière insoutenable. Observant les mésanges qui, apeurées par le bruit, s'envolaient de son bouleau, il attrapa de quoi s'essuyer le nez dans sa poche. Au moment de souffler délicatement, il lâcha le mouchoir, comme s'il lui brûlait les doigts. Même le paquet de dix était entouré de plastique !

Il n'osa pas imaginer à quel point fin juin allait être encore plus pénible à tenir. Dire qu'il avait accepté ce maudit défi de la maîtresse, uniquement par orgueil. Juste pour exister dans le regard de son petit-fils. Il n'était qu'un lâche, qui trichait tout le temps et abandonnait à la première difficulté, il le savait, pourquoi faire semblant cette fois ?

Après s'être avoué vaincu dans le jardin, Bernard se posta devant l'ordinateur de la maison pour y faire des recherches sur Internet.

Comment font les autres pour continuer à vivre « normalement », sans plastique ?

Ce n'était pas possible de se passer de brosse à dents, de papier toilette, de mouchoirs, de gel-douche, de café, de lait, de yaourts, juste parce qu'aujourd'hui personne n'avait pensé à les confectionner dans des contenants durables.

Ce projet était une énorme erreur, une bêtise monumentale : il n'y arriverait jamais ! Il fallait absolument qu'il se trouve une excuse auprès de Paul pour éviter de devenir complètement fou.

Lorsque Brigitte rentra, chargée de cadeaux de toutes tailles, il la prévint :

– Pour info, je ne peux plus passer l'aspirateur ni l'éponge pendant six semaines au moins.

Elle le regarda, amusée, en déballant ses paquets, avant de les cacher dans la grande armoire de leur chambre.

– Je ne vois pas quel est le changement par rapport à d'habitude !

– La nouveauté, c'est que je me suis cassé une côte, exagéra-t-il. Et je peux te dire : je jongle ! Surtout quand j'éternue.

Tout vient à point à qui sait attendre

— Ah, je comprends mieux ! Tu t'es trouvé une excuse. OK. J'en prends note. Donc, puisque nous sommes en novembre, on peut se dire qu'en janvier prochain tu seras une véritable fée du logis ?

Bernard fit une grimace à « Madame Parfaite » avant de continuer.

— Tout ça pour débroussailler la clôture des Dugrin : ils ne peuvent pas s'empêcher de m'en faire baver, ceux-là. Tu te rends compte que la planète a besoin plus que jamais de planter des arbres, protéger ceux qui sont là et, à cause des querelles de voisinage, combien sont sacrifiés dans le monde pour arrondir faussement les angles... Ça me révolte !

Brigitte se rapprocha de la fenêtre, rejointe par Bernard. Ce dernier enchaîna :

— Je peux te dire une chose. Le bouleau, ils vont devoir me passer sur le corps pour me le faire abattre ! D'ailleurs, j'ai une autre nouvelle à t'annoncer. Le projet de Paul, finalement, j'ai bien réfléchi et...

Brigitte lui fit signe de se taire : son portable venait de sonner et c'était Alice.

« Chut », à lui ? Non, mais elle en a un de ces culots ! pensa Bernard en observant son épouse se recoiffer avant de décrocher.

Lorsqu'elle accepta l'appel vidéo, Brigitte vit s'afficher sur l'écran la bouille de son petit-fils, dont la bouche était plus occupée à mâchouiller son goûter qu'à articuler. Elle comprit l'essentiel de ce qu'il tentait de dire et passa rapidement le téléphone à son mari, car c'était à son grand-père que Paul voulait parler.

— Papy, tu ne devineras jamais ? annonça le petit garçon en déglutissant de manière sonore.

— Paul ? On peut dire que tu sais attiser ma curiosité, toi, dit Bernard en calant le smartphone contre son oreille.

— Hey, fais un peu attention, Papy : je ne vois que tes cheveux !

Bernard se rendit compte qu'il n'avait pas bien pris le virage technologique qui s'était enclenché sans lui. Il tendit son bras et découvrit un petit garçon illuminé d'un large sourire.

— La maîtresse était tellement fière de toi qu'elle a lancé officiellement le concours « zéro plastique » dans la classe. Il y a déjà sept autres familles qui participent, mais je suis sûr que ce sera toi qui seras le vainqueur. Surtout, il ne faut pas que tu oublies de peser tes poubelles à la maison, et celles que tu ramasses, toutes les semaines. Pour une fois que je vais gagner quelque chose, et grâce à toi, j'ai hâte ! Ça va me changer du foot ! Et tu sais, ça y est, moi aussi, j'ai accepté le défi de Maman : je ne mange plus du tout d'huile de palme. C'est dur, parce que c'était vachement bon quand même, la pâte à tartiner, mais la confiture de Mamie, ce n'est pas mal non plus finalement. Comme ça, moi, je sauve les orangs-outans, et toi, les tortues. Tu avais raison : les animaux méritent bien un petit effort de notre part. Hein, c'est vrai, Papy ?

J'ai dit ça, moi ? s'étonna le grand-père avant de répondre.

— Entendu, mon petit. On se voit très bientôt pour Noël. Sois sage, il ne faudrait pas que le Père Noël t'oublie… lui rappela-t-il.

Cela sembla faire ni chaud ni froid à Paul, qui renvoya la pierre au vieux barbu :

— J'espère surtout qu'il est au courant de notre petit projet, car j'ai vu son catalogue : il n'y a que des jouets en plastique. Il n'est pas très écolo, le Père Noël, là-bas, sur sa banquise qui fond...

Bernard ne put s'empêcher de sourire. À quel âge les enfants arrêtaient-ils de sortir des perles pareilles ? Il faillit le reprendre, puis se rendit compte que l'essentiel était ailleurs. Il avait plus important à lui dire.

– Je t'embrasse, mon grand. Tu peux compter sur moi, on va gagner, dit-il avant de raccrocher et tendre l'appareil à son épouse, qui le fixait bizarrement, comme il n'en avait plus trop l'habitude.

Brigitte le regardait avec tendresse. Elle était émue : c'était la première fois que son mari discutait au téléphone avec l'un de ses petits-enfants, et ça se voyait que cela lui avait fait plaisir. Il y avait du progrès dans l'air.

Une seule pensée tournoyait dans la tête de Bernard : *Flûte et reflûte !* Le grand-père était bloqué. Il ne pouvait plus faire marche arrière avec ce fichu projet.

Cependant, Paul avait réussi à le rebooster en appuyant sur sa corde sensible : la compétition ! Bernard avait la gagne dans le sang, et il le savait : la victoire de ce concours était pour lui, et pour personne d'autre. Il ne laisserait quiconque, pas même les Dugrin, se mettre en travers de son chemin.

– 40 –

Comme un coq en pâte

Dans les jours qui suivirent, Bernard reçut plusieurs appels de son petit-fils, qui voulait partager avec lui des idées toutes plus farfelues les unes que les autres pour diminuer leur consommation de plastique. Bernard n'osa pas lui avouer que, malgré le concours, il n'avait pas commencé à passer à l'action.

Un matin, Paul sembla plus excité encore :

– J'ai trouvé comment sauver la planète, Papy ! Tous les dimanches, je vais faire une balade et je ramasserai tout ce que je trouve. Une promenade, un déchet, proclama-t-il.

Bernard attendit que le garçon se reprenne et finisse par se rendre compte que, seul, il n'allait peut-être pas parvenir à ses fins, mais lorsque son petit-fils l'embrassa et lui souhaita une bonne journée, visiblement très satisfait de lui, Bernard comprit que la naïveté des enfants était sans limites.

Ils étaient les mieux placés pour interpeller les adultes, les faire réfléchir, et dans son cas les culpabiliser, même avec de simples mots optimistes, car ils n'avaient pas de conflit d'intérêts. Ils n'obéissaient qu'à leur bon sens. Bernard, qui était en train de lire les pages politiques de son journal, regarda la tête des dirigeants de son pays et se dit qu'ils pourraient en prendre de la graine.

Lorsque son portable bipa, Bernard découvrit que Paul venait de lui envoyer un message à partir du téléphone d'Alice. Un petit oiseau, auquel il avait ajouté « Parce que chacun fait sa part ». Ce fut comme un électrochoc pour Bernard, qui bondit de sa chaise.

Contrairement à lui, Paul ne s'arrêtait pas à se demander : « Est-ce que je peux vraiment arriver à faire changer les choses ? » Comme le colibri, le petit garçon pourrait se dire : « Au moins, j'aurai essayé. » Lui pourrait dormir la nuit, serein, avec la sensation du devoir accompli, et pas, comme son grand-père, à tourner, virer, ressassant toutes les choses qui allaient de travers dans le monde. Paul, lui, pourrait se regarder dans le miroir.

Bernard enfila son manteau, ses chaussures, avant de se rendre compte qu'il était encore en pyjama, enleva le tout, fonça à l'étage passer des vêtements plus appropriés et sortit en trombe de chez lui, direction le marché.

En chemin, agrippé à son parapluie, qui avait décidé de n'en faire qu'à sa tête et de se retourner tous les vingt mètres, il réfléchissait. Les idées devenaient de plus en plus claires dans son esprit.

Lui qui se lamentait à chercher comment être utile à nouveau pour la société, tenait son projet. Alors, pourquoi s'était-il montré si enthousiaste au début, mais rechignait-il désormais ? Il le savait au fond de lui : il n'aimait jouer que pour gagner, et cette partie était loin d'être facile. Oui, il gagnerait aisément contre les autres familles qui participaient au défi, mais il avait bien plus de doutes face au challenge incommensurable auquel les 7 milliards d'humains étaient confrontés.

Bernard ne pouvait plus perdre de temps à se demander s'il pouvait réellement faire quelque chose. On comptait sur lui, Paul surtout, il ne pouvait pas abandonner, baisser les bras. Il le faisait pour ses petits-enfants, mais aussi pour lui. Pour pouvoir se regarder dans une glace et se dire : « Au moins, j'aurai essayé. »

Depuis qu'il était à la retraite, de petites évolutions s'étaient déjà opérées en lui.

Auparavant, Bernard consommait toujours des produits frais, du marché, de saison, pas forcément locaux et, à ses yeux, c'était déjà bien suffisant. De son côté, cela faisait des années qu'Alice les bassinait avec ses « C'est bio ? », se permettant de ne pas toucher à un plat si ce n'était pas le cas. Du coup, elle avait contaminé son mari et ses enfants, et, dès que les quatre Parisiens débarquaient pour le week-end, Brigitte et Bernard n'avaient pas d'autre choix que de se plier à ses règles pendant quelques jours. Le pire pour Bernard, qui n'était jamais en phase avec sa belle-fille, était de se rendre compte qu'à chaque venue elle poussait toujours plus loin son intégrisme alimentaire.

Maintenant qu'il regardait quotidiennement son émission de santé et qu'il entendait à chaque coin de rue des histoires sordides, Bernard était devenu plus attentif, réfléchissant à deux fois à ce qu'il ingurgitait. Lui et Brigitte s'étaient donc mis à manger bio à leur tour.

Cependant, cela ne semblait pas coller avec sa nouvelle lubie. Lorsqu'il revenait de l'hypermarché, il retrouvait, une fois les courses rangées, son chariot plein d'emballages inutiles qui filaient directement à la poubelle. Tout ce gâchis commençait sérieusement à l'agacer et c'était une des raisons pour lesquelles Bernard rechignait à relever le défi « zéro plastique » de Paul. Il y avait forcément un truc qu'il faisait mal.

Lorsqu'il se rendit au marché, il demanda conseil à la maraîchère, qui gloussa.

– Mais vous achetez vos fruits et légumes bio en grandes surfaces ? Ne vous étonnez pas qu'ils soient mieux emballés qu'un cadeau de Noël. C'est pour les protéger des autres produits non bio.

À son grand dam, il semblait donc que bio et sans plastique n'allaient pas de pair.

– Si je comprends bien, entre bio et plastique, je dois choisir ?

– En supermarché, oui, répondit-elle.

Devant la mine atterrée de Bernard, elle décida de l'aider un peu.

– Vous n'avez jamais entendu parler de la coopérative bio ? Ni de la ferme biologique dans le village d'à côté ?

Bernard fit de grands yeux ébahis. Ça commençait bien : on lui avait caché des choses. Par contre, s'il était d'accord pour moins gaspiller, il ne l'était pas forcément pour courir les magasins d'alimentation. Si lui, qui avait plus de temps que les autres, rechignait déjà à faire ces efforts, il comprenait mieux pourquoi le mouvement écolo ne se développait pas plus.

Le lendemain, il se rendit donc à la coopérative biologique, pour voir de quoi il en retournait. Ce négoce avait l'avantage de jouxter son ancien hypermarché, voilà déjà un premier point de réglé. Cependant, en pénétrant à l'intérieur, il fut choqué par l'ambiance sombre : il se serait cru dans un hangar. Il vérifia sa montre : l'enseigne était bien ouverte depuis plusieurs minutes déjà.

Bernard commença à arpenter les rayons et, à chaque arrêt, ronchonna. Les pots de yaourt et les tranches de jambon étaient entourés de plastique, les litres de lait aussi, le saucisson inutilement emballé, le fromage râpé également dans son contenant zippé. Il expliqua à la caissière ce qu'il cherchait. Celle-ci haussa les épaules d'un air détaché, puis pointa nonchalamment du doigt en direction de la vendeuse à la coupe. Si même elle ne se sentait pas concernée, on était mal parti !

Cette dernière l'accueillit chaleureusement, mais lorsqu'il demanda uniquement des produits sans emballage – saucisson, lait, gruyère même non râpé, il saurait où retrouver sa vieille râpe –, on aurait dit qu'il lui avait demandé de réciter les cent premiers chiffres après la virgule du nombre Pi. Elle disparut de longues minutes dans la réserve, et quand elle ressurgit enfin, avec un litre de lait cartonné, Bernard fronça les sourcils.

– Non mais vous n'avez pas une brique de lait toute bête ? Pourquoi avez-vous mis un bouchon en plastique dessus, hein ?

Elle le regarda, penaude, l'air de dire : « Je n'y suis pour rien, moi. »

Bernard voulut rappeler que sa demande, il n'y a pas si longtemps, n'était pas de l'ordre de l'extraordinaire.

– À mon époque, on prenait une bonne paire de ciseaux, et cela faisait l'affaire. Je me souviens même de ma mère qui plantait un bec verseur directement sur le carton. Comment je fais, moi ? l'interpella-t-il. La maîtresse ne va jamais homologuer mes efforts, si je fais du « presque » zéro plastique.

Là, Bernard avait définitivement perdu la vendeuse. Un ange passait dans son regard, vide comme la hotte du Père Noël un 26 décembre.

– Il faut commander des produits sans plastique, incita gentiment Bernard. D'accord ?

– Ce n'est pas entre nos mains, c'est la centrale d'achat qui choisit, vous savez.

Lorsque Bernard lut « lait écrémé » sur la brique, il la reposa, soudain désemparé. Le patriarche avait toujours consommé du lait de vache demi-écrémé. Il expliqua :

– Je veux bien faire un effort et prendre exceptionnellement ce pack avec l'embout, mais faire deux concessions et boire un truc qui ne me plaît pas, il ne faut pas exagérer, quand même.

Lorsqu'il sortit du magasin, sans avoir finalement rien acheté alors qu'il leur avait fait sortir tout un tas de produits farfelus, la caissière et la vendeuse le regardèrent agacées.

Bernard fonça alors dans son hypermarché, où il connaissait personnellement la vendeuse à la coupe. Comme elle lui faisait toujours un peu de gringue, il savait qu'il pourrait facilement l'amadouer.

Après avoir patienté de longues minutes derrière des familles qui prenaient du plastique en couscous, en nems ou en rillettes – sous les yeux effarés de Bernard à chacune de ces absurdités –, il finit par voir son tour venir. Lorsqu'il demanda à ce qu'on lui serve une choucroute garnie directement dans son récipient en verre, il eut à nouveau l'impression d'avoir demandé la lune.

Martine, la sympathique charcutière, prit soudain une mine contrariée. Devant son client chouchou, qui bravait les interdits et lui demandait d'y participer, elle chuchota, comme pour mieux le protéger :

– Mais, Monsieur Delcourt, on n'a pas le droit. C'est une question d'hygiène, je suis désolée. Je vous aime beaucoup, mais je n'ai pas envie de me faire taper sur les doigts. Si je le fais pour vous, tout le monde va me réclamer la même chose.

Bernard tenta une autre approche. Il cherchait à comprendre une logique qui lui échappait.

– Pour quelle raison mettez-vous tout dans des contenants en plastique ?

La petite dame le regarda avec des yeux ronds :

– C'est pour vous qu'on le fait : c'est plus pratique !

Une décharge électrique lui parcourut la colonne vertébrale. Ce mot, il l'avait décidément en horreur. Il s'opposait à chaque fois à ce qui faisait du sens pour lui et s'imposait toujours comme une excuse facile pour faire accepter tout et n'importe quoi.

Le bras toujours armé de son récipient, Bernard insista, sans réussir cependant à faire céder la vendeuse, qui avait sincèrement l'air embêtée pour lui, mais n'avait pas d'autre solution à lui proposer.

– L'enseigne nous donne des consignes très strictes, et je ne veux pas perdre mon emploi pour une broutille.

Une broutille, grommela Bernard. C'était de son avenir à elle dont ils parlaient aussi. Elle n'avait pas l'air de s'en rendre compte. Personne ne voulait comprendre, et encore moins sortir du rang, prendre les devants, ou oser. De quoi avaient-ils tous peur ? D'être les premiers à faire les choses bien ?

Il repartit bredouille après ses deux heures de courses. Les choses s'annonçaient plus compliquées que prévu. En passant devant la boulangerie, Bernard se résolut à acheter une simple baguette en espérant que ses poules lui offrent un œuf pour son déjeuner. Ce ne serait pas un repas gargantuesque, mais, au moins, il s'en tiendrait à son idée de départ : utiliser son pouvoir d'achat comme un vrai pouvoir de contestation. Comme un vrai consom-acteur.

Il avait préparé ses pièces d'un euro et de vingt centimes, qu'il tendit à la boulangère. Mais Bernard se raidit tout à coup : elle fourrait sa baguette tradition dans un pochon en papier à fenêtre plastique.

— Non ! Je n'ai pas besoin de sac, l'arrêta-t-il.

La commerçante insista.

— Si. Je n'ai pas le droit de la toucher avec mes mains, c'est pour l'hygiène. Et puis, elle est chaude, vous allez vous brûler.

Bernard n'allait tout de même pas échouer à obtenir tout ce qu'il désirait ce jour-là. Il continua, sûr de lui.

— Écoutez, je vous donne l'autorisation d'y mettre vos doigts : votre mari a bien malaxé la pâte à la main ? Question bactéries, que ce soit lui ou vous, ça ne change rien.

Derrière Bernard, une file d'attente s'était créée. La vendeuse était embarrassée. Elle trépignait et hésitait entre capituler, pour accélérer le rythme, et refuser, pour ne pas créer de précédent sous les yeux des autres clients, à qui cela pourrait donner de drôles d'idées.

Bernard fronçait les sourcils, soutenant son regard. Il ne disait plus rien : il savait que c'était le premier qui parle en négociation qui a perdu. Au bout d'une longue minute à se toiser, elle finit par soupirer et enlever le pain du sac, mettant de la farine partout sur son plan de travail et sa caisse. Elle leva les yeux au ciel d'agacement : sa journée commençait mal.

— Imaginez un peu, si tout le monde faisait comme vous... le rabroua-t-elle.

— Si seulement, ma petite dame ! lui répondit-il plein d'entrain. Si seulement...

Bernard repartit triomphant avec sa baguette sous le bras, mettant lui aussi de la farine partout sur son manteau. Lorsqu'il se retourna pour saluer la boulangère, d'un regard un peu mesquin il faut l'avouer, il manqua de se cogner à la porte battante : il la vit jeter à la poubelle le pochon de plastique qu'elle avait prévu pour lui et en prendre un nouveau pour la cliente suivante. Une aberration de plus ! Et dire que Bernard faisait tout ça pour éviter de gaspiller du plastique inutilement !

C'était à se décourager de tenter quoi que ce soit.

41

Faut pas pousser Mémé dans les orties

En rentrant, quelques minutes plus tard, Bernard raconta sa victoire du jour à Brigitte. C'était peut-être un petit pas pour l'homme, mais il se sentait pousser des ailes. Rien ne pouvait plus l'arrêter, pas même le regard blasé de son épouse, qui ne se sentait pas du tout concernée.

Il passa alors l'après-midi sur son ordinateur à la recherche de bons plans pour réduire sa consommation d'emballages.

Bernard avait fini par faire chauffer la Carte bleue avec moult achats en ligne. Il avait découvert un monde nouveau pour lui et avait tout acheté avec frénésie. Entre Jean-Marc, qui lui avait dit qu'à leur âge il ne fallait pas faire de petites économies, et Marguerite, qui lui rabâchait qu'un sou était un sou, Bernard avait tranché et dépensé sans compter.

Du coup, il avait commandé en livraison express tout un tas d'objets révolutionnaires. Il s'était équipé, entre autres, en brosses à dents en bambou, en mouchoirs en tissu, en dentifrice solide, en pains de savon de Marseille, en gourdes, en pailles en bambou, en récipients en verre et en bocaux. Ces produits durables étaient tous arrivés chez lui dès le lendemain, mais, malheureusement pour lui, il y avait un grand hic : ils avaient tous été livrés sans exception dans d'énormes cartons qui regorgeaient de plastique de protection. Sa poubelle, à la veille de la pesée, en débordait.

Enthousiaste comme jamais, Bernard avait déballé chaque objet sous le regard suspicieux de son épouse, qui voyait enfin un changement chez son mari, mais pas celui qu'elle espérait. Elle ne savait pas si elle devait s'en réjouir ou non.

Le lendemain matin, obsédé par l'idée de se débarrasser de ces détritus en dehors de chez lui, pour que ses poubelles domestiques n'en pâtissent pas, Bernard était perdu dans ses pensées, assis à la table du petit-déjeuner, lorsque retentit soudain la voix autoritaire de Brigitte.

— Bernard ! Viens ici, s'il te plaît, l'appela-t-elle depuis la salle de bains.

— Oui ? répondit-il mielleusement, sachant qu'il allait à juste titre se faire enguirlander.

— Qu'est-ce que tu as fait de ma brosse à dents ? demanda-t-elle, visiblement en colère, car elle devait la chercher depuis un petit bout de temps et allait finir par être en retard.

— Je l'ai jetée, répondit Bernard le plus naturellement du monde en tournant les talons pour éviter d'affronter le regard de son épouse.

Brigitte, les bras croisés et les sourcils sévères, semblait attendre une meilleure réponse. Puisqu'elle ne vint pas, elle ajouta :

— Mais je venais de la changer. Elle était toute neuve !

— Maintenant que tu en as une en bambou, c'est celle-là que tu dois utiliser, continua-t-il.

— Cela n'a aucun sens ! reprit-elle, interloquée.

Décidément, Bernard devait tout lui expliquer.

– Bah, si, c'est pour être en accord avec *tes* nouvelles valeurs.

– *Mes* nouvelles valeurs ? interrogea Brigitte. À quel moment te souviens-tu de m'avoir demandé mon avis avant de chambouler *ma* vie ?

Un nouveau point pour Brigitte ! remarqua-t-il.

– Tu as raison, j'aurais dû te consulter, mais comme tu as toujours été solidaire avec ton mari, je me suis dit… N'es-tu pas contente, tu vas faire plus qu'un heureux ? ajouta-t-il en faisant référence à Paul. Désormais, tu vas pouvoir te réveiller « zéro plastique », manger « zéro plastique », te coucher « zéro plastique ». Je ne peux pas y arriver tout seul, tu sais : j'ai besoin de ton soutien.

Brigitte inspira profondément, elle devait pratiquer de plus en plus souvent ses exercices de respiration. Bernard venait à peine de quitter la salle de bains que déjà elle s'agaçait à nouveau contre le dentifrice bizarre qu'il leur faisait expérimenter. OK, le goût était agréable – menthe poivrée, elle aurait pu tomber sur pire –, et la brosse laissait les dents propres, mais un truc clochait. Elle le rappela.

– Bernard ! Ça ne mousse pas du tout, ton machin ! rouspéta-t-elle.

– Oui, c'est fait exprès, il est non moussant ! hurla son mari depuis la cuisine, avant de se décider à venir calmer la fureur de sa femme.

– Je suis d'accord avec toi, c'est déroutant, commenta-t-il. Moi, j'aime bien. Mais si celui-ci ne te plaît pas, j'en ai acheté d'autres : essaie celui en bâtonnet, il est moussant et laisse aussi les dents toutes douces, conclut-il d'un baiser sur la joue de son épouse, avant de s'éclipser dans leur chambre pour s'habiller.

Là, pour Brigitte, la coupe était pleine. Bernard allait trop loin : fallait-il vraiment changer toutes ses habitudes ?

– Tu m'épuises, Bernard, tu m'épuises, dit-elle calmement.

Elle n'avait, de toute évidence, pas vu le pire…

Irrémédiablement en retard pour se rendre à la piscine, Brigitte décida alors d'avoir une petite discussion. Elle vint s'asseoir sur leur lit, observant Bernard debout, se battant avec ses chaussettes.

Après avoir souffert de l'absence de celui-ci pendant des années, Brigitte était ravie d'avoir récupéré son mari pour profiter pleinement de leur retraite à deux. Car, profiter sans partager, elle ne voyait pas l'intérêt. Elle qui pensait avoir réussi à remettre son époux sur des rails avec son idée de potager, avait l'impression qu'à nouveau il lui échappait. Ce projet l'accaparait et elle n'existait plus.

Bernard avait parcouru le monde sans elle pendant plus de trente ans, avait expérimenté les plus beaux hôtels toujours seul. Elle lui avait fait promettre qu'une fois à la retraite ils rattraperaient le temps perdu. Mais, pour le moment, Brigitte ne voyait pas l'ombre d'un voyage en amoureux se profiler parmi les nouvelles priorités de Bernard.

Timidement, elle lança :

– Tu me connais, moi, je ne te demande pas grand-chose. Il n'y a qu'un truc qui me ferait plaisir, et tu sais très bien ce que c'est…

Par un haussement de sourcils répété, Bernard fit remarquer que la réponse ne lui semblait pas évidente.

– Mais si, voyons… insista-t-elle. Partir en voyage avec toi ! Tiens, et si on s'offrait une petite croisière ?

Bernard ne put s'empêcher de lever les yeux au ciel.

– On n'est pas si vieux, et on ne peut pas s'absenter tant de temps : pense à nos plantes avec le printemps qui arrive !

— Et une thalasso ? proposa-t-elle alors.

Bernard botta encore une fois en touche.

— Mais on va attraper plus de cochonneries qu'autre chose.

Brigitte ferma les yeux d'exaspération.

— J'avais imaginé notre retraite différemment. Ne s'était-on pas dit qu'on voyagerait, qu'on profiterait enfin ? Là, on repart dans des contraintes. J'ai l'impression que je me fais avoir, dit-elle en soupirant.

Brigitte tenta une dernière approche. Depuis des mois, elle n'avait de cesse de vanter les séminaires pour retraités, tous plus extraordinaires les uns que les autres, suivis par d'anciens collègues.

— Tu ne veux pas que l'on s'inscrive à un stage pour jeunes retraités ? Je crois que ça nous ferait du bien d'y participer.

Dans le langage de Brigitte, un « ça nous ferait du bien » voulait dire « ça te ferait du bien, Bernard », mais il n'était plus dupe. La colo pour petits vieux, très peu pour lui.

— Même pas en rêve ! lâcha-t-il, avant de plonger la tête dans son pull.

— On m'a pourtant dit que c'était formidable… insista-t-elle.

— On te dit « jette-toi d'un pont », et tu le fais ? Même Paul n'est pas si crédule !

Brigitte ferma les yeux et fit le vide en elle. Ne pas sortir sa colère, surtout pas. Pour la bonne santé de son couple, elle n'était pas près d'arrêter la méditation. Si cela lui avait échappé auparavant, une certitude s'imposait à elle désormais.

Vivre avec Bernard n'était décidément pas un cadeau tous les jours.

42

Et ta sœur, elle bat le beurre ?

La première semaine « zéro plastique » de Bernard s'acheva comme elle avait commencé : par un désastre. La pesée le désespéra, d'autant plus que Paul devait l'appeler pour prendre des nouvelles. Bernard, qui n'avait aucune envie de le décevoir ni de lui mentir, était dans une impasse et stressait comme jamais.

Depuis plusieurs jours, il redoublait d'efforts, et même Brigitte jouait le jeu avec sa brosse à dents en bambou, cependant sa benne ne désemplissait pas. Lui qui aurait juré jeter moins que la moyenne des Français se retrouvait avec plus de 20 kilos de déchets chaque semaine à eux deux. À ce rythme-là, les 500 kilos par individu par an, il les dépassait largement. Comment était-ce possible, alors qu'il faisait attention ?

Il avait pourtant bien commencé en éliminant les emballages et, sur sa lancée, était passé également au tri sélectif. Depuis le temps qu'il voulait s'y mettre, son petit-fils lui avait donné une bonne raison de le faire.

Constatant rapidement qu'un bon tiers de ses poubelles était composé d'épluchures de fruits ou de légumes, la première étape qui s'imposa lui sembla facile. Composter. Ce qui serait plus que nécessaire pour son potager. Bernard avait installé un petit récipient dans la cuisine et un grand bac à déchets organiques dans le jardin, à côté des autres, qu'il avait bien évidemment collés le plus près possible des voisins, à moins de deux mètres de leur clôture commune. Jusqu'à présent, quand il cuisinait du poisson, Bernard était heureux de jeter ses restes dans la benne, qu'il oubliait malencontreusement de refermer : les odeurs de poiscaille, il n'y avait que ça de vrai pour souder l'amitié et le respect entre voisins. Il avait les mêmes espoirs concernant sa poubelle à compost, mais il découvrit rapidement qu'elle ne dégageait aucune odeur. Tant pis : il trouverait bien une autre façon d'enquiquiner les Dugrin.

Lorsqu'il continua à analyser ses déchets de la semaine, il se rendit compte qu'il y avait un nombre accru d'emballages plastique. Quelque chose ne tournait pas rond : il faisait des efforts, il était en train de changer la plupart de ses vieilles habitudes, et la pesée de fin de semaine aurait dû être un jeu d'enfant.

Il fulminait : il ne fallait pas se trouver sur son chemin. Ne parvenant pas à comprendre pourquoi sa consommation de plastique stagnait – voire augmentait –, Bernard décida d'inspecter avec minutie le contenu de ses poubelles. Comme il ne voyait rien à cause des sacs opaques, il finit par les déverser complètement dans sa cuisine.

Ce fut, bien évidemment, le moment que Brigitte choisit pour pénétrer dans la pièce afin de se débarrasser de son mouchoir. Découvrant son mari enseveli sous des montagnes d'emballages et aussi à l'aise qu'un poisson dans l'eau, Brigitte fit un pas en arrière, un air de dégoût sur le visage.

– Mais, Bernard, pourquoi as-tu mis toutes nos ordures par terre ? J'ai fait le ménage à fond hier ! Tu n'as aucun respect pour les autres ou quoi ?

– Comme tu y vas, Brigitte ! Ce n'est pas sale, justifia-t-il comme il put. Et je te ferais dire que ce sont aussi tes déchets. Sauf que Madame la princesse ne va pas s'abaisser à sortir ses poubelles.

– Ça, non. C'est la seule corvée dont tu es responsable, ce n'est pas demain la veille que je vais m'y mettre. Mais quand je vois le plaisir que tu prends à répandre tous ces trucs dans la maison, il va peut-être falloir que je reconsidère les choses.

Brigitte acceptait de se montrer compatissante, mais, là, il commençait à lui taper sur le système. Sans s'en rendre compte, Bernard continua à jeter de l'huile sur le feu.

– Ça ne te ferait pas de mal de savoir ce que tu jettes sans y penser ! Tu n'as aucune conscience écologique, ça se voit juste au mouchoir en papier que tu t'apprêtais à balancer. Tu sais, les choses que j'achète, elles ne sont pas pour la déco : l'objectif n'est pas de les posséder, mais de les utiliser, dit-il en sortant de sa poche son mouchoir en tissu.

Brigitte leva les yeux au ciel.

– Rendez-moi mon mari, murmura-t-elle, en tournant les talons.

Ce projet était une vraie calamité. Elle avait l'impression de retourner à l'âge de pierre ! Elle avait mis plus de vingt ans à convaincre Bernard de se débarrasser de ses anciens mouchoirs à carreaux, et voilà qu'il les forçait à faire marche arrière. Heureusement que Charlotte ne mettait plus de couches, sinon il aurait obligé Alice et Nicolas à repasser aux vieux modèles lavables.

– Tu sais, Brigitte, ce n'est pas pour rien que les sacs-poubelle sont opaques : tu aurais honte de regarder en face tout ce que tu y mets. Et le problème n'est pas tellement où vont nos déchets, mais plus encore comment ils ont été fabriqués : tu sais combien d'arbres ont été coupés pour les mouchoirs en papier et les emballages carton de tes produits de beauté ?

Brigitte ne comprenait plus. N'avait-il pas fini de la culpabiliser, elle qui le soutenait et qui ne faisait vraiment rien de mal ? En tout cas, rien de pire que tout le monde.

– Je croyais que tu en avais seulement après le plastique ? continua-t-elle. Et puis, je te trouve bien mal placé pour me donner des leçons de morale, dit-elle en pointant du doigt tous les emballages plastique issus des produits achetés sur Internet.

– Oui, mais c'est normal, c'est un investissement à long terme, bougonna Bernard, pris la main dans le sac.

Si une chose ne changeait pas, c'était la mauvaise foi de Bernard. Brigitte reprit de plus belle.

– Excuse-moi, j'ai du mal à comprendre la logique : tu commences ton projet « zéro déchet » par commander en ligne auprès de la pire multinationale au monde, recevant des cartons à gogo et des emballages plastique partout ? Et puis, tu admettras quand même l'ironie : pour consommer moins, tu te retrouves à acheter plus. Avais-tu vraiment besoin d'un filet à provisions comme ta mère ? On n'avait pas déjà plein de sacs réutilisables ? Je suis sûre que Marguerite avait des centaines de petits mouchoirs à nous donner, aussi. Les bocaux, je suis plutôt contente : c'est tendance, et c'est vraiment joli dans ma cuisine…

– Notre cuisine, rectifia Bernard, qui effectivement, depuis sa retraite, et plus encore depuis ce nouveau projet, avait été contraint à passer derrière les fourneaux.

Par la force des choses, ne trouvant pas dans le commerce de pâtes brisées ni de tartes toutes prêtes sans emballage plastique, il s'était mis à les confectionner lui-même. Sans Brigitte, juste avec son robot.

Et ta sœur, elle bat le beurre ?

Ne sachant que lui répondre, son épouse préféra quitter la pièce avant que ses paroles ne dépassent sa pensée, lui suggérant de ramasser au plus vite.

Bernard, qui, à force de jardiner et de courir les marchés et autres fermes biologiques, s'était enrhumé, éternua et sortit son mouchoir en tissu blanc – qui n'était pas du tout ringard, puisqu'on ne pouvait absolument pas voir la différence avec un jetable. Il se moucha, puis, dans un réflexe ancestral, balança le tout dans la poubelle.

– Et merde ! lâcha-t-il en se rendant compte de sa méprise. Brigiiiiiiite ! Quelle idée as-tu eue de choisir ces mouchoirs en blanc, on ne voit pas la différence avec... commença-t-il, accusant une nouvelle fois les autres de ses propres erreurs, avant de se souvenir que, pour cet achat, il avait été seul...

– Non, rien, ma chérie ! Je t'aime ! lâcha-t-il avant qu'elle n'accoure.

Bernard attrapait au vol toutes les ordures qui traînaient encore, lorsque soudain le sac-poubelle craqua, répandant l'intégralité de son contenu sur le sol, pile aux pieds de son épouse.

Brigitte poussa un cri :

– Tu commences à me courir sur le hari... Aaaaaah !!!

Par terre se trouvait l'origine du drame, l'origine de la surcharge pondérale de ses poubelles aussi. Cette fois, Bernard savait pourquoi elle s'égosillait : il avait jeté tous ses produits cosmétiques...

Étonnamment, Brigitte garda son calme et dit de la voix la plus posée du monde :

– Mais, mon pauvre Bernard, tu crois vraiment que tu vas sauver le monde avec ta brosse à dents en bambou et ton mouchoir en tissu ?

Bernard lui aurait bien répondu franchement, mais il manqua de repartie. Il se contenta alors de garder le silence et de tourner les talons avec dédain. Madame le bassinait depuis des mois à lui faire jeter ses vêtements de sa vie d'avant, à faire le tri dans leurs objets, à vivre de manière plus simple, mais il n'y avait plus personne quand il fallait renoncer à ses derniers petits luxes, comme la crème antirides ou le gommage corporel, pensa-t-il, amer. Bernard avait besoin de son soutien et elle ne comprenait décidément rien !

Il savait bien que la technique des petits pas ne sauverait jamais à elle seule le monde, mais il était cependant persuadé que, en refusant de consommer de manière irresponsable et en effectuant uniquement des achats durables, ils forceraient les entreprises à changer, et le gouvernement, frileux, à suivre. Il ne pouvait pas le parier, il l'espérait juste.

Bernard savait que, dans cette configuration triangulaire – entre les consommateurs, les entreprises et le gouvernement –, chacun attendait que l'autre bouge, se cachant derrière des excuses comme : « Je produis les objets que les consommateurs réclament » ; « Les consommateurs ne sont pas encore prêts. » Il voulait montrer que c'était faux, et que les consommateurs en avaient justement marre d'être pigeonnés.

Mais là où Brigitte avait raison était que, seul, avec ses petits pas, Bernard ne changerait jamais les choses. Même le colibri avait eu besoin que les autres animaux agissent avec lui. Alors lui vint une certitude : qu'elle le veuille ou non, Bernard allait continuer à essayer de faire tache d'huile autour de lui. Lui qui refusait l'idée de cautionner cette frénésie de surconsommation à l'approche de Noël, eut soudain l'idée du siècle.

– 43 –

Avoir les yeux plus gros que le ventre

Pour Noël, Alice et Bernard s'étaient mis d'accord sur un thème : *Déjouer les jouets*. Le beau-père avait enfin compris pourquoi Alice râlait chaque 25 décembre contre l'accumulation hystérique de cadeaux que chacun de ses enfants recevait. Ce que Bernard ne voyait toutefois pas, c'était que leur unique et petite chambre parisienne explosait déjà et que c'était toujours à elle de la ranger chaque soir.

Cette année-là, les autres membres de la famille avaient accepté de refuser les achats compulsifs du Père Noël : même les enfants étaient ravis à l'idée de recevoir des attentions personnalisées.

Les retrouvailles entre les grands-parents, l'arrière-grand-mère et les Parisiens furent très chaleureuses, plus que la météo, qui s'était mise enfin à l'heure d'hiver. Il faisait *un temps poulaire*, avait même constaté Paul.

Le midi du 24 décembre, alors qu'ils étaient à peine attablés, Marguerite remarqua tout de suite quelque chose d'anormal :

– Mais, pourquoi déjeunons-nous dans des assiettes à dessert, Brigitte ? demanda-t-elle, visiblement chagrinée.

– Bernard... Je te laisse répondre, botta en touche la maîtresse de maison, qui avait décidé de ne plus intervenir dans la nouvelle lubie de son mari.

– Oui, ça, c'est moi, se souvint-il en se levant soudainement. On mange trop, et surtout on a toujours les yeux plus gros que le ventre. Du coup, on en laisse la moitié dans l'assiette, et ça va directement à la poubelle, enfin, aux poules. Vous saviez que le gaspillage alimentaire est le 3e fléau de l'humanité ? Plus de 25 kilos sont jetés par personne chaque année, dont un quart encore emballé, car on a laissé passer la date de péremption ! Dire qu'il y en a dans le monde qui meurent littéralement de faim... conclut-il, pensif, avant d'avaler une bouchée de boudin à même la marmite.

– Et le rapport avec les petites assiettes ? s'impatienta Marguerite, en manipulant la sienne avec agacement.

Bernard, armé d'une louche, commença sa démonstration.

– J'y viens. Dans une plus petite assiette, on se sert moins, si on a encore faim, là, on peut en reprendre. On évite le gâchis, car ce qui a été préparé en trop sert de restes.

La vieille dame toussa soudain. Tous se retinrent de respirer, traversés par la même pensée : il ne fallait pas qu'elle casse sa pipe le jour de Noël, quand même !

– De restes ? reprit la vieille dame, après avoir bu son verre d'eau d'un trait. Tu n'as jamais toléré ça !

Marguerite avait bien du mal à croire que son fils pouvait changer.

– Il y a un début à tout, Maman.

– Oui, même manger dans des assiettes à dessert à 95 ans, fit-elle remarquer. On aura tout vu ! Et tu as trouvé cette idée tout seul, je suppose...

Bernard acquiesça fièrement avant de passer le plat de crudités à sa droite sans se servir.

– Prends donc des carottes, Bernard, lui conseilla sa femme. Ça rend aimable.

Bernard lui fit un sourire narquois avant de se débarrasser définitivement du saladier auprès d'Alice, qui répondit à sa belle-mère :

— Ça ne fait pas de magie, non plus, Brigitte...

Bernard ne prit pas la peine de relever. Sa relation avec le Dragon était plus courtoise : il ne fallait pas tout gâcher. Il observa son petit-fils, qui semblait apprécier son plat. Paul enfourna une plâtrée de gratin avant de recracher l'intégralité de sa bouchée devant les yeux interloqués de Marguerite. L'arrière-grand-mère détourna le regard et ne put s'empêcher de penser qu'à son époque jamais un petit n'aurait été autorisé à se comporter de la sorte.

— Je croyais qu'il n'y avait que les légumes verts qui ne passaient pas chez toi ? s'inquiéta Bernard.

— Non, mai'nant, cha passe. Ch'est pas cha, répondit-il du mieux qu'il put.

Il but un grand verre d'eau et expliqua :

— Ch'crois que ch'ai perdu une dent, déclara-t-il en souriant largement pour laisser aux autres le soin de confirmer.

Il y avait effectivement une incisive de moins à l'étage, côté balcon. Lorsque le jeune garçon se mit à gratter la bouillie de son assiette du bout des doigts, Marguerite quitta définitivement la table. Même Charlotte prit un air pincé.

— Tu es vraiment trop dégoûtant ! Qu'est-ce que tu fais ? Tu vas nous couper l'appétit, lâcha-t-elle écœurée.

— Mais tu vois bien que je cherche ma dent. Comment elle va faire, sinon, la petite souris pour me laisser une pièce ?

— Mais, mon Dieu, qu'il est bête ! soupira Charlotte, qui, toujours plus maligne que son frère, ne croyait pas plus en la petite souris qu'au Père Noël.

Alors qu'ils avaient terminé de déjeuner, Paul et Charlotte foncèrent dans le grenier chercher les albums de Tintin qu'ils finissaient toujours par redescendre au salon, sans manquer de se chamailler bruyamment sur le titre qu'ils désiraient lire. Pendant ce *temps calme,* à défaut d'avoir des enfants sages comme des images, les adultes étaient *relativement* tranquilles.

— Qui veut un espresso après ce succulent repas ? demanda Bernard après avoir repris deux fois du riz au lait de coco qu'il avait préparé lui-même.

Personne ne répondit. Les mines n'étaient pas réjouies : il se demanda si la faute en revenait au dessert, à peine touché dans les assiettes, ou à la perspective d'un café qui allait leur retourner un peu plus l'estomac. Brigitte intervint.

— Tout le monde, je pense. Donc ça en fait cinq. Tu veux un coup de main, mon chéri ? proposa-t-elle gentiment.

— Non, ça va aller, déclina celui-ci. Pour une fois qu'on prend tous la même chose... lança Bernard. Il ne lui avait pas échappé qu'Alice n'avait pas touché au plat principal.

— Vous n'oublierez pas de mettre une goutte de lait pour moi, précisa Alice, sentant que la pique lui était destinée.

— Et de rapporter le sucre, continua Nicolas.

— Quelqu'un aurait-il une pièce d'un ou deux euros ? chuchota Alice en inspectant son porte-monnaie. Je n'ai qu'un billet...

Dans la cuisine, Bernard attrapa le plateau, puis il se retroussa les manches : il allait faire le café, *littéralement.* Il avait revendu sa machine à capsules et avait investi dans un percolateur. Le goût obtenu était sans commune mesure avec le jus de chaussette de la cafetière de Marguerite et bien supérieur à celui qu'offrait son précédent appareil.

Lorsqu'il revint, dix minutes, plus tard, Nicolas ne put s'empêcher de se moquer.

— Tu es parti chercher toi-même les cosses de café au Brésil ou quoi ? *El Gringo !*

— Vas-y, fiche-toi de moi, mais je suis très content de ma nouvelle acquisition, précisa le grand-père.

Face à cette nouvelle, tous lui lancèrent un regard curieux.

— Ton ancienne ne fonctionnait plus ? s'inquiéta Marguerite.

— L'obsolescence programmée commence par me sortir par les trous de nez, lâcha Alice, qui se méprenait sur la raison de ce changement.

— Non, elle marchait encore, mais je l'ai revendue sur le Bon Coin. J'en voulais une qui ne pollue pas à chaque tasse, déclara-t-il devant sa mère le plus simplement du monde.

Le revirement de son fils n'échappa pas à la vieille dame.

— Dire qu'il n'y a même pas deux mois tu voulais m'offrir ta machine à dosettes ! Tu changes d'avis comme de chemise, Bernard, fit-elle remarquer, amusée par le peu de cohérence de son fils.

— Un *vero espresso italiano !* mima Bernard avec les mains. Café biologique en plus. C'est grâce à Paul, ajouta-t-il, en le regardant tendrement.

Le petit garçon, qui était revenu du grenier, vint se blottir dans les bras de son grand-père, puis lui demanda :

— Et ton café, tu l'as pris en vrac, je suppose ?

— En quoi ? se redressa Bernard, pris au dépourvu.

Dans sa tête, il faisait le compte des derniers changements qu'il avait déjà effectués en un mois, et son petit-fils lui montrait, en une question, qu'il était encore sur la touche.

— Tu ne l'achètes pas en sachets, hein ? Mais en grains, que tu mets dans tes bocaux… précisa Paul.

Les bocaux ! Pour le moment, il ne leur avait trouvé d'autre utilité que d'y mettre ses ustensiles de cuisine, et ça donnait un certain cachet à sa crédence, mais il se disait bien qu'il avait dû louper un détail.

— Pas encore, avoua-t-il. Mais, dis-moi, les autres participants, eux, ils utilisent leurs bocaux ?

— Bah, oui, Papy. Pour les pâtes en vrac, le riz, le chocolat en morceaux, les pistaches de l'apéro, les céréales du matin, le café...

Brigitte, qui s'était pourtant juré de ne pas intervenir, ne put s'empêcher de commenter :

— Ils ne se sont sûrement pas contentés de les acheter, le taquina-t-elle, en représailles de leur conversation passée.

Les jambes coupées, Bernard se laissa tomber dans son fauteuil. Tout ce qu'il faisait n'était jamais assez !

Après quelques minutes, Bernard rapporta les tasses de café à la cuisine. Lorsqu'il revint au salon, il retrouva chacun captivé par diverses lectures : Paul lisait *Les Cigares du pharaon* pendant que Charlotte était plongée dans *Le Secret de la Licorne*, Marguerite et Alice faisaient les mots fléchés du *Figaro*, Brigitte lisait son magazine *L'Ami des jardins* et Nicolas feuilletait un petit cahier d'exercices que son père ne reconnut pas immédiatement. C'était pourtant l'un des cadeaux que ses anciens collègues lui avaient faits lors de son pot de départ.

Nicolas s'arrêta avec attention sur une page en particulier. Bernard se pencha par-dessus son épaule, s'assit dans son fauteuil avant de se moquer de son fils :

— *Petit cahier d'exercices pour la retraite* : tu t'instruis ?

— C'est à toi, je te ferais dire. Et c'est assez intéressant, ajouta Nicolas, en reprenant aussitôt avec concentration sa lecture.

Lui qui venait de démissionner, n'était pas contre glaner quelques conseils pour gérer au mieux un changement de vie radical.

Bernard l'aurait bien taquiné plus, mais deux raisons l'en empêchaient : la première, il était sincèrement inquiet pour l'avenir de son fils ; la seconde, Brigitte lui avait intimé l'ordre de ne pas insister avec ses questions pratiques du genre « As-tu enfin trouvé ce que tu vas faire de tes journées ? ». D'autant que Nicolas avait l'air serein, pas le moins du monde stressé par cette situation précaire. Noël devait rester Noël.

Marguerite, qui avait terminé sa grille en un coup de cuillère à pot, releva la tête et observa son fils : elle avait quelque chose sur le bout de la langue, mais ça ne lui revenait plus. Comme un vieux diesel, elle pouvait être longue au démarrage. Soudain, elle se souvint :

— Tu sais que tu as encore le droit de faire appel à moi. J'ai quelques mouchoirs, bocaux, filets à provisions, que je peux te passer. Je sers à ça aussi…

Elle était très sérieuse. Bernard se rendit compte que Marguerite était comme Monsieur Jourdain : écolo sans le savoir. Ou alors la mère avait juste plus de bon sens que le fils…

— Allez, laisse-moi le fauteuil près de la fenêtre, continua-t-elle. Ça va être l'heure pour mon copain le rouge-gorge : il vient toujours me dire bonjour après le déjeuner.

En lui cédant le siège convoité sans moufter, Bernard se fit la réflexion que, malgré la consommation croissante et la technologie de pointe qui entrait dans tous les foyers, elle était restée égale à elle-même toutes ces années. Sa mère n'avait pas perdu les valeurs qu'elle lui avait inculquées toute son enfance.

Depuis toujours, Marguerite coupait le son des publicités à la télévision pour ne pas être tentée, elle ne jetait jamais un vêtement, mettant un point d'honneur à repriser – elle avait trop de respect pour le tissu qu'elle avait travaillé avec minutie toute sa vie, en tant que couturière chez les grands noms de la haute couture française. Cette « petite main », comme on disait autrefois, était immanquablement apprêtée, soignée : jamais elle ne serait sortie de chez elle négligée, sans un foulard autour du cou. Ni sans son cabas Tati qu'elle trimballait au marché ou chez les commerçants du coin, ne fréquentant jamais les hypermarchés. Marguerite avait inlassablement insisté pour que l'on coupe l'eau sous la douche en se savonnant, que l'on éteigne la lumière en sortant d'une pièce, que l'on porte ses habits deux jours de suite. Elle était la spécialiste pour cuisiner la juste quantité de nourriture dont ils avaient besoin avec Eugène, et s'il y avait des restes, c'est qu'elle l'avait décidé : elle confectionnait alors une tarte à la viande ou des boulettes, qui étaient devenues les plats préférés de Bernard. Chez eux, ils portaient de gros pulls et mettaient le chauffage bas. Ils n'étaient pas des activistes écologiques, mais refusaient le gaspillage.

Bernard réfléchit à la proposition de Marguerite et commença à faire le compte de tous les aliments – farine, sucre, lentilles, compote, miel – qu'il allait pouvoir stocker dans ses bocaux. Il ne les avait pas encore utilisés que déjà il savait qu'il n'en aurait jamais assez.

Observant le rouge-gorge aux côtés de sa mère, il posa la main sur son épaule avant de lui dire :

– Je ferai un saut chez toi la semaine prochaine, Maman, pour récupérer quelques vieilles affaires à toi. Merci de me l'avoir proposé.

Laissant un sourire illuminer son visage, la vieille dame ajouta :

— Ce serait dommage de ne pas réutiliser ce qui peut encore servir... Sauf si tu as peur de ne plus pouvoir te moquer de ta vieille mère, une fois que tu feras comme elle ?

Bernard l'embrassa sur la joue. Marguerite reprit :

— C'est aussi ça, la transmission des valeurs. L'héritage. Ne dit-on pas que c'est dans les vieux pots que l'on fait les meilleures confitures ?

– 44 –

À la guerre comme à la guerre

Le soir même, à l'initiative de Bernard, la famille avait ingurgité pour le réveillon un nombre plus restreint de plats : seulement cinq ! Purée maison à la truffe, marrons chauds, chapon farci aux figues, compote de pommes et bûche confectionnée par les soins de Brigitte. Une fois la table débarrassée, ils se réunirent autour d'un énorme puzzle : c'était la tradition en attendant le Père Noël – ce qui pouvait s'avérer long jusqu'à minuit.

À la lumière tamisée de quelques bougies et lampes d'appoint, les enfants comme les adultes assemblaient les 500 pièces d'une reproduction d'un tableau d'Auguste Renoir. Marguerite, qui avait fait ça toute sa vie, n'avait pas besoin de beaucoup de concentration : seulement de ses lunettes. Elle en profitait toujours pour raconter à ses arrière-petits-enfants, très attentifs, des anecdotes croustillantes.

Paul et Charlotte avaient immanquablement de multiples questions à poser à leur arrière-grand-mère, qui, si elle était ravie de se remémorer de vieux souvenirs, n'aimait pas être interrompue.

Marguerite, plus élégante que jamais, parée de ses atours de fête, retournait les pièces avec une rapidité qui déconcertait les plus petits. Le regard concentré, elle évoquait les différentes époques qu'elle avait connues.

– Pendant la Grande Guerre, tous les hommes furent réquisitionnés. Les femmes de la famille, elles, comme ma mère, attendaient avec angoisse les lettres, qui étaient rares, et pas toujours porteuses de bonnes nouvelles. Alors, pour que les combattants n'aient pas froid, car elle savait que la mort, ça s'attrape par là, votre arrière-arrière-grand-mère tricotait des chaussettes pour le front.

Paul leva les yeux vers son arrière-grand-mère, balaya du regard les différents membres de sa famille : personne, sauf lui, ne semblait choqué.

– Des chaussettes pour le front ! Mais c'est bizarre, lâcha-t-il, dubitatif, ne comprenant pas l'utilité d'avoir une chaussette accrochée en haut du crâne.

– Arrête de me couper la parole à chaque phrase, le sermonna l'arrière-grand-mère, qui ne voyait pas où il y avait lieu de s'offusquer.

Paul se tut, très intéressé d'entendre la suite : Marguerite passa d'une époque à une autre.

– Ensuite, pendant la Seconde Guerre mondiale, ce fut Eugène, mon mari, qui fut envoyé au camp de travail. Ce n'était pas facile, alors il cherchait à s'enfuir. Mais il savait que, s'il se faisait attraper, cela pourrait très mal finir. Combien de morts à cause des gaz ? Tiens, tu as un coin, là, Paul. Donne-le-moi, demanda l'arrière-grand-mère en positionnant la pièce du puzzle.

– Il y avait des morts à cause des gaz à effet de serre ? interrogea Paul, très concerné.

– Non, ce n'étaient pas tout à fait les mêmes, malheureusement ! répondit Nicolas, en souriant à Alice.

– Donc, je disais… reprit Marguerite. Finalement, Eugène, quand il est sorti de prison en 1944…

À la guerre comme à la guerre

– En prison ? Il avait tué qui ? s'inquiéta Charlotte d'avoir des criminels dans sa famille.

Marguerite soupira, laissant à Nicolas le soin d'expliquer.

– Non, ils l'avaient attrapé dans le maquis, commenta-t-il, sans prendre la peine d'entrer dans le détail d'une désertion.

Du coup, Paul eut besoin d'éclaircissements.

– Comme au restaurant japonais ? demanda-t-il.

Alice et Nicolas se regardèrent, atterrés : ils se rendaient compte que, à avoir des enfants connaissant mieux les makis, sashimis, yakitoris que les aubergines, courgettes et potirons, ils avaient peut-être raté quelque chose dans leur éducation.

– Non plus, comme « caché dans la forêt », corrigea Alice.

– Bref… enchaîna Marguerite en s'éclaircissant la voix, sérieusement agacée d'être interrompue, car les souvenirs lointains ne lui étaient pas accessibles sur commande.

L'éclairage s'éteignit soudain. Seules les bougies dans les photophores garantirent un soupçon de lumière. Les enfants échangèrent un regard excité, comme si la magie de Noël commençait déjà.

– Qu'est-ce qui se passe ? C'est le Père Noël ? Il est en avance ? interrogea Paul.

Brigitte, qui n'avait pas connu de coupures depuis des années, suspecta immédiatement le dernier changement en date initié par son mari.

– Non, je pencherais plutôt pour le nouveau fournisseur d'électricité durable de ton grand-père, dit-elle. Papy a décidé de sponsoriser uniquement des énergies renouvelables. Donc, le vent qui souffle et le soleil qui chauffe sont nos meilleurs employés, mais peut-être que, un soir de Noël, ils font grève…

Bernard la disputa.

– Tu vas arrêter d'être mauvaise langue : le changement ne se fera qu'à partir du 1er janvier. Qu'est-ce que tu peux être réfractaire, toi, constata-t-il.

– Excuse-moi de ne pas toujours comprendre la logique de vivre comme la famille Ingalls...

Brigitte était tout sauf opposée aux changements. Elle avait accepté sans trop rechigner la brosse à dents en bambou, le dentifrice non moussant, le pain dermatologique, entre autres. Mais il y avait des limites, quand même. Car, avec son mari, il fallait toujours se méfier : une surprise pouvait en cacher une autre, et elle n'était pas loin d'imaginer qu'un jour il leur proposerait de se séparer de leur frigidaire, de leur portable ou d'Internet.

Équipé de sa lampe frontale spéciale taupes, Bernard décida d'aller voir dehors si cela concernait tout le quartier, ou uniquement leur maison. Il en profita pour nourrir les poules avec les restes des légumes de Noël : elles aussi avaient bien le droit de réveillonner.

Le vent s'était levé et il avait du mal à marcher droit. À moins que ce ne soient les flûtes de champagne qui lui étaient montées à la tête.

Alors qu'il trottait pour se mettre à l'abri, Bernard tomba sur son voisin, qui remplissait sa poubelle marron de vaisselle en plastique.

– Le réveillon fut bon ? lui demanda M. Dugrin.

Sans prendre la peine de lui répondre, Bernard l'interrogea :

– Vous non plus vous n'avez plus d'électricité ?

– Oui, c'est toute la ville, je pense. Il fait tellement froid que les gens ont poussé leur chauffage à fond, et bam ! Il n'y en a pas assez pour tout le monde, déclara-t-il, suffisamment réchauffé pour se trimballer en tee-shirt dehors.

À la guerre comme à la guerre

Bernard éternua. Malgré ses deux pulls, on ne pouvait pas dire qu'ils avaient bien chaud dans sa maison : même en hiver, il avait mis le thermostat au plus bas. Tant pis pour les belles robes de réveillon d'Alice et de Brigitte. Bernard salua son voisin, qui n'en avait pas fini avec lui.

– De toute façon, le temps se dérègle. Qu'est-ce qu'on peut y faire ? Rien, conclut M. Dugrin en balançant son mégot de cigarette côté rue.

Le moral de Bernard était retombé dans ses chaussettes. Il avait envie de crier : « Mais tout, on peut encore tout faire pour éviter la catastrophe ! »

Comment pouvait-on être si résigné ? Et surtout si stupide à alimenter le réchauffement sans s'en rendre compte ?

Lorsqu'il apparut sur le pas de la porte, Bernard était abattu. Il déclara d'une petite voix :

– Ça souffle dehors. Et pour info, tout le quartier est plongé dans le noir. Donc, on arrête d'accuser mon éolienne…

Alice lui sourit. Bernard eut un mouvement de recul : il se méfiait du Dragon qui dort.

– Je crois qu'on peut faire des excuses à Bernard. D'ailleurs, j'aimerais vous féliciter de ne plus cautionner les centrales nucléaires, commenta-t-elle.

Alors que, devant la réaction d'Alice, Bernard ne sut quoi répondre, Marguerite, qui trépignait depuis de longues minutes, reprit son récit.

– On ne va pas se laisser abattre par une coupure d'électricité. On a connu pire pendant la guerre, embraya-t-elle. Donc, Eugène, mon mari, s'était réfugié dans le maquis, car il était résistant.

– Tout le monde était résistant ? demanda Charlotte.

– Non, répondit l'intéressée.

– Pourquoi ? s'interrogea Paul.

– C'est vrai qu'avec le recul on se demande comment on a pu laisser faire ça, répondit Alice.

Tous restèrent silencieux un instant. À l'unique lumière des bougies, il était devenu difficile de progresser sur l'assemblage du puzzle.

– C'était un peu un super-héros, alors, Eugène ? demanda Charlotte.

– Oui, en quelque sorte, répondit Nicolas, qui savait que sa fille risquait cependant d'imaginer son arrière-grand-père en Spiderman plutôt qu'autre chose.

– Et nous aujourd'hui, tu crois qu'on serait résistants ? interrogea Paul.

C'était une très bonne question, à laquelle Bernard répondit comme il put :

– Il n'y a pas de guerre, alors c'est difficile de savoir. Ce n'est pas si évident de refuser les choses qu'on t'ordonne, d'oser dire non. Il faut du courage, de la ténacité aussi.

Soudain, Bernard revécut toutes les fois où ces dernières semaines on l'avait pris pour un fou à refuser ses reçus de Carte bleue, à délaisser un appétissant bout de fromage, car il n'existait que des morceaux suremballés, à s'abstenir d'étancher sa soif parce qu'il avait oublié sa gourde, à se contenter de pain dur et d'un œuf de ses poules afin de ne pas gaspiller...

Avec le recul, beaucoup s'étaient demandé comment les collabos avaient pu laisser faire et, pire, participer. Mais Bernard eut alors la conviction que la même situation était en train de se répéter et que ses enfants et petits-enfants finiraient par exiger des comptes : comment avez-vous pu laisser faire ça ? Comment avez-vous pu ne rien dire face à la destruction de la planète ou à la disparition progressive de chaque espèce ?

« On ne savait pas » sera notre excuse ? Mais aujourd'hui on sait et on ne fait rien, pensa Bernard.

La liberté consiste à pouvoir faire tout ce qui ne nuit pas à autrui – d'après l'article 4 de la Déclaration des droits de l'homme. Bernard, lui, avait le sentiment de faire de son mieux pour ne pas être coupable de crimes contre la planète. Mais Dugrin ? Et les autres ? Comme certains présidents qui laissent tout faire ? Comme certains patrons qui mentent sur les conséquences de leurs décisions ? N'étaient-ils pas nuisibles à l'humanité entière ? Pourtant, on ne leur reprochait rien. Ils étaient libres. Libres de profiter, de gaspiller, de détruire et de piller.

Alors qu'Alice somnolait sur son coude, Bernard se redressa vivement. Eurêka, il avait trouvé ! Il savait pourquoi il était aussi acharné à propos du projet de Paul : il menait un véritable combat. Il était intimement convaincu que tous ces petits pas étaient à faire. Il sentait qu'il était devenu un résistant des temps modernes. Un Jean Moulin de l'écologie.

– J'ai quelque chose à vous annoncer, lâcha Bernard.

Les mots lui sortaient de la bouche, sans qu'il ne les contrôle plus. Au même instant, Nicolas l'interrompit :

– Attends, Papa. Pour une fois qu'on est tous réunis, et que la lumière est assez basse pour qu'on soit tous beaux, se moqua-t-il, on va faire une photo de famille.

Nicolas installa le retardateur de son appareil et commença le décompte.

– Et ça va sûrement faire venir le Père Noël, vu l'heure. La pendule affichait 23 h 55.

– Trois, deux… continua-t-il.

Bernard, excité et obnubilé par ses pensées, n'attendit pas la fin et décréta haut et fort, au moment où le flash les éblouit tous :

– J'en ai fini avec le zéro plastique !

La photo saisit le malaise. Ils avaient des airs estomaqués : comme des lapins pris dans les phares.

Les yeux de Paul s'embuèrent aussitôt de déception. Brigitte, elle, était surprise, pas forcément triste : elle souhaitait seulement récupérer enfin son mari, pas l'ayatollah avec lequel elle partageait son quotidien depuis quelque temps.

Bernard se leva et la main sur le cœur, du mauvais côté, déclara :

– J'arrête donc le zéro plastique. Je passe au zéro impact sur l'environnement : pas seulement zéro plastique, mais zéro déchet, et aussi 100 % local, bio, zéro voiture, zéro avion… Je vais essayer de vivre en *faisant plus de bien que de mal* à la planète. Je ne sais pas si c'est possible, mais au moins j'aurai essayé.

Brigitte sentit la partie inférieure de sa mâchoire se décrocher. Marguerite et la petite Charlotte se tenaient la tête entre les mains, en dodelinant d'un air de dire « C'est pas vrai ! ». Alice et Nicolas se regardèrent en écarquillant les yeux. Personne n'entendit les douze coups de minuit résonner au clocher. Seul Paul bondit sur ses courtes jambes avant d'ajouter :

– C'est super ! Tu vas carrément plus loin ?

– Oui, parce que, moi aussi, comme mon père, je veux être résistant et que, quand on a des voisins comme les Dugrin, on n'a pas le choix : il faut mettre les bouchées doubles.

– *Impossible n'est pas français !* s'enthousiasma de nouveau le petit garçon.

À la guerre comme à la guerre

Sonnée, Brigitte se leva. Elle n'attendit pas que les cadeaux fussent ouverts et alla se coucher. Elle n'en demandait pas tant à Bernard : juste qu'il fasse plus de bien que de mal *au sein de sa famille*. Mais lui ne comprenait toujours rien. À la retraite, tout change et on a le droit de se redéfinir. Cependant, il faut que chaque conjoint valide la nouvelle lubie de l'autre, sous peine de voir le couple exploser en vol. Bernard, lui, ne demandait jamais son avis à son épouse, alors qu'il était toujours le premier à l'embarquer dans de nouvelles galères. Il dépassait les bornes.

Lorsqu'il se coucha, Bernard voulut se réconcilier avec Brigitte, qui dormait depuis longtemps déjà. Elle avait dû prendre un cachet.

Il avait à peine fermé les yeux que, pour la première fois depuis quatre mois, il s'endormit du sommeil du juste. Maintenant qu'il avait décidé de tenter de faire tout ce qui était possible, il se sentait soulagé. Comme le colibri.

À défaut d'être en paix avec sa femme, il l'était avec sa conscience. Et cela n'avait pas de prix !

– 45 –

Tant va la cruche à l'eau

Le lendemain matin, tout le monde tirait une drôle de tête. Brigitte était muette comme une carpe avec son mari, mais volubile avec les autres. Bernard ne savait pas très bien si elle lui en voulait pour quoi que ce soit. Les Parisiens trépignaient à devoir rester enfermés puisqu'il pleuvait à verse dehors, et Marguerite, égale à elle-même, n'était pas expansive : c'est donc que tout allait bien.

Bernard, cependant, était, lui, particulièrement vexé et très déçu par les réactions de sa famille suite à ses petits cadeaux de Noël. Il se serait attendu à bien plus d'enthousiasme de leur part, en découvrant que, pour la première fois de son existence, le jeune retraité n'avait pas délégué la tâche à Brigitte et s'était cassé la binette à leur faire des présents sur mesure.

En ouvrant leurs pochettes en tissu – Bernard avait interdit à Brigitte d'utiliser des papiers cadeaux classiques –, Alice, Nicolas, Marguerite et les petits avaient plutôt eu l'air circonspects. Comme si recevoir un kit de zéro déchet complet ne les avait emballés que moyennement.

Bernard ne comprenait pas pourquoi tous ne s'étaient pas extasiés devant la brosse à dents en bambou magnifique et toute douce – il en avait essayé quelques-unes avant de trouver celle qui ne lui irritait pas l'intérieur de la bouche –,

287

des disques démaquillants réutilisables, des gourdes, des mouchoirs en tissu – blancs pour éviter toute ringardise –, des bocaux, des sacs à pain en tissu, des contenants en verre pour le marché, des filets à provisions, et des livres, plein d'ouvrages sur le concept « zéro déchet », l'importance de la sobriété ou encore le retour vers la simplicité.

C'est qu'ils n'avaient pas dû mesurer les efforts que cela lui avait demandés pour réunir ces présents indispensables.

Bernard avait dépensé sans compter. Il avait hésité à équiper sa belle-fille Alice en protections intimes lavables, mais s'était dit que cela pourrait attendre son anniversaire.

Il était assez fier de lui, alors, forcément, plus dure fut la chute. En ouvrant les pochettes, le silence s'était fait. Tous avaient cherché le « vrai » cadeau. Si Alice avait été enthousiaste à l'idée que sa famille reçoive des objets de seconde main ou des expériences dématérialisées, elle – ni personne – ne s'était imaginé recevoir des cadeaux « pratiques », surtout de la part de Bernard.

Une année entière à bien se comporter ne pouvait pas se résumer à obtenir du Père Noël une gourde ! Charlotte avait ouvert de grands yeux sceptiques en découvrant la sienne : certes agrémentée d'un sticker de Spiderman ajouté par son grand-père, mais quand même. Elle qui avait demandé pour Noël à passer plus de temps avec son père aurait mieux fait d'y réfléchir à deux fois.

Heureusement pour la famille et la crédibilité du Père Noël, Brigitte avait rattrapé le coup avec de nombreuses attentions, validées « durables » par son mari : des places de théâtre pour Marguerite, des tickets de concert pour Alice et Nicolas, et tout l'attirail du parfait cuisinier et du parfait jardinier pour leurs petits-enfants.

Seul Bernard avait semblé ravi de son cadeau : une yaourtière ! Il fallait dire qu'il avait passé commande quelques jours auparavant, en parcourant son nouveau catalogue fétiche : Le Bon Coin.

Une chose était certaine : Bernard était plus heureux. Mais, les autres, pas sûr...

– 46 –

Tu m'en diras tant !

Nicolas, Alice et les enfants, qui étaient restés quelques jours, étaient rentrés à Paris pour fêter le Nouvel An avec des amis. Bernard et Brigitte avaient invité Jean-Marc, sa compagne Séverine, ainsi que Marguerite. Ils avaient passé une soirée tranquille et, à minuit trente, ils étaient déjà dans les bras de Morphée.

Au premier jour de l'année, Bernard enfourcha sa bicyclette pour aller faire les commissions. Maintenant qu'il avait déclaré vouloir faire zéro impact sur l'environnement, le vélo était son nouveau meilleur ami. Mais, par un temps aussi froid et humide, il sentait qu'il allait finir par attraper la mort.

Bien évidemment, il l'avait oublié, mais la plupart de ses commerçants habituels étaient de repos en ce jour férié. Il parcourut la ville en long et en large avant de se rendre à l'évidence : il ne trouverait pas son bonheur. Il fit alors demi-tour, bredouille, la goutte au nez.

Sur le chemin du retour, Bernard fut pris d'une soif insatiable, et pas de gourde pour l'étancher. Au fur et à mesure que sa bouche s'asséchait, une idée fixe le hantait : on pouvait mourir par manque d'eau. Surtout les vieux, d'ailleurs, se rappela-t-il, songeant aux recommandations de son fils, qui l'avait appelé quelques mois plus tôt en le sommant de bien s'hydrater.

– Mais je n'achèterai pas de bouteille en plastique, se motiva-t-il lui-même. Plutôt mourir ! Heu… peut-être pas quand même.

À ce moment-là, Bernard en vint à se demander s'il fallait vraiment se sacrifier pour protéger l'environnement : ma vie contre celle de la planète ?

Il ne pouvait pas non plus occulter la canicule de 2003 et les dizaines de milliers de décès prématurés à cause de la chaleur. Sa tête se mit à tourner, et il se rendit compte que c'était lui qui tournait au ridicule.

Il était d'accord pour tout réapprendre : il était prêt à parcourir une plus grande distance pour trouver les bons produits, il était résolu à changer la plupart de ses habitudes, mais, il s'en rendait compte, jusqu'à présent, il n'avait pas eu à devoir remettre à plus tard un besoin vital.

Lui qui avait toujours aimé pianoter sur sa calculatrice, commençait seulement à percevoir qu'entre nos désirs insatiables et les ressources limitées, il y avait un truc qui ne collait pas.

Bernard avait fait une belle leçon de morale à Brigitte, lui expliquant que la question la plus importante n'était pas où allaient nos déchets, mais quelles ressources avaient été épuisées, quelle distance avait été parcourue pour fabriquer les produits de notre confort quotidien.

Il devait se rendre à l'évidence : cette bouteille en plastique, il l'utiliserait dix minutes maximum, alors qu'un effort cent fois plus grand avait sûrement été nécessaire pour la mettre entre ses mains.

Il se résolut donc : une petite, comme une grande, soif pouvait bien attendre quelques minutes. Et puis, c'était sa faute : il n'avait qu'à se souvenir d'emporter sa gourde avec lui.

Lorsqu'il arriva enfin à la maison, Bernard courut jusqu'à l'évier de la cuisine, faisant dégouliner l'eau le long de sa joue. Brigitte le regarda d'un air fatigué : son mari faisait vraiment n'importe quoi, et ça ne s'arrangeait pas avec la nouvelle année. Il s'essuya au torchon, s'apprêtant à lui raconter ses mésaventures, quand ses yeux butèrent sur un objet jeté dans un sac-poubelle opaque. Une bouteille en plastique.

Il pouvait y mettre ses deux mains à couper : elle n'y était pas le matin même. Lui qui était maintenant Monsieur « déchet », savait à la perfection ce qui entrait et sortait de ses sacs, et cette chose-là, c'était :

– Interdit ! rappela Bernard en sentant que la colère montait en lui.

– Calme-toi, le retint son épouse.

L'ampleur de la soif ressentie pendant qu'il pédalait comme un dératé lui revint en bouche. Sa honte d'avoir osé penser faire un écart aussi. Cela lui donna encore plus de ressentiment.

Bernard fronça les sourcils avant de reprendre.

– C'est toi qui ne te rends pas compte ou quoi ? Tu es avec moi ou contre moi ? Tu ne crois pas que c'est déjà assez dur comme ça d'être le seul à me priver, surtout quand on voit qu'il y a des imbéciles partout, mais là, Brigitte, c'est une trahison. Tu me plantes un couteau dans le dos.

– Arrête, Bernard, tu es ridicule, commenta-t-elle. Tu débloques complètement. J'espère au moins que tu en as conscience.

Bernard essayait tant bien que mal de se contenir, mais il laissa échapper :

– Toi, pendant la guerre, on sait dans quel camp tu aurais été.

C'était mesquin de sa part de lui dire ça, et il le savait. Il cherchait à la faire réagir, il espérait lui faire admettre qu'elle avait commis une erreur et qu'elle ne la ferait plus parce qu'elle avait décidé de le soutenir dans ce projet fou. Mais Brigitte garda son sang-froid.

– Bernard, inspire un bon coup, ça va aller mieux, reprit-elle.

Bernard maugréa, puis se mit à marmonner en comptant combien de poids cet écart allait ajouter à sa poubelle hebdomadaire.

Intérieurement, Brigitte s'efforça de pratiquer ses exercices de respiration pour ne pas tomber, elle aussi, dans l'agressivité. Elle continua d'une voix douce :

– Tu vas te rendre compte que l'on parle juste d'une petite bouteille d'eau.

– *Juste* une petite bouteille ? répondit-il sur un ton plus acerbe qu'il n'aurait voulu. Je rêve ! Tu ne comprends rien ou quoi ? Attends, je vais prendre ta *petite* bouteille et on va y glisser un *petit* message pour nos descendants dans à peu près 400 ans : « Désolée pour les tortues, j'avais soif ! »

– Tu es injuste, s'insurgea-t-elle, sentant que les larmes lui montaient aux yeux.

– Et toi, tu es égoïste. Je ne te comprends plus, lâcha-t-il.

– Comme ça, on est deux.

Ils se regardèrent, furieux, chacun sur ses positions, ne voulant pas faire un pas vers l'autre. Bernard frissonna, tourna les talons, avant d'éternuer bruyamment. À parcourir la ville à califourchon sur son vélo par un froid pareil, il allait finir par tomber sérieusement malade. Brigitte continua de le fixer intensément, sans prendre la peine de déclamer son traditionnel « à tes souhaits ». Elle n'allait sûrement pas lui suggérer de faire comme bon lui semblait.

Brigitte le regarda, qui zieutait sa poubelle et sa balance, puis continua.

– Mais tu sais ce qui m'embête vraiment ? Parce que, après tout, ça te regarde si tu veux être ringard avec tes mouchoirs de vieux.

Elle laissa un silence gênant, qui paniqua un peu plus Bernard, avant de lâcher ce qu'elle avait sur le cœur :

– Ce qui m'horripile, c'est que tu nous imposes ce projet durable, alors que tu n'as pas la moindre conscience écologique. Tu le fais uniquement pour gagner !

– Ce n'est pas vrai, rétorqua-t-il, outré.

Ça l'avait été, mais ce n'était plus son moteur principal. Il avait fait du chemin. Brigitte expliqua le fond de sa pensée.

– Qui voulait, il y a quelques mois encore, acheter une décapotable ?

– Tu as bien vu que j'ai abandonné l'idée, la contredit Bernard. Ne sois pas de mauvaise foi. On a le droit de changer d'avis ou c'est interdit par Madame ?

Brigitte le regarda froidement, puis déclara :

– Tu es un écolo opportuniste !

– N'importe quoi ! Attends, qui s'enquiquine à jardiner au naturel, à n'acheter que des légumes et fruits bio depuis des *semaines* ? demanda-t-il sonné, alors que cela faisait des années qu'il critiquait Alice qui réclamait uniquement des aliments sains pour sa famille.

– Tu parles, pourquoi le fais-tu ? Sois honnête avec toi-même. Tu manges bio juste pour préserver ta santé. Tu fais attention à tout ça désormais, car tu vieillis et tu commences à avoir peur que ça te déclenche un truc.

– Et alors ? Ce serait mal ?

– Non, ce n'est pas mal, c'est un bon début, mais les vrais écolos, ils choisissent de consommer bio parce que ça a été cultivé de manière respectueuse pour l'environnement. Pas parce qu'ils ont peur de développer un cancer. Donc arrête de te mentir à toi-même, Bernard ! Tu es égocentrique, et ce n'est pas grave, je t'ai aimé comme ça. Mais fiche-moi la paix. Change-toi d'abord et, après, tu auras peut-être le droit de casser les pieds à tout le monde avec tes leçons de morale.

Bernard s'assit sur une chaise. Il savait qu'il avait évolué. Beaucoup de choses s'étaient passées en lui, mais apparemment elles restaient invisibles pour ses proches. Et que sa propre épouse ne le croie pas, ne le soutienne pas, le heurtait profondément. Pourtant, avait-elle tort de lui reprocher tout cela ? Il avait été comme ça. C'était peut-être à lui de montrer qu'il voulait sérieusement être une meilleure personne.

Brigitte se remplit un verre d'eau et poursuivit d'une voix sans agressivité :

— Bernard, tu as passé ta vie à courir, à être monomaniaque : avant, tu étais dévoué 100 % à ton travail, maintenant tu es 100 % focalisé autour de ce machin écolo. J'essaie de te suivre, crois-moi, mais j'ai du mal. En fin de compte, après quoi cours-tu ? T'es-tu déjà seulement posé la question ? Moi, je commence à avoir surtout l'impression que tu cherches toujours une excuse pour me fuir, pour être loin de moi. Tu ne m'aimes plus ou quoi ?

Bernard ne répondit pas : Brigitte avait tout faux. Bien sûr qu'il l'aimait toujours, mais il ne comprenait pas pourquoi elle n'était pas plus contente qu'il s'épanouisse dans ce nouveau projet après s'être morfondu pendant des mois. Il y prenait du plaisir, il était exalté certes, cependant il tenait sincèrement à faire les choses bien. Cela prouvait qu'il n'en avait rien à faire de finir premier ou vingtième à ce défi. Il aurait surtout aimé obtenir plus que des remontrances de la part de son épouse. Ce projet était en train de les séparer, il s'en rendait compte à présent.

Ils étaient sur deux longueurs d'onde différentes. Elle ne souhaitait qu'une chose : profiter enfin de son mari, alors que lui rêvait d'utiliser le temps qu'il avait désormais à disposition pour les autres. Tous les autres, pas seulement Brigitte.

N'obtenant pas de réponse à la question qui lui brûlait encore la gorge, Brigitte conclut d'une petite voix.

– Puisque tu ne tiens pas tant que ça à moi, je pars. Si tu ne veux pas m'accompagner dans mes voyages, je ne vais pas m'empêcher de vivre à cause de toi. Ne cherche pas à m'appeler, je n'ai pas prévu de revenir de sitôt. À mon tour de profiter, lâcha-t-elle, à regret. Seule. De toute façon, tu n'as plus besoin de moi pour la cuisine. Au revoir, Bernard.

Brigitte sortit de la maison en claquant la porte sous les yeux écarquillés de son mari. À quelle question, au juste, attendait-elle une réponse de sa part ? La fin de la discussion lui avait échappé, et elle aussi.

Sur le perron, Bernard observa, impuissant, la voiture rouge de Brigitte s'éloigner, attirant bien évidemment la curiosité de Mme Dugrin, qui ne put s'empêcher de venir fureter de plus près. La voyant arriver avec sa benne à ordures, droit sur lui, Bernard fit demi-tour, mais pas assez vite : il eut le temps d'apercevoir la vingtaine de bouteilles d'eau minérale qu'elle contenait. Et dire qu'il venait de se faire quitter par sa femme pour une simple 33 cl en plastique.

Pousser le bouchon un peu trop loin

Depuis leur mariage, Brigitte ne l'avait jamais abandonné ainsi. Cela faisait des jours que Bernard tournait en rond dans leur grande maison. Il touchait tous les objets, les replaçait, rangeait les quelques affaires désordonnées en se parlant à lui-même et venait se rasseoir sur le canapé, de son côté à elle.

Le regard de Bernard allait inlassablement de la porte d'entrée à l'horloge, mais cela ne la faisait pas revenir. Si tout de suite après leur dispute Bernard avait d'abord pensé se prouver qu'il n'avait pas besoin d'elle, qu'il saurait se débrouiller seul, il avait très rapidement commencé à paniquer en imaginant que, si elle avait eu le moindre accident, énervée comme elle était au volant de sa voiture, il ne pourrait assurément jamais se le pardonner. Il se rendait compte que, sans elle, tous ses efforts perdaient de leur sens. Rien ne valait plus la peine s'il était aussi malheureux. Ça ne servait à rien de se battre si ce n'était pas pour elle.

Lorsque Brigitte ne rentra pas le soir même, ni le lendemain, ni la semaine suivante, Bernard sut qu'il avait dépassé les bornes et comprit, pour la première fois de sa vie, non pas après quoi, mais après *qui* il avait envie de courir.

La perspective de sortir, aller faire les courses, cuisiner juste pour lui le mina plus encore. Il savait que ce projet lui tenait sincèrement à cœur et qu'il ne le faisait pas pour la compétition.

Depuis toutes ces années, Brigitte avait été habituée à l'absence régulière de son mari, mais, pour Bernard, c'était une autre paire de manches. La solitude, il ne s'y faisait pas.

Les premiers moments, pour tuer le temps, après avoir petit-déjeuné seul, s'être débarbouillé, constatant tout de même que sa femme était partie avec sa brosse à dents en bambou et son bâtonnet moussant, Bernard passa ses nerfs, et son inquiétude, sur son jardin.

On était en janvier, et il était temps de planter les semis qu'il avait bichonnés depuis l'automne. Toujours plus inquiet, Bernard ne voyait pas que, en arrachant certaines mauvaises herbes, il délogeait malencontreusement les futures fleurs de Brigitte.

Cela n'allait pas arranger la paix des ménages !

– 48 –

La vie n'est pas un long fleuve tranquille

Brigitte était partie depuis déjà deux semaines. Fuyant la solitude à laquelle il ne s'habituait pas, Bernard s'était réfugié chez sa mère. Seule Marguerite avait eu de ses nouvelles, auxquelles Bernard n'avait pas accès : son épouse avait d'abord assisté à un stage pour jeunes retraités, puis avait enchaîné avec un séjour chez les bonnes sœurs, où le silence était d'or. Elle avait, plus que jamais, eu besoin de faire le point.

Après lui avoir proposé de rester jusqu'au dîner pour partager sa soupe à l'oignon, Marguerite s'était mise devant son programme de l'après-midi et s'était assoupie. Plus que fatiguée, Bernard la trouva affaiblie, comme il ne l'avait jamais vue. Les mauvaises nouvelles n'arrivant jamais seules, il frissonna.

Désœuvré, Bernard déambula à travers l'appartement, qu'il ne connaissait pas si bien. Ce n'était pas la maison de son enfance, il n'avait jamais vécu ici, et il y avait très peu de souvenirs. Mais sa mère y était heureuse depuis plus de vingt ans, et c'était l'essentiel.

L'appartement, situé au premier étage d'un immeuble moderne, ne bénéficiait pas d'une grande luminosité, ni d'un soleil ardent l'été. Mais Marguerite l'avait désiré ainsi.

L'ambiance tamisée rappelait la coupure d'électricité survenue quelques semaines plus tôt.

Traversant les pièces les unes après les autres, Bernard redécouvrit des objets familiers, dont sa mère avait toujours pris soin. Certains dont il s'était moqué ouvertement pendant tant d'années et qui prenaient aujourd'hui une valeur particulière.

Ces bibelots avaient leur histoire et, plus que les lieux, c'étaient eux qui lui rappelaient de tendres moments en famille : le fameux moulin à café qui embaumait la cuisine tous les matins, la souris « attrape-miettes » qui l'avait tant amusé enfant, la canne-pince pour ramasser quoi que ce soit sans avoir à se baisser, les mouchoirs en tissu, tantôt fleuris, tantôt à carreaux, la pile impressionnante de gants de toilette, les couvertures en crochet tricotées main, l'éternelle machine à coudre avec son bruit si particulier, la cocotte-minute qui avait sifflé presque chaque jour sur le rebord de leur ancienne fenêtre, le presse-purée manuel, la râpe à gruyère vintage, qu'il s'amusait à démonter pour en faire un ustensile pour gauchers, alors que personne chez eux ne l'était, et la collection de petites cuillères de sa mère…

Marguerite avait développé au fil des années une cleptomanie ciblée pour les touillettes à café ou les petits couverts à dessert. Tous le savaient bien et chacun pensait toujours à rapporter un exemplaire unique des rares voyages passés à l'étranger. En tirant le tiroir qui leur était consacré, Bernard découvrit plus d'une centaine de cuillères, rangées sur le flanc, calées dans un réceptacle en mousse. Il en prit une et découvrit une petite étiquette collée au dos : Grand Hôtel Deauville. Sa mère avait pris le soin d'indiquer la provenance sur chacune, certainement plus pour eux plus tard… que pour elle – sa mémoire ne lui ayant jamais fait défaut.

La vie n'est pas un long fleuve tranquille

Bernard continua à parcourir seul l'appartement. Il pénétra dans la petite chambre à coucher et, en ouvrant les placards, qui sentaient la lavande, il fut saisi d'une grande émotion : là était posé le béret de son père. Le couvre-chef dont jamais Eugène ne s'était séparé depuis sa fuite dans le maquis, à tel point tel que Bernard était convaincu qu'il l'avait emporté avec lui dans sa tombe.

Mais il fallait croire que l'amour avait été plus fort, quelles que soient les anicroches que Marguerite et Eugène avaient pu avoir sur la fin, et sa mère n'avait apparemment pas pu se résoudre à se défaire de ce souvenir, qu'elle avait gardé précieusement caché, juste pour elle.

Il avait la chance de connaître l'histoire derrière chaque bibelot, mais se rendit soudain compte que, chez lui, son fils ne saurait pas faire de même. Il n'avait jamais pris le temps d'expliquer d'où venaient les rares objets importants pour lui.

Bernard entra alors dans la cuisine et attrapa sur une étagère un vieux cahier jauni par le temps, grossi de feuilles volantes. Il tenait entre ses mains le livre de recettes que les femmes de sa famille se transmettaient de génération en génération, annoté par toutes, et par Marguerite en dernier, dont il devinait çà et là l'élégante écriture, étirée vers le haut. Dans le carnet, on retrouvait la fameuse recette du *Parfait*, le gâteau au chocolat et au caramel beurre salé que seule leur famille cuisinait dans le monde, imaginait-il.

À la fin du cahier, Marguerite avait glissé des fiches par saison pour chaque aliment – ce que Bernard recherchait désespérément depuis des mois. On y trouvait notamment la recette du potage de potimarron dans laquelle il constata que l'ajout de fromage de brebis n'était pas mentionné. Une astuce qui ne se transmettait qu'oralement.

Lorsqu'il ouvrit le premier tiroir du salon, il tomba sur une feuille sur laquelle était griffonné au crayon à papier un schéma. Les noms, les dates, l'arborescence ne laissaient aucune place au doute : il s'agissait de l'arbre généalogique de leur famille. En le parcourant, Bernard se remémora certaines histoires que Marguerite leur avait racontées toutes ces années. Il se sentit fier de faire partie de cette lignée de travailleurs honnêtes. Marguerite avait pris le soin d'indiquer sous chaque personne son métier, ainsi que d'autres éléments qu'il ne parvenait pas à déchiffrer. Les noms les plus récents étaient, évidemment, Paul et Charlotte, mais il y avait encore beaucoup de place en dessous pour leurs propres enfants.

Quand Marguerite s'éveilla, le soir était déjà tombé. Ils dînèrent tôt et, en débarrassant la table, alors qu'il évoquait son désarroi après le départ de Brigitte, sa mère lui révéla un secret qu'elle avait gardé pour elle, comme un poids, pendant trop longtemps.

— Bernard, je vais t'avouer quelque chose que je ne t'ai jamais dit, commença-t-elle.

Son fils tressaillit. Il vivait beaucoup d'émotions fortes ces temps-ci et il n'était pas certain que son cœur tienne le coup bien longtemps.

— J'ai comme le pressentiment que je préférerais ne pas savoir… Tu me fais peur, reconnut-il.

Triturant ses mains, Marguerite inspira profondément avant de planter ses yeux dans ceux de son fils.

— Quand je suis arrivée à la retraite, en tête à tête avec ton père, j'ai fait un constat simple : à tout casser, il me restait 15 ans à vivre. Et si je ne savais pas exactement à quoi cela allait ressembler, j'étais certaine d'une chose : je ne voulais pas les gâcher. Ma nouvelle vie allait enfin commencer.

J'avais été prise par mon travail de couturière, par toi, par mon mari qui m'avait imposé un agenda militaire – tu le connais et tu ne me contrediras pas –, et je me suis rendu compte que, désormais, j'avais le droit de vivre *pour moi* : de sortir, de voir du monde, de choisir mes activités. Souvent, quand le mari revient, le danger pour l'épouse est d'être à nouveau enfermée dans le domestique, ce qui n'est jamais un risque pour l'homme. Lui, ça ne le tracassait pas – toi non plus, je suppose.

Bernard acquiesça d'une moue coupable.

– Lorsque j'en ai parlé à ton père, il a refusé que son quotidien change : il me voulait à la maison pour être à ses petits soins. Alors, je lui ai expliqué que je ne souhaitais pas finir mon existence sous de nouvelles contraintes, que j'avais besoin de son soutien, mais il a refusé de comprendre.

Marguerite baissa les yeux avant de reprendre :

– Ton père était devenu un frein à ma liberté. Alors…

Bernard tressaillit, imaginant aussitôt le pire. *Elle ne l'avait quand même pas tué !*

Sans se rendre compte que son fils s'était crispé, la vieille dame poursuivit :

– Je lui ai dit : « C'est fini. » Au début, il n'a rien compris, puis il est entré dans une colère noire. Il était persuadé qu'il y avait quelqu'un d'autre, mais il n'y a jamais eu personne – au contraire. Il ne comprenait vraiment rien : je voulais juste être tranquille. Je n'avais pas peur de finir seule, car justement je n'avais jamais été libre de décider, de faire mes choix, de profiter sans qu'on me casse les pieds. Ton père avait déjà commencé ses examens de santé, et ses résultats sont arrivés. On n'a pas eu le temps de se séparer. Ça, pour être seule et tranquille, je l'ai été ensuite. Mais pas un jour ne passe sans que je regrette de lui avoir dit ça. Je ne peux pas m'empêcher de penser que, peut-être, cela a aggravé les choses.

Bernard resta bouche bée. Il clignait des yeux sans vraiment comprendre. Avec peine, il articula :

– Et s'il n'était pas mort ?

– J'aurais divorcé ! répondit-elle, sans l'ombre d'une hésitation.

Cette nouvelle dévasta Bernard bien plus qu'il ne l'avait montré à sa mère. Pour lui, le couple était un acquis, pas une remise en cause permanente. Il avait plus de 60 ans et ne s'était jamais dit qu'il devrait se méfier de quoi que ce soit. Brigitte et lui avaient surmonté le plus dur – ses absences surtout. Maintenant qu'il était de retour, ce serait le pompon s'ils ne parvenaient pas à cohabiter.

Pour Bernard, ils traversaient une crise passagère, qui allait vite se résoudre, une fois que Brigitte se déciderait à rejoindre la maison. Mais, pour la première fois, Bernard se mit à douter : et si elle ne revenait pas ?

Bernard prit le chemin du retour comme il était venu : à vélo. Il pleuvait des cordes et il faisait nuit. Il avait beau s'être rangé le plus à droite de la route, chaque voiture qui le dépassait le frôlait sans gêne, et le poussait vers le bas-côté. Il continua de pédaler, toujours plus vite, éclaboussé chaque fois par des automobiles toujours plus larges.

Bernard était en colère. Il glissait, il ne voyait rien à travers les gouttes qui perlaient dans ses yeux. Il allait finir par foncer dans le fossé ou carrément par être renversé par un 4x4.

Pour la seconde fois, il prit conscience que son projet de ne laisser presque rien derrière lui pour garantir un meilleur avenir à ses petits-enfants comprenait une sacrée part de risque.

Bernard était envieux. Bien sûr qu'il était plus simple pour tous d'être confortablement installés au chaud, à l'abri de la pluie. Bien évidemment que personne ne lui avait jamais demandé expressément de faire tous ces efforts. Mais maintenant qu'il savait que si l'on continuait tous ainsi on filerait ensemble droit dans le mur, il ne pouvait pas juste faire semblant et regarder ailleurs. Il devait agir.

Mais était-ce garantir un avenir meilleur à ses petits-enfants que de leur laisser un grand-père décédé prématurément d'un stupide accident de vélo ?

Le monde était peuplé de plus de 7 milliards d'êtres humains qui épuisaient les ressources de la Terre sans le savoir. Il se sentait seul dans cette galère, pourtant, on était censé être tous dans le même bateau ! Il ne put s'empêcher de se demander qui serait résistant à sa place quand lui ne serait plus là. Son fils ? Pas sûr… Bernard avait raté quelque chose dans la transmission des valeurs de Marguerite à son propre enfant, mais était-ce trop tard ?

Lorsqu'il poussa enfin la porte de chez lui – sain et sauf, à part un gros rhume –, il ne put s'empêcher d'espérer ardemment le retour de sa femme. Mais elle n'était pas là.

Bernard composa son numéro et, à nouveau, Brigitte ne répondit pas. Après des jours à refuser de déballer ses sentiments à travers ces technologies qu'il trouvait froides, il se résolut à lui écrire un message sincère : « *Je t'aime, ma chérie. Rentre, s'il te plaît : tu me manques trop.* »

Assis dans son grand salon, seul, il se rendit compte que, sans sa famille, tout cela n'en valait pas la peine. S'il n'avait pas eu de descendance, alors, bien sûr, comme les Dugrin, pourquoi ne pas être tout simplement égoïste et profiter à fond de tous les conforts de la vie moderne...

Mais il y avait eux ! Sa famille. Ceux qui comptaient finalement le plus pour lui, et il s'en rendait compte un peu tard, une fois seul.

Il composa alors le numéro de la seule personne qui pouvait le comprendre. Lorsqu'il eut enfin Paul au bout du fil, Bernard s'éclaircit la voix, tentant de masquer l'émotion qui le submergeait.

Le petit garçon ne fut pas dupe longtemps.

– Qu'est-ce qu'il y a, Papy ? Tu as l'air triste...

Bernard resta silencieux quelques instants, inspira profondément, puis répondit :

– Je crois que ce projet est trop difficile, je ne vais pas y arriver. C'est trop dur tout seul. J'ai besoin du soutien de tout le monde, et de ta Mamie plus que tout. Mais je vois bien que je l'embête avec tout ça. Ce défi, c'est vraiment pour les super-héros, et moi, je ne suis *que* ton grand-père.

Paul reprit, plein d'entrain :

– Tu rigoles, tu es un super grand-père : tu es Écolo-Man ! C'est le surnom que mes copains t'ont donné à l'école. Tu as un fan-club, tu sais.

Bernard sourit, puis secoua la tête, n'y croyant pas un instant. Et même si c'était vrai, ici, rien n'allait.

– Tu parles, continua-t-il, mon potager est mal parti, les abeilles ne sont pas en grande forme, les poules ne pondent plus. J'essaie, vraiment, mais encore aujourd'hui j'ai accepté un prospectus d'une dame : elle me faisait de la peine.

Son petit-fils était d'un naturel optimiste et il lui en fallait visiblement plus pour baisser les bras.

– On n'est pas parfait tous les jours, Papy, ce n'est pas grave. On est humain. Moi, l'autre fois, je me suis rendu compte que j'avais mangé du cochon, alors que j'avais dit que je ne voulais plus faire de mal aux animaux. J'étais en colère. Je ne savais pas : on m'avait dit que c'était du porc. On fait de notre mieux, conclut-il, c'est tout. Et parfois, on y arrive, et parfois non. C'est plus souvent non, d'ailleurs, et ce n'est pas grave. On sait que l'on résiste pour la bonne cause.

Bernard sentit son cœur gonfler d'émotion, il continua pourtant à partager avec Paul ce qui le chagrinait.

– Quand je vois tous ceux autour de nous qui vivent de manière insouciante, ça m'use. On dirait qu'il n'y a que nous qui faisons les efforts. Regarde le voisin avec son énorme 4x4 ! Il passe sa journée à balancer son eau de Javel dans le ruisseau. Comment je peux arrêter ça tout seul ?

Paul réfléchit longuement, puis ajouta de sa petite voix :

– Tu sais ce qui compte le plus, Papy ?

– D'essayer tous les jours ? tenta Bernard.

– Exactement ! Ensemble, un pas après l'autre...

49

Qui comme Ulysse

Le lendemain, après avoir tenté vainement de passer la journée en compagnie de Jean-Marc, occupé à réparer son bateau avec Séverine, Bernard décida de reprendre du poil de la bête et de suivre les conseils de son petit-fils, qui, lui, faisait tous les efforts possibles.

Muni de ses bocaux vides et dépareillés, Bernard partit de bon matin, à pied, le vague à l'âme, jusqu'aux portes de la coopérative bio. Les fois précédentes, il n'avait pas pensé à y chercher les rayons vrac, mais il était certain de trouver tout ce dont il avait besoin.

Lorsqu'il entra dans le magasin, la boutique lui sembla soudain plus accueillante avec sa lumière tamisée comme il fallait, sans chichis. Sous le regard sévère de la caissière, qui l'avait reconnu, il commença à déambuler dans les allées, avant de s'arrêter net devant un espace qui devait bien faire un quart de la surface du magasin et dont chaque mur et chaque rayon était muni de tubes.

Paul n'avait pas menti : on trouvait de tout en vrac. De l'alimentaire, salé comme sucré, pâtes, riz, céréales, café, graines, chocolat, cookies, fruits secs ; de l'hygiène avec des paillettes de savon de Marseille et du vinaigre blanc, entre autres ; sans plastique ou emballage inutile pour ne pas jeter un carton qui n'a servi à rien sauf au transport ! Pourquoi n'y avait-il jamais pensé avant ?

Bernard eut envie de tout acheter. Remplissant chacun de ses bocaux à ras bord, il sentit que le virus de la consommation le reprenait. Mais il ne lutta pas : il avait plutôt l'impression d'agir avec bon sens, comme Marguerite l'avait peut-être fait dans le passé.

Une fois ses courses achevées, Bernard eut du mal à atteindre la caisse : ses sacs réutilisables étaient très lourds. Sur le tapis roulant, en déballant ses bocaux, un par un, Bernard ne put s'empêcher de relever la tête et de gonfler les pectoraux : il était fier. Personne dans la file d'attente n'était venu avec ses récipients en verre. Il avait l'impression de leur montrer la voie.

Bernard ne remarqua pas le regard courroucé ni les soupirs d'exaspération des clients derrière lui tandis qu'il sortait toujours plus de bocaux de ses cabas. Ils avaient débusqué le débutant, celui qui apportait l'intégralité de ses contenants plutôt que de venir avec des petits sachets de mousseline – erreur que Bernard ne refit pas deux fois.

Lorsque la vendeuse lui annonça le total, il le lui fit répéter, ce qui ne l'aida pas à remonter dans l'estime de la jeune femme. Comme elle insistait avec son montant dérisoire, alors qu'il avait pillé la moitié du magasin, l'ancien directeur financier lui tendit tous ses billets. Puis, quand elle lui en rendit la moitié, il la regarda comme une sotte, sans comprendre qu'en ne payant pas la marque, le carton, l'emballage, ni la quantité en trop, on faisait mécaniquement des économies. Cette trouvaille allait grandement l'aider pour revoir à la baisse la taille de ses poubelles.

En sortant dans la rue, il se mit à sourire. Il avait l'impression de vivre son Larzac à lui, le Woodstock qu'il avait raté à quelques années près, même si, pour être honnête, à l'époque, Bernard avait considéré les babas cool comme des marginaux dangereux et bizarres.

Le moral était quelque peu revenu, ce qui ne lui était pas arrivé depuis le départ de Brigitte. Il attrapa son téléphone et essaya à nouveau de l'appeler, mais tomba directement sur son répondeur. Comme lors des vingt-cinq appels précédents, il ne lui laissa pas de message.

Alors que ses sacs commençaient à lui lacérer l'épaule, Bernard se rendit compte que le retour à pied allait être une torture – si ses cabas ne lâchaient pas avant. Il n'avait pas anticipé et se sentit soudain stupide de s'être chargé comme une mule. Il hissa toutes ses commissions le long de sa jambe, fit des dizaines de pauses avant d'atteindre la station des transports en commun. Son dos aussi était en vrac.

Lorsqu'il vit le bus arriver et une jeune grand-mère en descendre, libérant une place assise, Bernard joua des coudes, fonça et prit de court un adolescent qui avait également repéré le siège disponible.

– Ah, enfin ! Je n'en peux plus. J'ai mal partout ! lâcha-t-il.

Le jeune fit un sourire en coin. Il n'en revenait pas de s'être fait moucher par un pépé.

– Vous comprendrez, jeune homme, quand vous aurez mon âge !

Il était heureux et soulagé de rentrer à bon port. Mais lorsqu'il poussa la porte de chez lui : toujours personne. Cela faisait dix jours maintenant qu'elle l'avait abandonné.

Pas un mot, pas un coup de fil. Il fonça vérifier la boîte aux lettres et n'y trouva que des factures. Et des mégots, de son voisin, qui avait décidé de lui pourrir un peu plus la vie.

50

Mieux vaut être seule que mal accompagnée

Deux semaines avaient passé depuis le départ précipité de Brigitte. Bien évidemment, elle avait informé Nicolas de son escapade et, de son côté, Marguerite lui avait raconté la venue de Bernard, ainsi que le choc qu'il avait tenté de masquer en apprenant que le divorce de ses parents avait été un vrai sujet au moment de leur retraite.

Lors de ces 15 jours, Brigitte en avait profité pour réaliser un projet qu'elle avait maintes fois proposé – sans succès – à Bernard : un stage de préparation à la retraite. Elle avait déjà reçu plusieurs courriers de sa caisse de retraite l'invitant à venir avec son mari, pendant une semaine, auprès d'autres sexagénaires, afin d'apprendre à déjouer les pièges de cette période de transition compliquée à gérer pour un couple. Elle ne pourrait que bénéficier de l'expérience des autres. D'ailleurs, lors de ce séminaire, la première chose qu'on lui avait rappelée était qu'en 10 ans le nombre de divorces chez les retraités avait été multiplié par deux. Comme quoi, Einstein ne disait pas que des bêtises.

Lorsqu'elle arriva et vit toutes ces personnes aux cheveux blancs, ou carrément chauves, elle ne put s'empêcher de se demander : « Mais dans quelle galère me suis-je mise ? » Finalement, au bout de 7 jours, elle repartit ravie : elle avait appris énormément de choses grâce aux différents témoignages. Premièrement : créer de la distance, puisqu'on ne passe pas aisément d'une vie où l'on se croise pendant 40 ans à une vie où l'on est collé l'un à l'autre toute la journée. Deuxièmement : éviter de déjeuner ensemble – ce qu'ils faisaient déjà –, car ce moment de la journée avait tendance à cristalliser les conflits. Et troisièmement : trouver des projets communs dans lesquels ils pourraient s'épanouir à deux, tout en gardant un espace de liberté. La maison d'hôtes avait donc été une bonne idée pour leur couple, le projet zéro plastique, moins.

Brigitte était repartie rassurée – elle n'était pas la seule à se poser tant de questions –, et elle avait même suivi à la lettre un autre de ces conseils : partir quelque part seule dès que possible pour se recentrer sur ses propres envies.

Lors de la seconde semaine, elle avait donc choisi de s'isoler dans un cloître de bonnes sœurs, qui avaient fait vœu de silence. Encore une trouvaille que Bernard aurait ponctuée d'un « quelle tristesse », mais elle s'en fichait : cette mise au vert lui avait fait un bien fou. Être avec des personnes bien moins pipelettes qu'elle lui avait permis de réfléchir, de faire le point et de se retrouver.

Après s'être octroyé cette longue pause, Brigitte se sentait désormais prête à revenir. Elle ne cultivait plus de rancœur, car elle s'était rendu compte de l'autre point positif : pendant tout le temps de son absence, Bernard, aussi, était seul à réfléchir.

En rentrant chez elle, Brigitte ne le reconnut pas. Il n'était pas effondré, mais déterminé, ce qui lui fit peur de prime abord.

Il ne l'avait pas entendue arriver et il était occupé à ouvrir avec énergie les cartons qu'il avait accumulés dans son grenier depuis des décennies. À chacun, il ne pouvait s'empêcher de grommeler : « Pourquoi ai-je gardé tous ces trucs ? » Cela fit sourire Brigitte, qui s'était posé la même question.

S'il fallait bien évidemment sauver certains souvenirs, Bernard devait se séparer de ceux qui ne lui évoquaient plus rien. La vie de famille est faite de rites de passage, de retrouvailles, de célébrations intimes, d'anniversaires, de fêtes de fin d'année, de vacances, de moments de partage, de transmission. Bernard comprenait que les objets importants de leur histoire ne devaient pas dormir dans des boîtes, en attendant le jour fatidique où ils seraient jetés : il fallait les faire vivre, raconter leur importance, tant qu'il était encore là pour le faire.

Une fois qu'elle eut passé complètement la porte du grenier, Bernard la vit enfin. Alors qu'elle le saluait d'un hochement de tête, son mari ne put s'empêcher de lâcher tout ce qu'il tenait entre ses mains et de courir l'enlacer.

— Ma chérie. Je suis si content que tu sois rentrée. Je me suis tellement inquiété. Je ne veux plus jamais que l'on soit séparés ainsi. Promets-moi.

Elle ne répondit pas, profitant une dernière fois de son silence intérieur. Puis elle s'éclaircit la gorge avant de dire avec un maigre filet de voix :

— Moi, je ne continue pas comme ça, Bernard.

Brigitte ne savait pas où en était arrivé Bernard dans son cheminement, mais il était important qu'elle mette les choses à plat dès le début.

— Tu as raison, mille fois raison, admit-il en lui prenant les mains. J'ai bien réfléchi et je m'excuse. Pour tout. Ce projet, c'était le mien, et je n'avais pas à te l'imposer.

Brigitte inspira profondément. *Enfin !* Bernard lui disait ce qu'elle avait besoin d'entendre. Si elle gardait le silence, son mari, lui, semblait intarissable.

– Je veux rattraper le temps perdu, tous ces moments que j'ai ratés avec toi, avec les enfants. Je me suis rendu compte que profiter sans partager, ça ne rimait à rien. Tu avais raison, comme d'habitude. J'ai besoin de toi, ma chérie.

Brigitte baissa les yeux, elle ne pouvait plus s'empêcher de sourire. Elle n'avait qu'une envie, c'était de lui sauter au cou, mais il l'avait blessée et il ne fallait pas qu'au premier mot d'amour elle pardonne tout.

Bernard était survolté. Elle aurait parié que lui aussi avait cogité très longtemps. Par ailleurs, elle n'avait aucun doute sur le fait qu'elle lui avait sincèrement manqué. Il continua la liste de ses nouvelles résolutions :

– Je veux redécouvrir mon fils, aller à la rencontre des êtres que j'ai côtoyés toute ma vie et à qui je n'ai pas consacré assez. Je veux que l'on reprenne notre projet de maison d'hôtes, aussi.

Brigitte était soulagée de ce revirement de situation. Elle avait redouté ces retrouvailles : si son mari n'avait pas du tout l'intention de faire des efforts pour changer, elle n'aurait pas eu d'autre choix que de le quitter. Et cela aurait été à contrecœur, car elle l'aimait plus que tout.

Brigitte leva enfin les yeux vers lui et sourit. Bernard attrapa son visage, la regarda avec une grande intensité, puis l'embrassa. Passionnément.

– Comment va ta côte cassée ? demanda Brigitte en effleurant le flanc blessé par sa cisaille.

– Mieux, merci. Je n'ai presque plus mal. J'ai même réussi à passer l'éponge en ton absence, lança-t-il, rieur.

– Attends, qu'est-ce que c'est que ça ? demanda-t-elle en touchant le ventre de son mari. Tu as des abdos ?

Bernard gonfla le torse fièrement.

– Oui, Madame ne faisait plus attention à mon corps, mais figure-toi que le jardin, ça entretient ! Je suis devenu sportif, il y a un début à tout.

– Oh, je m'étais habituée à ta petite brioche confortable, regretta-t-elle faussement, en se blottissant contre lui.

Après quelques heures de retrouvailles amoureuses, lors desquelles Bernard aurait pu faire rougir Marguerite avec ses « *plus du tout* », ils s'assirent au salon avec un verre.

– Il y a quelques mois, je redoutais la retraite, avoua-t-il. Le 29 septembre dernier, j'ai cru mourir quand j'ai rendu mon badge. Mais aujourd'hui j'essaie d'apprivoiser cette nouvelle vie, du mieux que je peux, et j'espère qu'avec toi, à l'avenir, je ne m'en sortirai pas trop mal.

Brigitte n'avait pas tout écouté. Un détail avait retenu son attention.

– 29 septembre ? Tu ne connais pas la date de notre mariage, ni aucun anniversaire, mais de ça tu t'en souviens ? Comme quoi, on est rassuré, tu n'as vraiment pas Alzheimer ! se moqua-t-elle gentiment.

Ils étaient à peine réconciliés que déjà les boutades entre eux étaient reparties. C'était leur façon de s'aimer. Certaines choses avaient changé, d'autres non.

– Ma mère m'a dit : « À la retraite, il faut tout réapprendre, désapprendre même », continua Bernard. Et puis j'ai découvert une chose capitale : ce n'est pas que nous apprenons des choses en passant à la retraite, c'est la retraite qui nous apprend des choses sur nous. Avant je subissais, maintenant j'ai envie de dire : « Et puis, zut ! Et si je m'autorisais à être heureux ? »

– C'est la première fois que je t'entends parler de retraite et de bonheur dans la même phrase ! On progresse, mon chéri...

Bernard lui caressa la joue, puis reprit.

– J'ai compris qu'il fallait que je sois comme Gandhi.

Brigitte manqua de s'étouffer. Elle, qui était en train de se dire que cette solitude forcée avait fait beaucoup de bien à son mari, se raidit.

– *Sois le changement que tu veux voir dans le monde*, poursuivit-il, inspiré.

Hum, hum... songea Brigitte, qui n'était pas sûre d'être complètement sortie d'affaire.

51

Rien ne sert de courir, il faut partir à point

Les mois d'hiver passèrent vite, entièrement consacrés à faire avancer leur projet commun : transformer leur jardin en un petit coin de paradis. Le printemps apporta de nouvelles espérances. Les bourgeons apparaissaient timidement et observaient Bernard et Brigitte, devenus inséparables.

Équipés de leurs bottes en caoutchouc, il ne se passait pas une journée sans qu'ensemble ils sortent le matin, lèvent les yeux vers le ciel, puis déclarent « Viens, chéri, aujourd'hui on a du boulot ». Brigitte et Bernard n'économisaient pas leurs efforts : elle le nez dans ses fleurs, lui les genoux dans la terre.

À défaut de savoir si Bernard avait vraiment la main verte, ses doigts étaient dans un état lamentable. Les premiers temps, pas une journée ne se finissait sans qu'il se blesse. En plus d'une solide paire de gants, d'une bonne brosse à ongles pour déloger la saleté incrustée et d'un carnet de vaccination mis à jour, la trousse à pharmacie avait été grossie, entre autres, d'un antiseptique cicatrisant, d'un baume réparateur au miel, de pansements de toutes tailles et d'antidouleurs pour les maux de dos ou de genoux.

Plus rien n'effrayait Bernard : à la perspective de vivre en autarcie, il se sentait pousser des ailes. Le jour où il réussirait, il serait fier, tout-puissant, comme un héros aux super pouvoirs, comme s'il parvenait à survivre seul dans la jungle hostile tel un explorateur solitaire.

Bernard faisait désormais profil bas. Il n'imposait plus rien de sa lubie à Brigitte, car il avait failli faire rimer « zéro déchet » avec « zéro épouse ». Cependant, il rongeait son frein, car, une fois la prise de conscience faite, il n'y avait pas de retour en arrière possible.

Au cours des mois passés, il avait continué de privilégier uniquement des produits bio, locaux, en vrac et sans plastique, malgré le mauvais œil avec lequel les commerçants regardaient son récipient de verre.

En ce matin de mars, alors que son poissonnier habituel n'était pas là, Bernard fut fort surpris. Une fois les filets préparés, il lui demanda de les glisser directement dans son plat – tel un réflexe, mais sans plus y croire –, et le commerçant ne put se retenir de lâcher un tonitruant : « Alléluia ! »

Bernard eut envie de pleurer, de faire la danse de la joie, de l'embrasser, de lui sauter dans les bras, mais, du fait que cela pourrait créer un petit malaise la prochaine fois qu'il reviendrait, il se contenta d'un simple : « Merci ! » C'était le premier marchand à le soutenir.

Ce à quoi le poissonnier répondit :

– C'est moi qui vous remercie. Si vous saviez tout ce que je trouve dans l'estomac de mes poissons, cela vous ferait mal au cœur.

Bernard fit une mine dégoûtée, se demandant si cela valait la peine de continuer à en manger, puis rentra retrouver sa femme, qui était en train de humer ses différents thés.

Après avoir choisi celui qui lui faisait le plus envie ce matin-là et lui avoir proposé une tasse, Brigitte mit les feuilles à infuser dans la théière en fonte et tendit le journal à Bernard. Ce dernier se retint de lui raconter l'incroyable aventure qu'il venait de vivre : c'était dommage de ne pas pouvoir partager son enthousiasme avec sa femme, mais c'était pour la paix des ménages.

Laissant sa tasse refroidir, Bernard parcourut le quotidien et, lorsqu'il parvint aux pages de la fin, celles qui n'intéressent plus grand monde, il tomba sur un article qui l'interpella. Un cachalot échoué en Indonésie, mort. Dans son estomac avaient été retrouvés 115 gobelets, des tongs, des bâches, des bouteilles et des sacs, le tout en plastique. Bernard frissonna. L'autopsie confirmait, évidemment, que le décès avait été causé par ces plastiques coincés entre l'estomac et les intestins.

Cela lui rappela cette baleine découverte, sans vie, dont Paul avait trouvé l'image avant de la lui envoyer sur son portable. De sa gueule béante s'échappaient tous les détritus imaginables dont la mer pouvait regorger. Bernard avait menti et expliqué à son petit-fils que c'était un montage réalisé par des activistes écologiques pour sensibiliser sur le sujet. Il voulait le protéger de la dure réalité. Mais avait-il raison ?

Le grand-père faisait des efforts, mais il se sentait toujours seul au sein de sa famille, de son quartier, de son pays. Il n'y avait qu'à regarder les Dugrin pour avoir envie de pleurer et de baisser les bras. Son voisin, qu'il avait encore surpris en train de jeter ses ordures par la fenêtre de sa voiture, n'était pas pire qu'un tiers des Français qui, au volant, se débarrassaient de leurs mégots, d'emballages, de papiers ou de restes alimentaires.

Devant son regard vide, Brigitte, qui se resservait une tasse, posa délicatement sa main sur celle de son mari.

– Tu as donc lu l'article sur l'estomac de cette pauvre
bête ?

Bernard hocha la tête.

– Tu veux que je t'accompagne aujourd'hui à la plage
ramasser tout ce qu'on y trouve ? proposa-t-elle.

Bernard sourit, il voulut répondre oui, lorsqu'il se souvint que sa femme faisait certainement cela pour lui faire
plaisir. Il déclina.

– Non, c'est gentil. Il faut que tu ailles t'occuper de tes
petits vieux. Comment veux-tu te sentir jeune et fringante
si tu restes avec un playboy comme moi ? plaisanta-t-il.
Ne t'inquiète pas, je vais m'occuper du jardin : avec la
pluie qui se fait désirer, je vais arroser. Il y a du boulot.
Mais tu ne veux pas que je te donne un coup de main
avec la fermette, plutôt, pour récupérer certains meubles
de notre maison ?

Brigitte, qui avait commencé à retaper la bâtisse du fond
du jardin pour leur maison d'hôtes, avait terminé les trans-
formations les plus importantes. Le long corps de ferme
avait été complètement rénové. Avec l'aide d'artisans, le
sol en terre battue avait été assaini, isolé, et désormais un
joli parquet à larges lattes anciennes recouvrait toutes les
pièces. Le toit avait aussi été réparé, les fenêtres avaient été
élargies pour former une baie vitrée coulissante à double
vitrage, et désormais la grande pièce, qui servait de débar-
ras depuis toujours, avait été divisée en trois espaces dis-
tincts de plain-pied : un petit salon avec coin cheminée
et sa cuisine ouverte, une petite chambre et une salle de
bains. Jean-Marc, le plus bricoleur de tous, avait refait
l'électricité aux normes et donné un sacré coup de main à
Brigitte pour les finitions. Les peintures avaient été choi-
sies dans des tons chaleureux, crème, grège, taupe, pour

retrouver le cachet d'antan, puis avaient été réalisées par la maîtresse des lieux.

La jeune grand-mère avait hâte de faire découvrir la fermette retapée à sa famille. Ils devaient venir quelques semaines plus tard pour Pâques. Cela ferait une habitation indépendante de plus, pour des amis ou pour ses petits-enfants qui voudraient peut-être regarder les étoiles à la chaleur de l'âtre depuis un télescope. Il fallait absolument qu'elle s'en procure un avant le mois d'août pour ne pas louper la saison des étoiles : elle scrutait les bonnes affaires chaque jour sur Internet, mais ne trouvait pas son bonheur.

Brigitte ne se rendit pas à la maison de retraite, et l'après-midi passa vite pour ce couple de retraités très actifs. Ils transvasèrent de la grande maison principale jusqu'à la nouvelle habitation au fond du jardin des canapés, des matelas, quelques meubles en bois. Bernard sentait ses cervicales se tasser un peu plus à chaque objet. Il avait l'impression de perdre un centimètre de hauteur par traversée : ce ne serait pas lui qui irait réclamer à Brigitte de prendre sa mesure sur le mur.

Heureusement pour Bernard, sa côte ne le faisait plus souffrir, sauf quand il éternuait à pleins poumons, ce qui lui arrivait assez souvent avec ses allergies au pollen qui commençaient. Dugrin avait tort sur beaucoup de choses, mais raison sur une : son bouleau était terrible pour le nez, cette année-là particulièrement. Pourtant, à chaque éternuement douloureux, Bernard se promettait tout de même de ne jamais couper son arbre, quitte à ce qu'il passe, lui aussi, sa vie à se moucher.

Quand les Dugrin ne les surprenaient pas en flagrant délit de pur plaisir – qu'ils ne manquaient pas d'écourter à coups de taille-haie, de perceuse ou de commérages intempestifs –,

Bernard et Brigitte, avec le beau temps revenu, prenaient chaque jour le café d'après-déjeuner dans leurs transats en contemplant le jardin, bercés par le chant des oiseaux.

Il y avait une diversité incroyable grâce au bouleau. Cet arbre majestueux était constamment visité par les pics et les mésanges, et parfois ils surprenaient un couple d'écureuils, qui sautaient tels des singes de branche en branche, avant de continuer vers la forêt qui jouxtait le fond de leur jardin.

Le petit couple ne se lassait pas du bonheur de voir les poules déambuler dans l'herbe haute, dandiner du popotin, le bec agile à la recherche de vers de terre.

Brigitte avait abandonné l'idée de vendre un jour leur grande demeure. Elle s'était promis de faire en sorte que cette maison et ce jardin qu'ils bichonnaient ne quittent jamais la famille. Elle tenait trop à ses arbres, à ses fleurs, au potager timide de son mari, qui attirait la vie autour de lui.

Timide, c'était un bel euphémisme !

– 52 –

Ça se décante !

Quelques semaines plus tard, fin mars, lorsque Bernard alla chercher la baguette fraîche pour le petit-déjeuner, la boulangère l'accueillit avec un sourire carnassier, qui l'effraya d'abord, puisque depuis des mois il venait en terrain miné. Puis celle-ci le surprit tout à fait quand elle ponctua d'un joyeux « Et voici » le pain qu'elle glissa dans la housse en tissu que Bernard rapportait désormais. Pas de remarques acerbes sur son refus irrévocable de prendre un pochon ce matin-là, pas d'éparpillage catastrophique de farine non plus. Ils avaient fait chacun un pas vers l'autre et, comme dans le mariage, semblaient se rappeler que la vie était faite de compromis.

À croire qu'un alignement de planètes s'était fait au-dessus de sa tête, le même revirement de situation se produisit début avril avec la vendeuse à la coupe de l'hypermarché. Même si Bernard ne la voyait plus très souvent, Martine en pinçait toujours pour lui. Un matin, après des mois d'insistance à chaque visite, elle lui fit un clin d'œil discret et ne rechigna pas cette fois à mettre les fromages affinés dans les voiles de mousseline. Elle avait capitulé, sans pour autant s'abstenir de chuchoter : « Je le fais parce que c'est vous, M. Delcourt, mais si vous retrouvez de la moisissure, il ne faudra pas vous plaindre... » Bernard se retint de lui faire remarquer que la pellicule grise autour du saint-nectaire n'était pas que de la décoration, mais se contenta de répondre simplement : « Vous êtes trop bonne, Martine ! Qu'est-ce que le monde ferait sans des personnes attentionnées comme vous ? » Ce à quoi la vendeuse rougit honteusement jusqu'aux oreilles. Bernard n'était pas loin de le penser : il avait besoin de commerçants comme elle, prêts à l'aider à faire changer les choses de l'intérieur.

Quand il rentra chez lui, Bernard était si enjoué que Brigitte vit tout de suite qu'il lui était arrivé quelque chose d'extraordinaire. Il lui raconta ses différentes petites victoires et elle eut l'air sincèrement heureuse pour lui. Ils avaient toujours partagé ce qui les emplissait de joie, Bernard n'allait pas éternellement prendre des pincettes sur ce sujet avec son épouse, qui de toute façon n'était pas dupe : elle voyait bien qu'il pesait toujours ses poubelles, qu'il ne partait pas sans son vélo et sa gourde. Elle se montra douce.

– Bravo, tu fais bouger les lignes, mon Bernard. Tu as toujours été casse-pieds, mais maintenant tu as trouvé une excuse.

De nouveau, elle dégainait sa taquinerie pour déminer tout conflit. Il riposta, à blanc.

– Pardon de me rendre compte, peut-être un peu tard, que si on ne change pas tous et maintenant, on va droit dans le mur, rappela-t-il. Manger bio, de saison et local est plus qu'une nécessité, c'est devenu un acte citoyen. L'humanité me remerciera un jour.

– Ça va les chevilles ? Dans deux minutes, tu vas me dire que tu es l'homme le plus altruiste au monde. Laisse-moi le temps de m'habituer à cette nouvelle information, dit-elle en souriant.

– C'est ça, moque-toi, en attendant, qui est contente que je lui cuisine de bons petits plats ?

Effectivement, si auparavant cela amusait Brigitte de voir Bernard se transformer en véritable ménagère des années cinquante, dont la quantité des efforts dépassait largement la qualité du résultat, il avait bien fait de persister, car désormais l'acharnement avait payé, et Brigitte appréciait ses réalisations. Pommes de terre sautées avec oignons caramélisés, quiche de poireaux, purée patates-carottes si onctueuse qu'elle aurait parié qu'il avait ajouté de la crème. Bernard prenait plaisir à passer derrière les fourneaux, et cela se ressentait dans le palais. Et quand son mari cuisinait, il cuisinait : il en faisait pour un régiment. Il finissait toujours par en donner à Marguerite ou à Jean-Marc, quand il ne les invitait pas directement à se joindre à eux pour le déjeuner. Leur meilleur ami ne venait jamais sans Séverine : ça devenait sérieux entre eux. Pour Bernard, la cuisine, c'était du partage avant tout, sinon il ne voyait pas l'intérêt de s'échiner.

Petit à petit, il devenait un parfait petit homme d'intérieur, et Brigitte, une femme d'extérieur. Il n'y avait pas d'âge pour inverser les rôles, et son épouse commençait à déceler du positif dans ce projet. Elle qui ne demandait qu'une seule chose depuis des mois, *récupérer son mari*, retrouvait mieux : un époux à l'air enfin épanoui.

Lorsque Brigitte se coucha ce soir-là, le vent soufflait fort. Ce n'était pas très bon pour leurs plantations. Elle ronchonna, tourna en rond, puis lut une centaine de pages de son roman en cours avant de tomber finalement dans un rêve agité.

Quand le lendemain elle s'éveilla en sueur, elle ne put s'empêcher de secouer Bernard, qui ronflait allégrement

à ses côtés. Celui-ci eut de la peine à décoller ses yeux
– foutues allergies –, et à rester assis sans se rendormir, mais
Brigitte, toujours tremblante, avait besoin de lui raconter
son horrible nuit. Elle avait fait un cauchemar et, au vu de
son contenu, la graine que Bernard avait plantée avait fini
par germer...

Dans son rêve, Brigitte vivait une existence heureuse,
avec ses poules, ses fleurs et ses oiseaux dans un jardin
luxuriant. C'était une sorte de petit paradis, puisqu'elle
n'avait pas de voisins.

Tout allait bien jusqu'au moment où elle s'approchait
de ses fleurs, les respirait à pleins poumons et se rendait
compte qu'elles n'avaient aucun parfum. Puis, elle allait
rendre visite à ses pondeuses préférées, qui ne bougeaient
plus et faisaient la grève des œufs. Enfin, elle s'asseyait
dans son transat, fermait les yeux pour écouter le chant
des mésanges, mais tout d'un coup la mélodie se grippait.
Tel un vinyle, la musique était comme rayée et se mettait
à sauter.

Brigitte découvrait, comme dans le film *The Truman
Show*, que tout était faux. Ses poules, ses roses, ses oiseaux,
tout ce qui l'entourait était en plastique. Brigitte était le
dernier humain, le dernier être vraiment vivant. Elle ressentait l'angoisse monter dans son corps, l'étreindre comme
dans un étau, et son cœur, qui battait avec toujours plus
d'acharnement, cognait si fort qu'il finissait par sortir de
sa poitrine, la laissant découvrir que même lui était une
pompe en plastique.

– On devient fous, Bernard, conclut-elle.

– Parle pour toi, se dédouana-t-il, en lui caressant le dos,
avant de se recoucher.

Brigitte reprit en tentant de le culpabiliser.

Ça se décante !

— Tu m'as contaminée. Je vois du plastique partout, désormais ! dit-elle en saisissant pour l'exemple la boîte de ses boules Quies. C'est horrible. Ça me tétanise, je ne peux plus rien faire comme avant.

Bernard se releva et cala un oreiller derrière son dos. La discussion prenait une tournure qu'il n'aurait jamais imaginée.

— Dire qu'à une époque ils disaient : « Le plastique, c'est fantastique », continua-t-elle.

— C'est sûr que « Le plastique, c'est diabolique », ça aurait bien moins marché. Estime-toi heureuse. Tu as de la chance, tu n'en es pas encore à la deuxième étape.

Brigitte lui lança un regard perplexe.

— Qui serait ?

— Maintenant, moi, ce sont les cons, que je vois partout ! lâcha-t-il désespéré, en fixant depuis la fenêtre de sa chambre son voisin, qui arrosait généreusement son jardin d'engrais chimiques, débordant sans scrupule sur la voie publique.

Tout nouveau, tout beau

Pâques se profilait. Brigitte et Bernard avaient invité la famille de Nicolas, ainsi que Marguerite, pour la première semaine de vacances des Parisiens.

Avant l'arrivée de la tribu, début avril, il y avait un travail monstre au potager, et Bernard ne ménageait pas ses efforts : il bichonnait ses pousses comme ses poules, qui le lui rendaient bien. Même les taupes avaient déguerpi. Il s'était également équipé en ruches avec l'espoir fou de pouvoir détrôner la confiture adorée de Brigitte. On était un compétiteur dans l'âme ou on ne l'était pas !

Alors que Brigitte passait le balai, elle eut la surprise de voir sa belle-fille sonner au portail. Brigitte savait que Nicolas et elle souhaitaient quitter Paris et qu'ils visitaient régulièrement des appartements à Bordeaux. Souvent, d'ailleurs, c'était Brigitte qui était envoyée en éclaireuse, avant de leur confirmer que l'annonce était fidèle à la réalité et que cela valait vraiment le déplacement.

Lorsque Alice pénétra dans le jardin, son œil fut tout de suite attiré par la fermette fraîchement retapée. Quand elle découvrit l'intérieur, elle fut estomaquée :

– C'est magnifique, Brigitte. Vous avez complètement transformé ce dépotoir. Je n'aurais jamais parié que cela puisse être habitable, sans vouloir être mauvaise langue.

D'ailleurs, délaissant la modernité de sa grande maison pour le confort spartiate de cette bâtisse, Bernard venait régulièrement s'y isoler. Il avait une vue imprenable sur son jardin luxuriant. Il se sentait seul au monde, loin du radar des Dugrin qui guettaient toujours la porte de chez eux pour venir les alpaguer.

Alice, qui avait accepté une tasse de café, pénétra ensuite dans la maison principale, où elle fut davantage surprise. Brigitte ne s'était pas arrêtée aux gros chantiers de la fermette, mais elle avait mis un point d'honneur à rafraîchir également leur résidence, qui n'avait pas vu l'ombre d'un pinceau depuis que Nicolas avait quitté ses couches-culottes. La grand-mère avait repeint les murs de toutes les pièces et avait fait un grand ménage de printemps – une place pour chaque chose et chaque chose à sa place. La cuisine était impressionnante de netteté : seuls les bocaux avaient droit de résidence sur la crédence.

La belle-fille déambulait d'une pièce à l'autre, regardait par les fenêtres, ouvrait les placards : elle faisait le tour du propriétaire en somme, comme elle le faisait depuis des mois à visiter appartement sur appartement pour dénicher leur future maison bordelaise. Si elle avait été patiente avec son mari et se retenait tous les jours de lui demander s'il avait trouvé ce qu'il voulait faire désormais de sa vie, Alice avait mis toute son énergie pour dégoter leur futur nid douillet. Et pour le moment, elle enchaînait les déceptions.

Alice complimenta sa belle-mère.

– Vous êtes une fée du logis ! Je ne m'étais jamais rendu compte à quel point c'était spacieux. Vous avez fait un sacré tri !

– Merci. Tu sais, Bernard m'a beaucoup aidée, précisa Brigitte, en l'absence du principal intéressé. Il a pris le temps, mais on y est arrivés. Il a accepté de jeter beaucoup de choses. On avait besoin de voir plus clair ici. C'est une maison de famille, il faut qu'elle soit accueillante, pas trop ancrée dans nos souvenirs à nous, mais prête à en créer de nouveaux, dit-elle en touchant l'épaule de sa belle-fille.

Cette dernière lui sourit. Alice, qui avait perdu sa mère quelques mois plus tôt, retrouvait dans la générosité de Brigitte cette impression d'être comme à la maison. Dans un cocon protecteur. Il fallait encore composer avec Bernard, souvent – on ne change pas radicalement du jour au lendemain –, mais son beau-père, contre toute attente, fendait l'armure depuis sa drôle de lubie et la personne qu'elle découvrait, avec ses failles, ses entêtements, ses échecs, le rendant parfois ridicule malgré lui, avait fini par l'attendrir. Mais jamais elle ne le lui aurait dit en face : elle se méfiait. Ne dit-on pas qu'il ne faut pas vendre la peau de l'ours avant de l'avoir tué ?

– Vous aviez raison, Brigitte : on arrive bien à se projeter ! Bravo ! Quand je vois ce que vous avez réalisé en quelques mois, je me dis que ce n'est quand même pas sorcier de trouver un appartement bien entretenu, dans la région. Si un jour on avait les moyens d'acheter une maison, j'en chercherais une comme la vôtre, plus petite bien sûr, mais avec le cachet de l'ancien et en même temps rénovée avec goût. Vous savez, j'enchaîne les visites en ce moment et, à chaque fois, je ne vois que des horreurs hors de prix. Je n'ai pourtant pas l'impression de demander la lune !

Brigitte, les bras croisés, admirait elle aussi son intérieur. Elle sourit.

– Oui, je suis assez fière de moi, continua-t-elle. On respire mieux, non ? Ça donne une sensation d'espace.

— Ça, pour en avoir, vous en avez ! Il y a combien de chambres déjà ? Trois ? interrogea Alice en regardant sa montre.

Il fallait qu'elle parte déjà — sous peine de louper son train pour Paris.

— Quatre, répondit Brigitte en lui rendant sa veste. C'est évident qu'à deux on ne se marche pas dessus !

Alice enlaça sa belle-mère, jeta un dernier coup d'œil impressionné autour d'elle, puis s'approcha de la cloison entre le salon et la cuisine.

— Et ce mur-là, c'est porteur ?

– 54 –

Tonnerre de Brest

Ce soir-là, lorsqu'il se mit au lit, Bernard eut bien du mal à fermer l'œil. Si ces insomnies s'étaient calmées avec le retour de Brigitte, elles étaient maintenant revenues. Plus qu'une habitude, elles devenaient un style de vie. Il allait finir par devoir faire des siestes réparatrices, comme Jean-Marc et sa mère, qui piquaient du nez à la moindre occasion.

Chose inhabituelle cependant, Brigitte aussi tournait, sans trouver le sommeil. Elle soupçonnait, dans ces cas-là, la lune d'être pleine, mais ce n'était pas le cas, juste le vent qui faisait des siennes. Brigitte n'aimait pas cela. La pluie qui s'abattait contre leur fenêtre la faisait sursauter à chaque bourrasque et l'empêchait de s'endormir, malgré la fatigue accumulée de la journée. Elle se rapprocha de Bernard et se blottit derrière lui dans le lit.

– Ça souffle ! Et j'ai l'impression que ça s'amplifie, dit-elle, anxieuse.

– J'espère que mes pieds de tomates vont résister, s'inquiéta Bernard.

Dehors, c'était le déluge. Cela faisait un moment qu'ils attendaient cette pluie, mais, là, ils étaient servis.

– Ça commence à m'effrayer, mon chéri, chuchota Brigitte, d'une voix pas très rassurée.

Bernard n'en pensait pas moins. Ils habitaient leur maison depuis plus de 30 ans et, de mémoire d'éléphant il ne se souvenait pas d'un vent pareil. Ils se levèrent, se postèrent devant la fenêtre de leur chambre et découvrirent, horrifiés, tous les arbres courbés à l'horizontale, poussés par la violence du souffle.

Brigitte retourna au lit et appela son mari près d'elle.

– On est bien mieux à l'intérieur. Allez, viens te recoucher. On ne peut rien faire et, demain, on aura une longue journée pour rattraper les dégâts.

Au même moment, Bernard, toujours à son poste d'observation, bégaya :

– Je crois que je viens de voir voler un toit en tôle. Ça ressemblait à celui de la niche des Pelletier ! Ou alors j'ai rêvé...

Bernard était encore en train de cligner des yeux, incertain de ce qu'il distinguait, lorsque l'un de ses transats passa devant lui, très nettement. Au même instant, un éclair déchira le ciel. Il sursauta et s'éloigna de la fenêtre alors que retentissait le tonnerre le plus effrayant qu'il avait jamais entendu. Brigitte était ressortie de son lit et, cachée derrière Bernard, s'agrippait à son pyjama, qui glissait de plus en plus bas.

– J'ai peur, mon chéri. Tu crois que ça peut être grave ? demanda-t-elle.

Bernard se racla la gorge et, pour se donner une contenance, répondit d'une grosse voix :

– Je ne sais pas. Allumons la télé. La chaîne info nous en dira plus.

Ils constatèrent alors que l'électricité ne fonctionnait plus. Plus de lumière, d'Internet ni de radio. Tous leurs appareils connectés n'étaient plus connectés à rien. Bernard saisit son portable. Pas de réseau non plus. Ils étaient coupés du monde.

– Ne t'inquiète pas, Brigitte. Ça va passer. Rien ne peut nous arriver tant que l'on ne tente pas de sortir ni de prendre la voiture.

Ils avaient envie de se calfeutrer chez eux, mais c'était trop tard, avec ce vent, pour tenter de fermer les volets.

– Tu vas me prendre pour une poule mouillée, continua Brigitte, mais je serais plus rassurée si nous allions nous réfugier à l'étage, dans la baignoire. Je vais chercher un petit matelas aussi.

Elle avait vu un reportage suite à l'une des récentes intempéries aux États-Unis, l'ouragan Katrina peut-être, et elle avait retenu que c'était la meilleure solution pour se protéger et rester sain et sauf chez soi.

Bernard, qui s'apprêtait à répondre que cela lui semblait ridicule et un peu prématuré pour une petite tempête, changea d'avis au moment où le tonnerre redoubla d'intensité.

– Tu as raison. Il vaut mieux suivre son instinct, quitte à passer pour des froussards, que de se rendre compte, trop tard, qu'on aurait mieux fait de mettre sa fierté de côté.

Une fois montés dans la salle de bains, Bernard installa le matelas au-dessus de la baignoire, sans pour autant se mettre en dessous.

– Et puis, ça nous fera des choses extraordinaires à raconter à nos petits-enfants ! fit-il remarquer, moqueur, alors que le cœur n'y était pas.

– On est en France, zut. En ville. Pas dans les zones de cyclone, poursuivit Brigitte pour essayer de se rassurer.

Lorsqu'un autre coup de tonnerre résonna juste au-dessus de leurs têtes, Brigitte lâcha un cri et se mit à trembler comme une feuille. Ils s'installèrent d'un coup dans leur abri de fortune. Ils étaient plongés dans la pénombre et seuls les éclairs blancs fendaient l'obscurité, s'abattant toujours plus près de leur maison.

Quelqu'un jouait, depuis Là-Haut, avec leurs nerfs.

Serrés au fond de leur baignoire, ils se raccrochaient l'un à l'autre pour se donner du courage.

Ils entendaient des sifflements, comme des balles perdues en temps de guerre. C'étaient les tuiles qui se décrochaient, une à une, de leur toiture. Ils se seraient crus à Bagdad ! Le vent continuait de souffler, toujours plus violemment, décrochant tout sur son passage.

Cela faisait dix minutes que les éléments se déchaînaient au-dessus de leur tête, mais pour Brigitte et Bernard le temps semblait s'être arrêté. Ils ne voyaient pas comment ils allaient tenir encore longtemps ainsi.

Alors que les volets claquaient contre les fenêtres, que les branches venaient frapper avec colère contre leur porte, que la pluie se déversait à l'intérieur comme un torrent, en s'infiltrant par la hotte de la cuisine, tout à coup, le silence se fit. Le vent était retombé aussi vite qu'il s'était manifesté.

Brigitte et Bernard sortirent prudemment de leur cachette. Lorsqu'ils descendirent au rez-de-chaussée, ils pataugèrent dans dix centimètres d'eau marronnasse, pleine de terre, de feuilles, de débris en tout genre.

En se rapprochant de l'une des fenêtres intactes, ils prirent conscience de l'ampleur du sinistre. Au fond du jardin, la jolie fermette tout juste terminée n'était plus qu'une ruine. La baie vitrée était brisée, la toiture effondrée, et l'intérieur devait être un bourbier similaire à ce qu'ils avaient dans la maison principale, où il faudrait attendre que l'eau s'écoule pour évaluer les dégâts.

Brigitte s'écroula dans les bras de Bernard. Il ne savait plus si c'étaient les gouttes de pluie ou les larmes de sa femme qui finissaient de tremper son pyjama. Il frissonna de froid et de colère : ils avaient travaillé avec acharnement depuis des mois pour rien. La fermette avait été complètement détruite. L'enclos des poules s'était envolé, en espérant qu'elles aient trouvé un refuge. Et même leur jardin n'était plus qu'un champ de bataille.

Brigitte serra très fort son mari contre elle. Si la grande frayeur était derrière eux, elle prenait subitement conscience qu'ils auraient pu y laisser leurs vies. Mais ils avaient eu de la chance, il n'y avait que des dégâts matériels : ils étaient vivants, entiers et ensemble. À ce moment-là, la maison aurait pu s'effondrer, il n'y aurait rien eu de plus important.

Les jours qui suivirent, les écoles restèrent fermées. Ils entendirent les tronçonneuses œuvrer pendant plusieurs semaines. Cette tempête avait pris tout le monde de court, et cela tenait du miracle qu'il n'y ait eu qu'un seul mort.

Plus qu'une habitation, c'était tout un quartier qui avait été victime de la colère de Mère Nature. Tous les voisins avaient été frappés et étaient traumatisés. Ils avaient vécu un véritable cauchemar. Seule une maison semblait avoir été épargnée. Celle des Dugrin.

Le retour de bâton

Dressée, droite comme une provocation, parée encore de ses antennes affreuses, Bernard regardait d'un œil mauvais la maison des Dugrin. Toujours debout, à peine une égratignure. Il vivait cela comme une terrible injustice. Cherchant un coupable là où il n'y en avait pas, il tenait son voisin pour responsable de cette tempête, lui reprochant d'avoir accéléré le réchauffement climatique avec son 4x4 et d'avoir déclenché la colère de la nature à force de ne pas la respecter.

Lorsque le week-end de Pâques arriva, Alice proposa tout de suite d'annuler leur venue, mais Brigitte et Bernard avaient plus que jamais besoin d'être auprès de leurs proches. Dans leur malheur, la maison principale n'avait pas subi de dommages irréversibles.

Quand les Parisiens poussèrent le portail, ils trouvèrent Bernard assis par terre dans son jardin, plus abattu que jamais. Les yeux dans le vague, il semblait inconsolable. Même sa mise en retraite ne lui avait pas asséné un coup de bambou aussi rude.

Ils levèrent ensuite la tête vers le jardin et masquèrent leur bouche de leurs mains, stupéfaits. C'était un spectacle de désolation qui s'offrait à eux. Gris, froid, sans vie. Même le jardin des Dugrin en comparaison, c'était Disneyland.

Paul vint s'asseoir à côté de son grand-père. Il voyait bien que Bernard avait tout perdu : ses nouvelles ruches étaient par terre, les abeilles avaient péri, ses cinq poules étaient miraculeusement vivantes mais traumatisées, cachées sous les arbustes au fond du jardin, son potager n'était plus qu'un monticule de terre impossible à sauver, ses arbres, pour la plupart, couchés par terre. Sans parler de la fermette de Brigitte et de ses fleurs.

Bernard semblait désespéré.

– Tout est fini. Tout est perdu, lâcha-t-il.

– Mais, non, Papy. Regarde, le bouleau, il a bien résisté, lui. Bientôt, il attirera à nouveau les mésanges et les écureuils. Ne t'inquiète pas.

Et la taupe aussi, pensa Bernard, sans y trouver de quoi se réjouir.

Paul prit un long moment pour examiner le jardin, puis regarda le ciel, pensif.

– Quoi qu'il arrive, Papy, il nous restera toujours les étoiles.

Bernard sourit, avant d'ébouriffer les cheveux de son petit philosophe préféré.

Aux prémices de ce projet, il n'avait eu qu'une mission : changer et aider les autres à changer. Il s'était toujours rassuré en se convainquant que s'il échouait à résoudre tous les problèmes, il pourrait se dire : « Au moins, j'ai essayé. » Mais cela lui semblait une mince consolation aujourd'hui. La nature s'était réveillée, à juste titre, et reprenait ses droits. Mais pourquoi lui, son soutien le plus fervent, devait-il en pâtir, alors que l'irrespectueux Dugrin avait été épargné ?

Paul se releva, tendit une main qu'il voulut forte, et l'offrit à son grand-père. Devant l'immobilité de Bernard, il lui souffla chaleureusement :

– Une seule personne peut faire la différence, souviens-toi. Comme le colibri.

– Mais n'est-ce pas qu'un conte après tout ? lâcha-t-il, désabusé, regrettant aussitôt son cynisme.

Il pouvait se montrer défaitiste, mais pas devant Paul.

Au même instant, un tout petit volatile s'approcha d'eux, sans que cela attire particulièrement leur attention. Mais lorsque cet oiseau aux belles bandes noires sur son front orangé se mit à voleter près d'une branche à leur hauteur, le petit garçon cria de joie :

– Là, regarde, Papy ! Un colibri !

Un roitelet à triple bandeau, dont le battement d'ailes rappelait tout à fait celui du conte, était venu leur faire un joli clin d'œil, au moment même où Bernard avait envie de jeter l'éponge.

– C'est un signe, Papy ! Il faut que l'on continue. Tous ensemble.

Bernard accepta la main tendue de Paul et, ensemble, ils rentrèrent à la maison.

– 56 –

C'est le pompon !

Après le déjeuner, les enfants avaient aidé Bernard à ramasser les débris que la tempête avait semés et tenté de sauver ce qui pouvait l'être de son potager. Le vent avait balayé toutes ses nouvelles plantations, même la haie le séparant des Dugrin avait perdu de son épaisseur : il avait désormais une vue imprenable sur le jardin rachitique des voisins, et sur leur maison, qui n'avait souffert d'aucun dégât, à part quelques tuiles envolées.

Attendant patiemment 16 heures pour aller à la plage, Paul, au côté de son grand-père, profitait du soleil chaud du printemps et s'appliquait depuis de longues minutes sur un origami. Sa sœur était partie se balader à vélo avec le reste de la famille.

– Regarde, Papy, ce que je fais avec le papier : un avion de pêche, ultra-rapide ! se réjouit Paul.

– Tu veux dire un avion de chasse ? le reprit Bernard.

– Non, le mien, il ne va pas en forêt ! corrigea le jeune garçon, de sa logique imparable.

Paul repartit de plus belle, en lançant toujours plus loin son pliage hypersonique. À travers la haie clairsemée, la voisine passa une tête pour épier, sans aucune forme de gêne. Elle avait encore laissé traîner ses oreilles et s'apprêtait à cracher son petit commentaire médisant, tel un venin.

– Bonjour Bernard, lança-t-elle de sa voix enrouée de marchande de poisson.

Bernard garda le silence. Il n'allait quand même pas l'inciter à l'enquiquiner alors qu'il voulait être tranquille. Il était chez lui !

– Ça a soufflé, hein ? reprit-elle. Heureusement qu'on n'a rien eu, nous...

Bernard leva les yeux au ciel et continua ses réparations. Il se servait de bouts de bois ramassés comme tuteurs pour tenter de sauver ses plantations, qui penchaient plus que la tour de Pise. Il sentait dans son dos les yeux noirs de la voisine.

– Dis donc, il a morflé, votre jardin ! Vous avez pas eu de chance. Votre maison, votre terrain, la cabane de Madame aussi, non ? C'est votre petit-fils ? Il a quel âge déjà ?

– Je viens d'avoir 8 ans, déclara gaiement le petit garçon, avant de repartir dans la maison chercher d'autres feuilles pour agrandir sa flotte aéronautique.

– Allez, bonne journée à vous, Mme Dugrin. On ne vous retient pas plus longtemps, la houspilla sèchement Bernard.

Mais celle-ci poursuivit de plus belle.

– C'est bien ce que je me disais : il est pas bien en avance, dites-moi, ce petit. Je l'ai vu sur un vélo aussi, eh bien, c'est pas Poulidor non plus. Vous êtes pas gâté avec vos petits-enfants. On dit souvent que les premiers sont les meilleurs, mais il fait mentir le dicton, celui-là.

Bernard serra ses poings pour se contenir et empêcha Paul de ressortir. Alors qu'il ramassait sa tasse de café et son journal pour remonter s'enfermer dans sa maison, la vieille commère continua à causer.

C'est le pompon !

– Quoi que, d'ailleurs, la gamine, c'est pas mieux. Elle en tient une couche dans son genre : elle est usante à regarder. Et je parle même pas du son, il vaut mieux l'avoir en photo, celle-ci. Vous avez fait vérifier ses oreilles ? C'est pas normal de crier comme ça ! Vous savez, mon mari, il avait un âne qui n'arrêtait pas de beugler, eh bien...

– Mais elle va la mettre en veilleuse, Françoise Dolto ! cracha Bernard.

Le grand-père planta son regard dans celui de la voisine, qui ne comprit pas ce qui lui arrivait.

– Vous nous courez sur le haricot, là, derrière votre pauvre clôture, hurla-t-il. Vous passez votre temps à nous chercher des poux, vous pourrissez la vie de ma femme avec vos commérages qui n'intéressent que vous, vous empoisonnez notre existence avec vos déchets. De tout ça, je m'en contrefiche ! Par contre, allez-y, continuez, touchez à un seul cheveu de mes petits-enfants, et ce n'est pas vos poubelles que vous allez retrouver dans votre jardin... C'est la police !

Devant le cri perçant d'Einstein, M. Dugrin déboula à la rescousse, sa souffleuse à la main, tel un bazooka. Cela n'impressionna nullement Bernard.

– Vous tombez bien, vous, l'accueillit-il, prêt à en découdre.

– Qu'est-ce qu'il nous veut, Nicolas Hulot ! attaqua M. Dugrin aussi sec.

– Mais tu sais ce qu'il te dit, Nicolas Hulot ! Vos mégots, j'en ai marre de les ramasser. Vous devriez les bouffer. Avec votre saleté de glyphosate. J'espère que vous arrosez bien tous vos légumes avec, qu'on se débarrasse de vous au plus vite. Je sais pertinemment que vous en versez au pied de

349

mon pauvre bouleau. Ne cherchez pas à mentir, le sol est brûlé tout autour.

Avec un air de défi, M. Dugrin lâcha :

– Peut-être, mais vous n'avez aucune preuve !

– C'est ce qu'on va voir, menaça Bernard. Préparez-vous, demain, je fais venir les experts pour qu'ils constatent le préjudice. Et on verra bien qui rira le dernier. À bon entendeur !

Bernard rentra à l'intérieur de sa maison en claquant la porte.

Ah, que ça fait du bien !

– 57 –

Fermer son clapet

Mai et juin étaient passés à la vitesse de la lumière, et juillet arriva avec ses vacances et les bagages de toute la petite famille de Nicolas, qui venait profiter de l'été auprès des grands-parents.

Depuis leur violente altercation, M. Dugrin et Bernard essayaient de ne plus se croiser. C'était trop dangereux. Bernard avait beaucoup de choses à lui reprocher, mais M. Dugrin également, puisqu'il lui en voulait d'avoir déversé toutes ses ordures dans son jardin. Comme promis, Bernard avait fait venir la police, leur montrant le pied de son arbre rongé, mais cela n'avait pas suffi pour monter un dossier, puisqu'il n'avait gardé aucune preuve, non plus, de l'abandon de déchets en forêt.

Les jours de ramassage des ordures ménagères, quand ils devaient sortir la poubelle, les deux hommes s'évitaient. Pourtant, ce soir-là, le hasard fit qu'ils sortirent en même temps sur le trottoir. Comme dans un western, ils ne s'adressèrent pas la parole, mais se toisèrent, chacun la main sur le bac, prêt à dégainer. Le regard baissé, M. Dugrin fut le premier à faire demi-tour, balançant derrière lui son mégot.

Bernard avança lentement vers le bout encore fumant, l'écrasa, puis s'apprêta à le glisser dans la boîte aux lettres des Dugrin, lorsque son fils vint à sa rencontre avec les restes du repas pour nourrir les poules.

— Qu'est-ce que tu fais, Papa ? Tu fumes maintenant ? demanda-t-il, surpris de trouver son père une cigarette à la main.

— C'est au voisin, répondit Bernard après l'avoir finalement jetée dans sa benne.

Nicolas leva les yeux au ciel. Décidément, son père ne changeait pas.

— Si tu ramasses chaque mégot du quartier, tu n'as pas fini, constata-t-il.

— Justement, bonne idée, très bonne idée, fiston. Tu n'as rien de mieux à faire maintenant, et moi non plus. On y va. On va prendre tout ce qu'on trouve autour de chez nous, entre la forêt et la plage.

— Non, mais il est quand même 21 heures, là. On fera ça une autre fois. Moi, ce n'est pas trop mon truc, et puis il est tard, c'est l'heure de coucher les enfants, esquiva-t-il.

En posant une main sur l'épaule de Nicolas, Bernard lui rappela :

— Il n'est jamais trop tard pour bien faire, mon fils.

— N'insiste pas, Papa. C'est ton idée, vas-y. Mais ne m'empêche pas de faire ce que j'ai à faire, sinon Alice va penser que je me défile. Désolé, lâcha-t-il en rentrant dans la maison.

Résigné, Bernard prit un sac recyclable, sa lampe torche, et partit seul faire le tour du quartier. Au bout de cinq minutes, veste sur le dos et grand cabas à l'épaule, Nicolas le rejoignit en courant.

— Je n'allais quand même pas t'abandonner... expliqua-t-il. Et puis, c'est les vacances, les enfants peuvent bien se coucher un peu plus tard, le temps que l'on essaie de leur laisser une planète dans un état pas trop déplorable.

Bernard pensa alors à la phrase d'Antoine de Saint-Exupéry que Marguerite lui avait souvent rappelée :
Nous n'héritons pas de la terre de nos ancêtres, nous l'empruntons à nos enfants.

Une heure plus tard, une fois les mégots et autres détritus ramassés sur le parcours, puis jetés dans la grosse benne communale, Bernard et Nicolas s'installèrent sur les transats du jardin et admirèrent les étoiles. Bernard pointa du doigt celle en forme de W et déclara :

— Tu vois, fiston, cette constellation, là, c'est Cassiopée ! Et de l'autre côté, tu as reconnu la Grande Ourse, avec sa forme de casserole.

Nicolas regarda son père, plein d'admiration. Celui-ci se redressa fièrement dans son fauteuil, oubliant de dire qu'il tenait son savoir de Paul. Brigitte sortit de la maison, suivie de près par Paul et Charlotte en pyjama. Alice fermait la marche.

— Alors, vous avez vu une taupe ? lança cette dernière.

Bernard lui décocha un sourire complice et accepta la couverture que son épouse lui tendait. Brigitte en déplia deux autres qu'elle étala délicatement au sol et sur lesquelles les enfants s'allongèrent auprès de leur mère et de leur grand-mère.

— Non, on profite du ciel splendide, répondit le grand-père. C'est la période des étoiles filantes, mais, pour le moment, on n'a rien vu, sauf un satellite. Dommage, j'ai bien un vœu qui me vient, dit-il en pointant du menton la maison des voisins qui étincelait dans la nuit, toutes lumières allumées.

— Vous voulez que je vous apprenne les constellations ? proposa Paul soudainement. J'ai fait des progrès.

Enchantés, tous encouragèrent le petit garçon à partager ses connaissances.

— Alors, là, vous avez la Petite Ourse, commença-t-il. Ici, Jupiter, par là-bas, on voit très bien Mars en ce moment. Là, Vénus, facile. Et ici, Pégase. Attendez que je trouve les anneaux de Saturne... oui, juste au-dessus de nous.

— Mais je ne savais pas que tu étais aussi calé que ça en astronomie ? s'exclama Nicolas, très impressionné. Bravo, mon fils.

— Tu ne sais pas tout de moi, Papa... chuchota Paul, d'une voix pleine de secrets.

Charlotte fit une moue sévère. C'était bien la première fois que son frère connaissait quelque chose qu'elle ignorait. Cela ne lui plaisait pas du tout que ses parents s'extasient ainsi. Seule à ne pas être estomaquée par la démonstration de son frère, Charlotte chercha, comme dans un tour de magie, le truc qui lui échappait. Elle resta pensive un long moment, alors que Paul continuait à cartographier le ciel à voix haute, puis elle roula sur le côté en direction de son frère.

— Ah ! Je me disais bien... Tricheur, rends le portable à Mamie, dénonça-t-elle, avec la voix d'une enseignante qui vient de prendre un élève en flagrant délit.

Paul sourit, pris la main dans le sac. Les adultes, qui n'avaient pas l'habitude que ce petit garçon leur joue des tours, étaient presque plus fiers de son assurance que des notions en astronomie qu'ils avaient présumées un instant. Paul tendit le téléphone à sa grand-mère, qui avoua être complice.

— J'avais prévu mon coup pour t'impressionner, Bernard. Je voulais réciter toutes les constellations une par une, admit Brigitte. J'avais même enfin dégoté un télescope pour être plus crédible. Mais Paul m'a devancée... Superbement !

Bernard aimait bien l'idée que, encore à leur âge, tous deux se préparent de petites surprises.

– Et comment elle s'appelle, ton application ? demanda le grand-père, curieux.

– *Sky You*, répondit son épouse.

– « Cailloux » ? Drôle de nom, mais ça se tient pour des astéroïdes, admit son mari, avant d'éternuer.

Retraite ou pas, certaines choses ne changeaient pas : Bernard avait toujours le chic pour prendre froid lorsque la famille était réunie.

Tous se remirent à la recherche d'étoiles filantes, en parcourant du regard chaque recoin d'obscurité. Depuis son transat, Bernard commençait à avoir un torticolis. Soudain, une lueur traversa le ciel de part en part, laissant derrière elle une poussière dorée. Cette étoile filante était énorme. Rarement Brigitte en avait vu une aussi immanquable. Charlotte et Paul lâchèrent un « waouh » d'admiration.

– Là, on peut *tous* faire un vœu, déclara Nicolas.

– Fait, répondirent cinq voix après quelques secondes.

Bernard se redressa subitement, la main sur la nuque :

– Quoi ? Quoi ! Il y avait une étoile filante ? Ce n'est pas vrai. Je ne l'ai pas vue, s'exclama-t-il.

Alice secoua la tête, marmonnant pour elle-même : « *Mais quel boulet.* »

– C'était impossible à louper, ça, Bernard, reprit-elle à voix haute.

– J'étais en train de dégourdir mon cou, raconta-t-il, pour tenter d'expliquer l'inexplicable, puis comme j'avais la goutte au nez, j'ai cherché mon mouchoir, mais comme Brigitte l'a lavé et que j'ai oublié d'en reprendre un autre… Eh bien…

– Tu essaies encore de rejeter la faute sur quelqu'un ? interrogea sa femme de manière suspicieuse, sans vouloir lui en tenir rigueur.

Avec les années, elle s'était tellement habituée à ce qu'il se débine constamment qu'elle serait désormais presque déçue si, du jour au lendemain, il ne lui faisait plus porter le chapeau.

Tout à coup, Brigitte se redressa d'un bond en écarquillant les yeux, comme si elle avait vu un tsunami foncer droit sur eux. Elle hurla :

– Debout, tout le monde, vite !

Dans leur dos, une menace gigantesque se rapprocha, devint énorme, puis s'abattit derrière eux, dans un craquement assourdissant. Après le choc de la tempête, Bernard et Brigitte avaient appris à courir et à réfléchir ensuite, mais, là, ils n'eurent le temps de rien, sauf de se protéger la tête.

Brigitte s'assit lentement, les jambes comme coupées, et l'ahurissement se lut sur son visage. Sains et saufs, tous se tournèrent vers l'origine du vacarme. Ils découvrirent consternés, et finalement un peu gênés, l'incroyable réalité.

Venait de s'effondrer de tout son long l'unique grand arbre du jardin : le bouleau. Directement sur la maison des Dugrin...

Bernard n'avait pourtant pas eu le temps de faire son vœu.

– 58 –

Il y a une justice quand même !

Brigitte avait immédiatement appelé les pompiers, qui sortirent dans la nuit noire les deux voisins de leur logis. M. Dugrin, sur une civière, Einstein, la tête haute. En passant devant le portail de Bernard, elle ne put s'empêcher d'apporter son commentaire.

– Vous voyez, je pensais pas que ça serait le bouleau qui l'achèverait, mon bonhomme... Quand je vous disais qu'il fallait se méfier des accidents domestiques, glissa-t-elle avec un sourire qui glaça le sang de Brigitte et Bernard.

– Mais... bredouillèrent-ils, il n'est pas mort, quand même ?

Ils se seraient attendus à plus de sollicitude de sa part. Eux en avaient plus qu'elle apparemment.

– Non, je crois pas. Il est juste un peu sonné, malheureusement ! Mon mari a jamais eu grand-chose dans la caboche, mais là, il l'a eu pile poil dedans... J'le connais, il va s'en remettre, mais moi, je rends mon tablier. C'est fini ! Ras le bol. J'vais pas passer ma vie à lui piler des médocs en attendant le miracle !

Bernard et Brigitte s'éloignèrent de cette furie, qui brailla à leur intention :

– Si vous me cherchez, je vais chez ma sœur, dans le Sud. Au moins, là-bas, on aura le soleil tous les jours. Et puis, mon bonhomme, il finira bien par me rejoindre, sauf s'il trouve une autre poule en chemin. L'espoir fait vivre... lâcha-t-elle avant de se diriger vers le camion de pompiers au côté de son mari.

— Vous avez bien raison, partez loin, le plus loin possible, cria Bernard. Mais pas en avion : prenez le train, surtout !

Voilà, c'en était fini des Dugrin. La voisine monta dans le véhicule et Bernard, porté par une inspiration soudaine, lui lança une ultime recommandation :

— Et dites bien à votre mari de faire attention avec ses mégots de cigarette sous le cagnard du Midi. Qu'il ne les jette pas n'importe où, sinon...

Einstein, pourtant installée, redescendit sous le regard horrifié de Bernard qui avait prononcé la phrase de trop. La seule fois de sa vie où elle avait cessé de parler avant lui ! L'unique fois où il était enfin débarrassé d'elle ! Elle approcha, ouvrit leur barrière qu'elle n'avait jusqu'à présent jamais outrepassée, se faufila jusqu'à eux et attrapa le bras de Bernard, qui, comme dans un réflexe de survie, eut un mouvement de recul. Puis la commère chuchota :

— Oui, oui, on a bien compris : si on jette encore nos poubelles dans la nature, la police va venir. Vous inquiétez pas, on avait prévu de partir, de toute façon. C'est juste que votre arbre il a précipité les choses. Nous, on était tranquilles ici, il y a prescription depuis le temps, vous pensez, mais au cas où on nous cherche toujours, vaut mieux prendre la poudre de perlimpinpin...

Brigitte acquiesça, sans essayer cette fois de la corriger.

Mme Dugrin trotta jusqu'au camion, alors que Brigitte et Bernard retenaient leur souffle : ne plus rien dire, sous peine de la voir revenir. Elle se hissa à nouveau dans le véhicule, qui alluma les gyrophares et partit sans un bruit, emmenant, loin, le couple des Dugrin.

Brigitte resta pensive un instant, n'étant pas certaine d'avoir tout saisi, puis demanda à son mari :

– Attends, tu crois que si on les avait remis à leur place depuis le début, en les menaçant d'appeler la police, on se serait évité cette peine et toutes ces années horribles ?

– J'en ai bien peur... admit Bernard avant de se poser une question fondamentale : à combien de vœux les étoiles filantes leur avaient-elles donné droit ?

Et de deux, déjà !

– 59 –

Ne pas en croire ses yeux !

La semaine suivante, Brigitte s'était transformée en chien de prairie depuis sa fenêtre, devant le regard étonné de son mari et du reste de sa famille. Elle avait scruté toute la journée les moindres faits et gestes du côté de la maison voisine, ayant identifié un comportement très peu banal : une entreprise de ramassage de déchets ou de déménagement – elle n'aurait su dire au vu des objets délabrés qui quittaient la demeure des Dugrin – entassait les vestiges d'une vie dans une camionnette immatriculée dans les Bouches-du-Rhône. Le tout exécuté sous la houlette d'une vieille dame rabougrie à la voix de crécelle.

Le soir, au dîner, alors que l'on allait passer aux tomates émondées de Bernard, Brigitte ne tint plus et lâcha tout enjouée :

– Je ne veux pas m'emballer, mais je crois bien que ça y est, les voisins ont déménagé.

– Les Dugrin ? demanda son mari.

– Mais qu'est-ce qui vous fait dire ça, Brigitte ? interrogea Alice.

– Tout d'abord, quelqu'un a vidé la maison, expliqua la jeune grand-mère. Je me suis dit que c'étaient des déménageurs, mais ils ont fait ça tellement rapidement que j'en suis presque à suspecter un cambriolage...

Bernard commençait à croire en sa bonne étoile.

– Tiens, quelqu'un vient d'installer un panneau « à vendre », poursuivit son épouse, l'arrêtant net dans ses rêves mesquins de revanche.

Aussitôt, tous s'agglutinèrent à la fenêtre. Il n'y avait pas une lumière d'allumée, c'était déjà un signe inhabituel, et, effectivement, une pancarte était plantée devant la maison en ruine. Ça ne donnait pas vraiment envie d'y habiter.

– Ne vendons pas la peau de l'ours avant de l'avoir tué, ils sont pleins de ressources, se souvint Bernard, mais ce serait une sacrée bonne nouvelle ! En tout cas, tout ça me met en appétit.

Bernard se leva et posa un grand saladier avec une salade fraîcheur qu'il avait réalisée avec les enfants. Ils y avaient mis des crevettes, du pamplemousse et du mesclun. Il pressentait que ce ne serait pas forcément du goût de sa belle-fille. Bernard n'était pas parvenu non plus à convaincre Paul d'ajouter des avocats. *Mais c'est vert, Papy ! Tu sais bien, non ?* avait rétorqué le petit garçon.

– Ils n'auront pas traîné ! fit remarquer Nicolas en trempant un gros morceau de pain dans la vinaigrette citronnée.

Bernard était plutôt ravi de ne pas avoir eu à discuter de son boulot avec M. Dugrin.

– On ne l'aura pas revu, *lui*, constata-t-il en servant une cuillerée à chacun et en déposant dans l'assiette de sa belle-fille une soupe froide de courgettes à la coriandre.

– Tiens, Alice, goûte-moi ça. Tu m'en diras des nouvelles.

Bernard l'avait préparée à part, uniquement pour sa belle-fille. La jeune femme fit une moue étonnée, puis dubitative, devant la verrine *très* verte. Sous le regard attentif de tous, elle y plongea sa petite cuillère.

Ne pas en croire ses yeux !

– Hum, c'est délicieux, Bernard. C'est vrai que c'est frais ! se délecta-t-elle en avalant le tout en quelques secondes. Et dites-moi, qu'est-ce que vous allez replanter à la place du bouleau ?

Ça, c'était la question que personne ne s'était encore posée. Bernard et Brigitte échangèrent des regards interrogateurs. Puis, d'un coup, Paul sauta sur place, tout excité. Il avait son idée :

– Un arbre qui attire à nouveau les oiseaux et les écureuils !

Tous eurent alors envie d'y mettre leur grain de sel.

– Et qui fasse de belles fleurs au printemps, ajouta Brigitte.

– Non, un avec des fruits rouges, pour les confitures de Mamie, réclama Charlotte. En plus, ça ferait plaisir à Maman. Hein, c'est vrai ?

Alice lui sourit, puis Bernard réfléchit un instant avant de décider.

– Je crois que je sais ce qui vous ferait plaisir à tous... répondit-il en imaginant la joie de sa famille lors des futurs déjeuners de Pâques, à rechercher les œufs en chocolat, sous un beau cerisier en fleur.

Le soir, dans leur lit, Brigitte attendit longtemps que Bernard daigne se coucher. Quand il l'embrassa, elle proposa :

– Je lance une idée comme ça : a-t-on vraiment envie de se remettre dans une galère, un agenda, des contraintes, avec la maison d'hôtes ?

Bernard la regarda, interloqué. Était-elle sérieuse ? C'était son projet depuis plus d'un an, elle qui avait besoin de contacts humains, de recevoir, de mettre les petits plats dans les grands, de se mettre en quatre pour les autres, de faire plaisir, s'oubliant souvent. Cela ne collait pas.

– Tu es sûre ? Tu y tenais tellement.

– C'était une bonne idée sur le papier, au départ, mais je me suis habituée à ma liberté. Et puis, avec la tempête, il faut tout recommencer à zéro, et je crois que je n'ai pas la force de le faire pour n'importe qui. Je ne suis pas sûre d'avoir envie de renoncer à mon temps pour les autres. Personne ne le mérite vraiment, sauf ma famille, dit-elle en se blottissant dans les bras de son mari.

– Tu ne vas pas t'ennuyer à seulement t'occuper de tes petits vieux de la maison de retraite, et de moi ? Ça va te suffire ? demanda-t-il en lui caressant les cheveux.

– Vous me suffisez amplement. Enfin presque... répondit-elle, énigmatique.

Brigitte se redressa dans le lit et se tourna vers Bernard. Elle le regarda droit dans les yeux. Soudain, Bernard tressaillit : les cils de son épouse recommençaient à papillonner. À tous les coups, elle avait une faveur à lui demander et ça ne sentait pas bon... Brigitte se lança :

– J'ai décidé qu'il était temps que l'on vende notre maison.

– Quoi ? Mais ça ne va pas la tête, je suis chez moi, coupa net Bernard, sous le choc. On en a déjà parlé, et le sujet était clos. Tu as d'autres grandes nouvelles, comme ça, à m'annoncer ? Préviens-moi. Je commence à être cardiaque.

Brigitte insista. Bernard soupçonna qu'elle lui cachait encore quelque chose.

– Ici, c'est devenu bien trop grand pour nous, nous n'avons plus besoin de tant d'espace, alors que d'autres, oui... chuchota-t-elle en fixant le mur qui les séparait de la chambre de Nicolas et d'Alice.

Bernard s'assit à son tour et interrogea sa femme du regard.

– Je dois comprendre ce que je comprends ? C'est Alice qui t'a monté le bourrichon ? questionna-t-il.

Ne pas en croire ses yeux !

– Tiens, tu ne l'appelles plus le « dragon » ? plaisanta Brigitte, avec un grand sourire.

– Dis-moi que tu ne leur as pas *déjà* proposé ? Brigitte ? répéta-t-il.

Alice et Nicolas n'avaient rien demandé à personne. Leur plan était de quitter Paris à la fin de l'été pour s'installer dans la région bordelaise. Nicolas n'avait plus d'attaches professionnelles, et Alice, en tant que webmaster indépendante, continuerait à travailler de chez elle. Jusqu'à présent, ils n'avaient pas trouvé leur bonheur et, la rentrée scolaire approchant, ils devaient prendre une décision rapidement : soit repousser d'un an leur départ – avec les loyers qui allaient finir par les prendre à la gorge –, soit accepter de se rabattre sur un appartement temporaire à Bordeaux, avant de trouver celui de leurs rêves.

Brigitte s'expliqua :

– Tu sais quoi, c'est moi qui le leur ai proposé. Je m'en suis voulu de ne pas y avoir pensé plus tôt. C'est tellement évident ! Ils cherchent à s'entasser, encore, dans un petit appartement, sans bout de verdure, juste parce qu'ils sont dans une passe difficile avec un salaire de moins, alors qu'en vrai je sais qu'ils adoreraient une petite maison avec jardin.

Brigitte inspira profondément, puis sortit sa carte maîtresse.

– Même Paul et Charlotte préféreraient...

Mentionner ses petits-enfants pour attendrir Bernard et obtenir de lui ce qu'elle voulait marchait maintenant nettement mieux que ses battements de cils.

– Non, mais... essaya de contrer Bernard, qui cherchait à retrouver ses esprits. Tu sais que je ne demande pas mieux que de voir Nicolas et les enfants le plus souvent possible désormais, même Alice n'est pas si enquiquinante que ça, finalement – à moins que je ne me sois habitué. Mais, sérieusement, Brigitte ! Tu n'as pas fait ça ? Tu as réfléchi aux conséquences d'une proposition pareille ?

– Oui, je sais très bien ce que je fais, ajouta-t-elle simplement.

Bernard était mal placé pour critiquer son épouse qui ne l'avait pas consulté avant de prendre cette décision. Et puis, si elle ressentait que c'était la meilleure solution pour la famille, il avait envie de lui faire confiance. Cependant, restait un détail majeur.

– D'accord, et on va habiter où maintenant ? Dans la fermette en ruine au fond du jardin ? interrogea-t-il, très pragmatique.

– C'est l'idée... Il faut la retaper rapidement, mais oui. En plus, elle est pratique pour des petits vieux comme nous : elle est de plain-pied ! lâcha-t-elle, en lui faisant un clin d'œil.

Au mot « pratique », les poils et les rares cheveux de Bernard se dressèrent à nouveau sur sa tête.

– Comme tu veux, ma chérie, accepta-t-il. Tu ne veux pas héberger ma mère, pendant qu'on y est ?

– Tiens, c'est vrai ça, je n'y avais pas pensé !

60

C'est parti mon kiki

Deux semaines s'étaient écoulées, pleines de cartons à faire côté parisien, et de grosses réparations à entreprendre côté bordelais, avant que la fermette ne soit à nouveau habitable. Alice et Nicolas avaient insisté pour participer financièrement aux travaux et tout s'était passé en bonne intelligence.

Il ne fallait pas se mentir : les six premiers mois, la cohabitation au sein de la grande maison familiale allait être nécessaire. Et, contre toute attente, elle se passa paisiblement dès que les quatre Parisiens s'installèrent fin août.

Les choses devenaient sérieuses : Charlotte et Paul n'allaient plus partager leur chambre, comme lors des vacances scolaires. Désormais, ils avaient chacun droit à la leur. Lorsqu'ils y pénétrèrent, ils retrouvèrent leurs affaires, que le déménageur avait déposées, et découvrirent de jolis pupitres d'écolier que leur grand-mère avait chinés pour eux. Elle s'était restreinte en parcourant son site d'occasions préféré : elle avait eu envie d'acheter un microscope pour Paul, un kit avec stéthoscope pour que Charlotte continue à jouer au Docteur... Finalement Brigitte s'était réfrénée, se rappelant que ce serait le genre de chasse aux petits trésors qu'elle aimerait partager avec sa belle-fille Alice.

Devenant de plus en plus proches, Alice et Brigitte déjeunaient souvent hors de la maison ensemble, quand ce n'était pas chez Marguerite. De son côté, Bernard était ravi d'avoir un cobaye pour ses nouvelles créations culinaires. Nicolas, lui, n'était pas encore bien habitué.

– Maman, répétait-il chaque fois. Qu'est-ce qu'on mange à midi ?

– Demande à ton père, rétorquait invariablement Brigitte.

– Papa, pour le repas, qu'est-ce qu'elle a prévu, Maman ? insistait, sans comprendre, Nicolas.

Lors de ces déjeuners, le père et le fils, tous les deux penchés au-dessus du livre de cuisine antique que Marguerite leur avait confié, partageaient de beaux moments, avec l'impression de rattraper un peu le temps perdu.

Ce mercredi-là de début septembre, Nicolas sirotait le café italien de son père, absorbé par sa lecture. Bernard vint se mettre à ses côtés et reconnut l'un des petits cadeaux que ses anciens collègues lui avaient offerts lors de son pot de départ. Paul et Charlotte jouaient autour d'eux.

– Encore sur ce foutu cahier ? observa Bernard. Je te l'offre, si tu veux. Pour ce que je m'en sers…

– Justement, Papa, tu devrais faire cet exercice : ils suggèrent de retrouver une photo de soi, petit, et d'essayer de se remémorer son rêve d'enfant. Ça permet plus facilement de savoir ce que l'on veut vraiment dans la vie.

Bernard fit une drôle de tête. Il ne croyait pas du tout à ce charabia de développement personnel.

– Pardonne-moi d'être sceptique : est-ce que tes enfants ont des passions ? Non, répondit-il à leur place. Tiens, Paul, qu'est-ce que tu préfères le plus dans la vie ?

– Sauter dans les vagues, Papy ! déclara le petit garçon, se remémorant ses premiers émois dans l'eau auprès de son grand-père.

– Et toi, Charlotte ? continua Bernard.

– Moi ? Courir le plus vite du monde ! Comme un super-héros.

Le père et le fils se regardèrent, amusés.

– Quand je te disais que ce n'était pas la peine de leur offrir des tonnes de cadeaux à Noël... ironisa Bernard.

– Les enfants sont plus philosophes que nous. Ils trouvent tout seuls les petits plaisirs de la vie. C'est un don que l'on perd en grandissant.

Nicolas saisit l'un des albums photo sur l'étagère derrière lui et le tendit à son père. Ce dernier parcourut les différents portraits, puis s'arrêta sur l'un d'eux. Un cliché en noir et blanc montrant un petit garçon en short sombre, aux chaussettes tire-bouchonnant sur des bottillons de cuir, et dont les genoux étaient tout éraflés. Cet enfant était niché à califourchon sur la branche d'un arbre. Il avait à peu près 8 ans et il s'appelait Bernard.

Le grand-père fut envahi par l'émotion en détaillant la photographie. Alors qu'il pensait n'avoir aucun souvenir de sa jeunesse, tout lui revint d'un coup. Nicolas, lisant l'émoi de son père, lui demanda tendrement :

– Et toi, Papa, enfant, tu rêvais de quoi ?

Bernard attrapa le cliché et le retourna pour lire la date – 1964 –, avant de répondre.

– Je crois qu'à 8 ans, à l'âge de Paul en fait, je n'avais qu'une envie, c'était de partir avec mon baluchon et d'aller vivre en forêt, tout seul. Je voulais dormir dans ma cabane, me nourrir de ma cueillette. Je rêvais de devenir un explorateur ou un naturaliste, une fois adulte. Je ne m'en souvenais plus du tout : ça marche bien, ton coup de la photo !

Bernard resta estomaqué, il parcourut les autres pages de l'album pour un voyage dans le temps. Soudain, il leva la tête et se rendit compte d'une chose.

– C'est marrant, si on y pense, aujourd'hui c'est exactement comme ça que j'ai envie de vivre : avec mon potager et mes poules, dans ma cabane au fond du jardin, en autosuffisance. Dire que j'aurai attendu presque 60 ans pour essayer...

Nicolas lui sourit avant de reprendre :

– On ne se trompe jamais quand on écoute ses rêves d'enfant.

– Et toi, alors, fiston, poursuivit Bernard. Tu rêvais de quoi avant que ton idiot de père te pousse dans une voie qui n'était pas la tienne ?

61

Qui a eu cette idée folle un jour d'inventer l'école ?

Paul et Charlotte s'étaient rapidement habitués à leur nouvelle vie. Même le fait de perdre leurs copains ne semblait pas les chagriner. La nouvelle enseignante de Paul était de la vieille école, mais elle le revendiquait. Tous les jours, le petit garçon revenait à la maison avec une nouvelle expression mystérieuse.

– Maman, ça fait mal d'avoir un compas dans l'œil ? Et d'avoir la tête dans le guidon ?

Dès le premier jour, l'institutrice avait prévenu ses petits élèves : « Le premier qui bronche, je lui botte les fesses ! » En apparence, pas du tout le genre à proposer des exercices zéro déchet.

Bernard regrettait de ne pas avoir pu mener à terme le projet de la maîtresse parisienne de son petit-fils, mais, pour la survie de son couple, il avait dû arrêter l'inspection des poubelles de Brigitte et la pesée hebdomadaire. Quelqu'un d'autre avait gagné à sa place, mais il s'en fichait : cela ne l'empêchait pas de faire des efforts tous les jours et de voir son comportement évoluer dans la bonne direction. Ainsi que celui de sa famille. Même de son fils.

Nicolas avait trouvé ce dont il rêvait. Il voulait écrire des contes pour enfants, en utilisant l'angle des super-héros pour faire plaisir à Charlotte, et le respect de la nature pour trouver l'admiration dans les yeux de Paul. Était née *Écolo-Man*, la première bande dessinée verte, qui avait déjà séduit plusieurs éditeurs. Mais ce qui avait le plus d'importance pour Nicolas était que les maquettes faisaient un carton auprès de son père, et il avait hâte de les montrer à ses petits.

Un soir, alors qu'Alice épiait ses enfants, assis *calmement* sur la couette Spiderman de Charlotte – c'était déjà un petit événement en soi –, elle découvrit Paul lisant un livre que sa sœur avait choisi. Il était exalté et ajoutait des bouts à l'intrigue, mais le rendu était assez fidèle à l'original.

– Et le colibri, *par ses gardes*, n'eut trop naguère le choix…

Alors qu'elle s'apprêtait à entrer pour leur raconter l'histoire du soir, Nicolas se glissa avant elle dans la pièce et s'intercala entre Paul et Charlotte.

– Ce soir, c'est moi qui vous couche, annonça le papa, lançant un regard taquin à Alice.

Désormais, elle et son mari se chamaillaient presque avec Bernard et Brigitte à l'heure du conte pour être les premiers. Lors de ces échanges privilégiés, il n'était pas rare que l'un des deux enfants interrompe la lecture et pose des questions existentielles : ce qui les tracassait à l'école, des éclaircissements sur certaines conversations d'adultes, des envies de projets en famille… Ils ne s'étaient jamais ouverts à eux comme ça auparavant, et cet instant unique, aucun des deux parents ne voulait plus le manquer. Pour rien au monde.

Alors que Nicolas reprenait au moment où le petit oiseau éteignait l'incendie goutte après goutte, Paul l'arrêta :

– Non, Papa, change de livre, s'il te plaît.

– Mais c'est ton préféré, rétorqua le père de famille.

– Moi, je veux *ton* histoire ! insista le petit garçon.

Nicolas ne comprit d'abord pas, puis tenta...

– Celle d'Écolo-Man ? Comment êtes-vous au courant ?

– Bah, on sait tout, nous... reprirent le frère et la sœur en chœur.

Nicolas alla alors chercher la maquette de sa bande dessinée. Il rapporta le deuxième volume, qui était en cours d'élaboration, prit sa voix de conteur et débuta :

« Écolo-Man arriva dans la jungle et découvrit un macaque qui lavait ses légumes. C'était fort étrange : il était le seul à aller ainsi à la rivière. Les autres se moquaient de lui et faisaient comme ils avaient toujours fait, sans réfléchir... »

Paul le coupa :

– C'est le conte du 100ᵉ singe. C'est ça, Papa ?

– Oui, celui où un seul être peut faire changer le comportement de tous les autres du jour au lendemain. On n'a pas besoin d'atteindre la majorité dans une communauté. Parce que, vous savez, parfois il suffit juste d'une personne de plus – ici, c'est le 100ᵉ singe – pour que les choses basculent d'un coup et que tout le monde adopte le bon comportement.

– Et après, ils vécurent heureux et eurent beaucoup d'enfants dans ton livre ? embraya Paul.

– Attends la suite, mon grand, mais je peux déjà te dire que ça se termine bien, et qu'à partir du moment où ils décidèrent de changer leur façon de vivre, tout alla mieux dans le meilleur des mondes.

– Mais tu n'as pas mis de méchants ? demanda le petit garçon, une fois la bande dessinée terminée. Ça fait trop conte de fées, là. Tu ne veux pas leur mettre un voisin ?

– Je suis d'accord avec Paul, pour une fois… renchérit Charlotte, avec sa moue de « Madame Je-Sais-Tout ».

– Je vais y réfléchir, promit Nicolas. Allez, Paul, dans ta chambre, c'est l'heure de dormir.

Une fois un baiser donné à chacun, et la lumière du couloir allumée, Paul réclama son père pour un dernier câlin. Nicolas ne se fit pas prier. Le jeune garçon lâcha ce qu'il avait sur le cœur depuis un petit bout de temps.

– Papa, si tu as envie que je fasse du foot, je ferai du foot. J'aime bien quand on joue tous les deux, mais je n'aimais pas ceux qui jouaient avec moi : ils étaient trop méchants. Ils disaient que j'étais nul et ne me faisaient jamais de passe.

– C'est toi qui décides, mon grand. Tu sais mieux que ton vieux père ce qui te plaît. Parfois, quand on est parent, on pense savoir à votre place ce qui est bien pour vous, mais tu vas réfléchir, tu me diras quand tu auras décidé.

– C'est vrai ? s'extasia le petit garçon, enchanté par cette grande responsabilité. Je pourrais même faire du parachute à la place ?

– Heu… bugua Nicolas.

– C'était pour blaguer, Papa. Tu aurais vu ta tête ! Jamais de la vie je ferai ça : ça pollue trop de prendre l'avion !

– Si c'est pour le bien de la planète, alors, on ne fera pas de parachute, ironisa Nicolas.

– Et d'ailleurs, on doit aussi arrêter de prendre la voiture de Mamie. Juste nos vélos, d'accord ? enchérit Paul.

– D'accord, mon grand.

– Un pas après l'autre. Et peut-être qu'un jour ce sera nous le 100e singe ?

– 62 –

Haut les cœurs

L'après-midi suivant, Bernard était sorti en trombe de chez lui. Élégant comme un sou neuf, il avait couru aussi vite que sa condition physique de jardinier sexagénaire le lui permettait. Il s'était arrêté devant une grille, que Brigitte connaissait bien, mais que, lui, découvrait pour la première fois.

Il regarda sa montre : il était arrivé en avance d'une bonne vingtaine de minutes et, bien évidemment, il était le premier. Alors, il patienta. Encore. Mais plus l'heure approchait, plus Bernard avait du mal à calmer son cœur qui cognait fort dans sa poitrine. Il était ému comme pour un premier rendez-vous galant.

Derrière le portail grillagé, dans la cour de l'école, quelques enfants jouaient avec insouciance. Alors qu'il les observait, Bernard se fit la réflexion que les cris de joie devaient être les mêmes partout dans le monde, depuis la nuit des temps.

Il les regardait depuis de longues minutes, rêveur, quand une main lui tapa sur l'épaule. Il se retourna, surpris, et se retrouva face à une institutrice au regard suspicieux.

– Je peux vous aider ? Vous cherchez quelqu'un ? l'interrogea-t-elle.

– Oui, je viens faire une surprise à mon petit-fils, expliqua le grand-père.

L'enseignante, plus que dubitative, lui demanda le nom de l'élève, ainsi que sa carte d'identité. Bernard obtempéra. Elle lui précisa alors aimablement que sa classe n'allait pas tarder à sortir. D'autres parents s'agglutinèrent derrière lui.

Lorsque la cloche sonna, une marée d'élèves sortit tout à coup. Bernard chercha du regard celui qui faisait à nouveau battre son cœur à la chamade.

Il le vit, traînant son cartable, le manteau débraillé, comme s'il portait le poids du monde sur ses épaules. Mais, au moment où ses yeux tombèrent par hasard sur ceux de son grand-père, Paul lâcha tout et se mit à courir de toutes ses forces jusqu'à lui, avant de lui sauter dans les bras.

Bernard, qui était déjà tremblant d'excitation et stressé d'attendre son petit protégé, ne put retenir ses larmes. Ce n'était pas normal de se mettre dans des états pareils juste en retrouvant un enfant à la sortie de sa classe. Il s'en rendait compte au vu des têtes blasées des autres parents, grands-parents, baby-sitters, qui, eux, n'en étaient pas à leur première fois.

Pour Bernard, cette émotion qu'il ne parvenait pas à contenir cachait bien plus de choses en réalité : il culpabilisait de ne l'avoir jamais fait auparavant, d'avoir loupé des moments similaires devant cette grille avec Nicolas. Il sentait que sa place était là en réalité. Bernard se promit alors de faire ce genre de surprise plus souvent. Pour que l'exception devienne la règle.

Le grand-père relâcha son étreinte et le petit garçon l'embrassa sur la joue, avant de sauter comme un cabri. C'était à se demander lequel des deux était le plus excité.

– C'était bon aujourd'hui à la cantine ? questionna Bernard.

– Délicieux ! Épinards à la crème, j'ai pris du rab, se vanta Paul.

– Tu aimes le vert, toi, maintenant ? reprit-il.

– Bah, oui, depuis toujours, continua le petit garçon, plein de mauvaise foi. Tu t'en souviens plus ? Tu as Azahmer ou quoi, Papy ?

La mauvaise foi était *assurément* un gène familial. Le grand-père sourit en lui ébouriffant les cheveux : à force, Paul allait finir par garder ses épis toute sa vie.

– Allez, arrête de dire des sottises et va récupérer ton cartable, mon grand. Il est l'heure d'aller faire une belle surprise à ta sœur.

Ils se mirent en route, côte à côte, et, quelques mètres plus loin, retrouvèrent Charlotte, qui était fière comme Artaban d'être escortée par Écolo-Man *en personne*.

Tous les trois prirent ensuite le chemin de leur maison. Soudain, le petit garçon se mit à sprinter, suivi de très près par sa sœur, laissant leur grand-père dans les choux. Ni une, ni deux, ce dernier, toujours aussi compétitif et amusé, répondit à la provocation, en allongeant du mieux qu'il pouvait ses foulées.

Voilà après quoi Bernard avait envie de courir désormais. Il était déterminé à chambouler son organisation pour être à l'heure et ne pas rater ces instants précieux. Il savait maintenant où se trouvaient ses priorités. C'était cela finalement, pour lui, revenir à l'essentiel.

Lorsque Bernard, essoufflé, rattrapa son petit-fils – qui s'était fait distancer par sa sœur –, ce dernier demanda, soucieux :

– Dis, Papy, tu reviendras, un jour, nous chercher encore ?

– Tous les jours, si tu le veux bien, répondit-il en souriant.

Le cœur du grand-père se remit à cogner dans sa poitrine à cette pensée. Leurs battements redoublèrent lorsque Paul lui attrapa la main de sa petite paume chaude et la serra très fort.

Un pour tous, tous pour un

Noël arriva et, avec lui, un goût particulier pour la famille Delcourt. Marguerite manquait. Elle qui avait toujours voulu finir sa vie chez elle, s'était éteinte dans son sommeil, quelques jours auparavant. Sans prévenir. Partie sur la pointe des pieds. Silencieusement. L'enterrement avait été sobre, fidèle à ses volontés. Loin du regard des enfants, Marguerite avait été parée d'une tenue très élégante, sa veste en tweed préférée, rehaussée de son plus joli foulard. Bernard avait eu bien du mal à transporter un vrai piano à l'intérieur de la petite chapelle, mais il y était parvenu. On y avait joué un air léger de Charles Trenet, que Marguerite et son mari Eugène avaient toujours écouté ensemble. Il y avait de la joie malgré tout. Et ce ne furent pas les quelques oiseaux qui accompagnèrent le pianiste de leur chant qui auraient dit le contraire.

S'ils avaient tous bien récupéré auprès du notaire les discours que Marguerite avait préparés pour eux, ils n'en eurent pas besoin pour se rappeler avec émotion à quel point la vieille dame avait été importante dans leur vie.

Alice s'était montrée particulièrement émue : elle avait l'impression de perdre à nouveau sa grand-mère. Marguerite leur avait inculqué à tous de solides valeurs qu'ils n'oublieraient pas de transmettre encore. Profiter, oui, mais sans partager avec ceux que l'on aime, cela ne valait vraiment pas la peine, aimait-elle à rappeler.

Ce n'était décidément pas au vieux singe qu'on avait appris à faire la grimace !

Avant la mise en bière, au moment de lancer la première fleur sur le beau cercueil en bois clair, Bernard avait sorti de sa besace un objet qu'il souhaitait glisser dans la dernière demeure de ses parents : le béret d'Eugène. Celui-ci n'avait jamais quitté sa mère toutes ces années. Il l'embrassa, le posa un instant sur la tête de Paul, puis signifia qu'il était prêt : Paul et Charlotte le lâchèrent ensemble.

Toute la famille avait la certitude que Marguerite aurait été contente de la cérémonie, même si elle n'aurait sans doute pas manqué de leur reprocher d'avoir pris quelques libertés.

Partir en laissant très peu de choses derrière soi, c'est aussi montrer que l'on fait de la place aux autres.

Au moment où ils s'apprêtaient à quitter le cimetière, un élégant rouge-gorge vint se poser près d'eux. Il parut les observer attentivement avant de s'envoler avec le souffle du vent. Lorsqu'ils rentrèrent chez eux, ils retrouvèrent dans leur jardin le petit oiseau rondelet, qui se mit à siffler quelques notes aiguës, soudain rejoint par un second passereau plus fin. Bernard et Brigitte se cherchèrent du regard et eurent la même pensée : Marguerite n'était pas partie loin.

La famille avait choisi de fêter Noël sobrement. Brigitte avait mis un point d'honneur à recevoir chez elle, dans la fermette, qui était redevenue accueillante. La grande maison était désormais habitée par Nicolas et les siens, qui n'avaient dû rénover que le rez-de-chaussée finalement.

Un pour tous, tous pour un

Lors du réveillon, dans la petite bâtisse, on avait écarté l'idée d'utiliser des bougies, de peur qu'une catastrophe de plus n'advienne, mais on avait réussi à créer une ambiance feutrée grâce aux interrupteurs équipés de variateurs que Jean-Marc avait installés. Bernard avait fièrement rappelé que la lumière était fournie par les éoliennes du coin.

Jean-Marc avait décliné l'invitation de se joindre à eux, parti en bateau avec sa nouvelle femme, Séverine, à la découverte des mers du monde. Il n'y avait que les imbéciles qui ne changeaient pas d'avis, avait-il admis devant Bernard. Lors du déjeuner d'ailleurs, ils s'étaient même surpris à commander tous deux un plat végétarien ! L'amitié, c'était décidément comme l'amour : savoir évoluer ensemble dans la même direction.

C'était donc sous une lumière tamisée et autour de la table basse faite de palettes de bois que la famille s'était réunie au soir du 24 décembre. Brigitte avait écumé les brocantes et les sites de seconde main pour meubler l'ensemble à faible coût et avec goût. Elle avait déniché un gramophone – splendide et en état de marche –, pour presque « trois fois rien », ce à quoi Bernard répondait, calculette à la main, que c'était toujours « trois fois trop ». Par ailleurs, en faisant le tri dans son grenier, elle avait mis la main sur un précieux souvenir d'enfance : une vieille machine à écrire Remington noire, qui avait appartenu à sa grand-mère. Elle lui donnait envie d'y taper des histoires. Comme son fils.

Bernard, lui, avait encadré et accroché au-dessus du canapé leur seule photo de famille récente : celle du Noël précédent, lorsqu'il leur avait annoncé sa volonté d'aller plus loin dans le défi de l'école. Ils affichaient tous une tête de six pieds de long, Marguerite incluse. Sauf Bernard, qui était tout sourire. Heureux !

Bernard, qui avait commencé quelques mois plus tôt à se défaire des choses qui le retenaient dans le passé, avait finalement fait le grand saut : même le cordon de son badge y était passé. Il était décidé à vivre le moment présent. Il s'était senti libéré.

Le décès de sa mère lui avait apporté une nouvelle certitude. Brigitte avait *toujours* raison ! Cela faisait effectivement 39 ans qu'il esquivait le sujet de ses obsèques, parce que cela l'effrayait, mais il sentait que, désormais, il était prêt. Il avait donc appelé les pompes funèbres pour leur communiquer ses dernières volontés. Sa vie, comme sa mort, n'avait aucun sens si elle devait être sans elle.

À l'heure de l'apéritif, Charlotte était arrivée avec la boîte de Mah-jong. Avec son charisme naturel, elle avait convaincu tout le monde de faire une partie avant de commencer le dîner. C'était sa première fois. Elle s'était agenouillée devant la table et attendait de recevoir ses tuiles. La partie avait débuté depuis dix minutes que, déjà, elle avait réuni la combinaison gagnante.

– Mah-jong ! C'est trop facile, ce jeu ! On recommence ? s'enthousiasma-t-elle devant la moue renfrognée de ses trois adversaires.

Alice, avec qui elle était censée faire équipe, n'avait même pas eu le temps de l'aider. Nicolas, Bernard et Brigitte marmonnèrent dans leur barbe, sous l'œil curieux de Paul, et Charlotte redistribua les pièces. La deuxième partie ne se passa pas aussi facilement pour la fillette.

Alors qu'elle ronchonnait, car elle semblait avoir perdu la chance du débutant, Charlotte laissa tomber de sa robe de petits objets qui firent un grand fracas sur le parquet.

Tous se penchèrent, suspectant une tricherie, mais furent vite étonnés de découvrir trois petites cuillères dépareillées.

– Qu'est-ce qu'elles faisaient dans ta poche, Charlotte ? demanda Bernard, reconnaissant celles de son service de mariage.

– Ça, je sais pas. Mystère et boule de gomme, répondit-elle, les mains au ciel. Elles ont dû arriver là toutes seules.

– Hum... douta son grand-père, à qui il en manquait déjà quelques-unes. Pourquoi les as-tu prises ?

La petite fille posa un doigt sur son menton, leva le regard, puis dit :

– Tu sais, dans la vie, il y a certaines choses qui s'expliquent pas, Papy. Je suis comme la pie : ça brille, c'est joli, alors c'est plus fort que moi.

Alice, Brigitte et Nicolas sourirent à cette remarque enfantine.

– Mais tu en fais quoi ensuite ? interrogea le grand-père, curieux.

– Je les mets dans ma boîte à trésors. J'ai pas de nid, moi. Bon, on joue ? On va pas en faire tout un fromage. Et, Papy, si tu peux te dépêcher de piocher, ça serait mieux. J'ai pas toute la vie devant moi.

Plus qu'interloqués, Bernard et Brigitte échangèrent un regard complice. Ces réflexions ne leur étaient pas étrangères. C'était de famille, même si cela pouvait avoir sauté deux générations. Marguerite et Charlotte, même combat. Les chiens ne faisaient décidément pas des chats.

À minuit, lorsque Paul et Nicolas ouvrirent leurs paquets respectifs, leurs yeux écarquillés firent place à un très large sourire. Bernard sut alors qu'il avait fait le bon choix. Il avait décidé de se défaire prématurément de sa collection de *Tintin* pour l'un, et de ses vinyles pour l'autre. Il n'aurait pas besoin de leur dire : « Prenez-en soin » – il savait que ce cadeau, bien plus que n'importe quel objet high-tech, les accompagnerait toute leur vie. Et peut-être qu'ils seraient même un jour, à nouveau, légués à la génération suivante.

Bernard était heureux d'avoir pris cette décision, mais plus encore du regard reconnaissant de sa famille. Il savait que la transmission entre eux ne faisait que commencer. Il continuerait à leur enseigner la découverte de nouvelles espèces, à les épier, à se camoufler dans la forêt. Il leur inculquerait l'importance de leurs origines, l'histoire de leurs ancêtres, leur héritage, leur généalogie. Il voulait leur rappeler qu'on était tous des passeurs, et pas des saccageurs, et qu'il fallait absolument apprendre des erreurs du passé, car tout se répète toujours.

Perdu dans ses pensées, Bernard découvrit tardivement le regard préoccupé de son fils. Cela ne correspondait pas à son père de se défaire de ses affaires, sans en être absolument obligé. Il leur cachait forcément quelque chose. Nicolas s'inquiéta :

– Tout va bien, Papa ? Tu as quelque chose à nous dire ? Comment s'est passé ton rendez-vous avec le médecin hier, d'ailleurs ?

Effectivement, il ne leur avait pas tout dit.

– 64 –

Quoi de neuf, Docteur ?

La veille, Bernard avait consulté son médecin. C'était un examen anodin, pour mieux comprendre l'origine de ses ronflements – leur intensification, aurait dit Brigitte – et écarter la possibilité d'apnée nocturne, qui pouvait fatiguer prématurément le cœur. Son épouse lui avait également demandé de faire vérifier ses poumons, car Bernard ne se défaisait pas de ses éternuements ni de sa toux, depuis qu'il avait pris froid à force de chevaucher son vélo. Le spécialiste l'avait pris en retard, n'avait pas jugé bon de le rassurer et n'avait même pas remarqué les mains moites de son patient.

Lorsque le docteur, après avoir effectué les examens de contrôle, alla dans la salle voisine chercher les résultats d'analyse, il ne put s'empêcher de laisser échapper un sonore :

– C'est pas bon, pas bon, mais pas bon du tout !

Bernard sentit son cœur s'arrêter. Dans sa tête repassait en vitesse accélérée un condensé de toutes les émissions du *Journal de la santé*. Des noms de maladies toutes plus effrayantes se bousculèrent : Alzheimer, Parkinson, cancer, dégénérescence maculaire, ostéoporose, tumeur. Puis ce fut sa vie qui défila devant ses yeux.

Non, ça ne pouvait pas se finir comme ça... Il n'avait pas eu l'occasion d'en profiter vraiment. Ni pris du bon temps avec Brigitte. Et encore moins vu ses petits-enfants grandir. Il pria intérieurement pour demander rien qu'un tout petit sursis... Un long sursis, plutôt, se ravisa-t-il. Il se promettait de ne plus jamais perdre une journée, ni même une minute. Et de savourer chaque instant auprès de ceux qu'il aime.

Lorsqu'il revint, le médecin n'eut aucun regard pour lui. Ce n'était définitivement pas bon signe. Bernard prit alors son courage à deux mains. Il devait savoir, en avoir le cœur net.

– Dites-moi tout, Docteur : qu'est-ce qui ne va pas ? lança-t-il d'un souffle.

Le médecin le regarda, perplexe, comme s'il se rendait soudain compte de sa présence, puis il secoua la tête, abattu.

Bernard était tétanisé au moment où le médecin ouvrit la bouche :

– On vient de se prendre un but, à la dernière minute !

Sa poitrine se serra tellement fort qu'il crut faire un arrêt. Il s'abstint de demander une échographie cardiaque, tout comme il préféra ne pas insulter son médecin. Il le remercia tout simplement et sortit, avant de rentrer en bus, avec la sensation de revenir sain et sauf de la guerre. D'être vivant comme jamais !

Il observa les petits vieux qu'il avait toujours dénigrés : ils avaient l'air contents, un peu comme lui. Comme sa mère, Marguerite, en fait. Heureux d'être en bonne santé, à contempler le monde autour d'eux, un fin sourire aux lèvres. Tels la Joconde, comme s'ils détenaient un secret. Celui du temps retrouvé, peut-être.

Quoi de neuf, Docteur ?

Il dévisagea ensuite les plus jeunes autour de lui : ils avaient le regard fixe des actifs hypnotisés par leur portable, le genou tremblant de stress. Certains, et c'était pire, s'endormaient carrément d'épuisement. D'autres avaient les yeux vides à force de jouer à des jeux qu'Alice aurait qualifiés de débilitants. Le temps filait effectivement plus vite ainsi. Mais c'était du temps pour quoi ? *Du temps perdu à jamais* était la seule réponse qui lui vînt.

– 65 –

Mieux vaut tard que jamais !

Sous le ciel gris de janvier, Brigitte et Bernard étaient agenouillés dans leur jardin, de la terre sur le nez, avec leurs bottes en caoutchouc et leurs gants, à reboucher un grand trou dans lequel ils venaient juste de planter un jeune arbre, d'à peu près deux mètres. Le remplaçant du bouleau : leur nouveau cerisier.

Alors que Bernard se reculait pour mieux l'observer, Brigitte y mit la touche finale : une longue mangeoire qu'elle remplit de graines pour attirer les mésanges, les roitelets, les rouges-gorges et autres petits gourmands. Quand elle en fit tomber quelques-unes par mégarde, les cinq poules approchèrent en se dandinant.

Bernard et Brigitte leur cédèrent la place et rentrèrent chez eux. Derrière la baie vitrée de la fermette, ils les admi-rèrent un instant à leur poste d'observation, près du télescope, avant de se préparer une boisson chaude.

Brigitte fit chauffer de l'eau dans sa bouilloire, attrapa sa théière en fonte et prépara le thé pour elle et son mari. Depuis quelque temps, celui-ci avait arrêté le café – encore un changement –, car il s'était rendu compte que les grains voyageaient bien plus que lui. Il faisait désormais pousser dans son jardin un petit théier.

Bernard, qui avait redouté que le climat bordelais ne soit pas le plus propice, fut surpris lorsqu'il découvrit les premières pousses vertes. Sentir le parfum de thé noir et piocher dans ses propres feuilles séchées chaque matin lui donnait une très grande satisfaction. Lui qui, enfant, avait rêvé de loger dans une cabane près de la forêt, se nourrissant de sa cueillette, était fidèle, comme jamais, au petit garçon qu'il avait été.

Alors qu'ils épiaient la première mésange qui sautillait timidement, de branche en branche, jusqu'à la mangeoire, Brigitte proposa :

– Ça te dit d'aller au cinéma, Bernard ?

– Oui, attends, répondit l'intéressé en fouillant dans sa besace, je prends mon agenda. Mercredi, je ne peux pas, j'ai mon rendez-vous de la semaine ! Le matin avec Charlotte, l'après-midi avec Paul. Je peux, oui, la semaine prochaine, jeudi à partir de 14 heures si tu veux.

Brigitte leva les yeux au ciel.

– Je rêve ? dit-elle. Ne me dis pas que maintenant nous devons prendre rendez-vous dix jours à l'avance pour se trouver un petit moment de détente tous les deux ?

– Je pense surtout qu'il faut que l'on apprenne à planifier des choses et à s'y tenir, ajouta Bernard. Car, comme nous n'avons pas vraiment de contraintes, ce que l'on avait prévu de faire aujourd'hui, on pense que l'on pourra toujours le faire demain ou après-demain. Jusqu'à ce que... prédit-il.

– On s'oublie, mon chéri, conclut Brigitte au moment même où Bernard se levait, comme fuyant la discussion, pour disparaître dans leur chambre à coucher.

Surprise, elle le suivit, prête à lui remonter les bretelles, mais il se tourna vers elle, avec un grand paquet :

– Je ne t'oublie pas... Vas-y, ouvre, ma chérie !

Mieux vaut tard que jamais !

— C'est pour moi ? C'est quoi ? demanda-t-elle sceptique. Une bêtise, je suis sûre. Ce n'est quand même pas une calculatrice ?

— Ni une calculatrice, ni une bêtise... Regarde, l'incita-t-il.

À l'intérieur, Brigitte découvrit un magnifique sac de voyage avec deux billets pour une destination, loin, très loin...

Son visage s'illumina, mais elle s'interdit d'y croire : à tous les coups, c'était une blague de son mari. Cependant, devant le hochement de tête répété de Bernard, elle sourit avant de lui sauter au cou.

Enfin !

Épilogue

La cerise sur le gâteau

Pour le repas dominical, Alice, Nicolas et leurs enfants arrivèrent devant la fermette et furent surpris d'y trouver les lumières éteintes. Seule une feuille manuscrite était accrochée à la porte :

« On est partis en voyage de noces : 39 ans, ça se fête ! On revient (pas) très vite. On vous embrasse fort. »

– Je ne peux pas croire qu'ils aient fait ça... lança Nicolas. Un déjeuner du dimanche sans Papa et Maman, ce n'est pas pareil !

– Pour une fois que, dans leur vie, ils se font plaisir et s'organisent un truc à deux, on ne va pas le leur reprocher, quand même, fit remarquer Alice.

– C'est sûr que c'est une idée de mon père ! maugréa Nicolas.

– Laisse-le tranquille, le rabroua Alice. Ton père se bat avec ses démons, et ta mère se bat avec ton père. La boucle est bouclée.

Nicolas resta bouche bée.

– Attends, tu prends la défense de mon père, là, ou je rêve ? constata-t-il.

C'était bien la première fois que la belle-fille était du côté du beau-père. Décidément, dans cette famille, il fallait s'attendre à tout.

– C'est qu'il est « atta-chiant », finalement, Bernard. Même les taupes ne s'y trompent pas ! ajouta-t-elle en pointant du doigt une nouvelle motte de terre qui venait d'apparaître.

La « voisine » du dessous – qui avait sûrement profité de l'absence du patriarche – était de retour, mais il en faudrait désormais plus à Bernard pour le miner.

À quelques kilomètres de là, Bernard et Brigitte s'étaient évadés, pas si loin que ça en réalité : dans une vieille cabane de pêcheur sur pilotis du bassin d'Arcachon qu'ils avaient louée juste pour eux deux. Le jeune couple de retraités dégustait, depuis leur ponton avec une vue imprenable sur la mer, la bourriche d'huîtres qu'ils avaient apportée dans leur panier garni. Seuls et ensemble, simplement libres !

– À nous deux, trinqua Brigitte.

– Je dirais même plus : enfin tranquilles ! ajouta Bernard.

Depuis leur poste d'observation, entourés par cette nature encore sauvage, ils restèrent de longues heures à profiter du calme olympien, comme si le monde autour d'eux n'existait plus. Ils ne se lassaient pas de contempler le paysage, ni d'écouter le son des vagues qui roulaient.

En fin de journée, devant le soleil qui rougeoyait, Bernard finit par rompre le silence.

– Je crois que je vais prendre goût à ces petites escapades.

– Alors là, rien ne me ferait plus plaisir. Je prends mon agenda et on se planifie les prochaines, répondit Brigitte en ne plaisantant qu'à moitié.

Marguerite avait raison : la retraite, c'était comme entrer dans une pâtisserie. Tous les gâteaux avaient l'air appétissants, et Bernard était résolu à les goûter les uns après les autres, afin de savoir lesquels étaient faits pour lui.

Il ajouta :

– Et tu sais quoi ? J'aimerais également emmener, un jour, nos petits-enfants avec nous. Pas quand on se prévoit un petit week-end romantique, mais je me disais, pour leurs 10 ans, par exemple... On leur laisserait le choix de la destination.

– Très bonne idée, mais attention à ce que tu proposes, mon chéri. Connaissant Paul, ça ne m'étonnerait pas qu'il demande à aller voir les tortues des Galápagos.

Brigitte ne disait pas cela par hasard. Elle savait pertinemment pourquoi leur escapade en amoureux n'était pas si éloignée que ça de leur maison bordelaise : Bernard refusait toujours de prendre le moindre avion, un seul vol suffisant à polluer plus qu'une voiture pendant un an, répétait-il à l'envi. Ce qui aurait été le comble pour lui qui s'échinait toujours à pédaler pour se rendre à la coopérative biologique chaque semaine.

Bernard réfléchit.

– Eh bien, je ferai une exception, et on prendra l'avion, répondit-il, contre toute attente. Un grand sage m'a dit un jour : « Toi, tu n'as jamais bien écouté la maîtresse. Dans la vie, il y a toujours des exceptions qui confirment la règle. » Et je crois que faire les choses par amour est la meilleure des raisons pour s'autoriser quelques écarts.

Bernard prit la main de Brigitte, qui l'embrassa comme cela ne leur était pas arrivé depuis très longtemps. Au même moment, le portable de Bernard retentit. Il ne reconnut pas le numéro et mit le mode silencieux pour laisser sonner. Il continua sa discussion.

– Je ne te l'ai pas encore dit, mais j'aime bien tes nouveaux cheveux. Le gris, ce n'est pas mal du tout. Tu es très jolie, ma chérie !

— Waouh, un compliment. Il va neiger ! fit remarquer Brigitte. Tu sais que, toi aussi, tu n'es pas mal non plus. Pas Robert, ni Redford, mais tu as un petit air de James Bond, de Sean.

— Bernard Connerie, tu veux dire, se moqua-t-il.

Alors qu'ils se blottissaient l'un contre l'autre, de nouveau le téléphone se mit à vibrer. Bernard s'apprêtait à l'éteindre carrément, pour profiter entièrement d'un tel moment de plénitude à deux, mais il eut un pressentiment. Et pas un bon. Depuis longtemps, son portable ne sonnait plus, ou alors uniquement pour de mauvaises nouvelles. Surtout que, là, il ne connaissait pas le numéro. C'était forcément important.

Lorsqu'il décrocha, il ne comprit pas tout de suite qui il avait au bout du fil. Un monde s'était écoulé depuis la dernière fois où il avait pensé à ce nom. Godard.

Son ancien chef était bien plus volubile que la dernière fois qu'ils s'étaient entretenus. L'entreprise le rappelait. Pour lui proposer du travail. Son travail.

Le patron avait bien préparé son offre : les conditions réunies étaient parfaites. Bernard pouvait travailler de chez lui, à son rythme, avec ses exigences, et sans pression. C'était même à lui de proposer son nouveau salaire. La balle était dans son camp, la société était en crise et ils avaient besoin de son expérience. Plus que jamais.

Brigitte tendait l'oreille, mais ne comprenait pas exactement ce que Bernard demandait. Son mari semblait négocier.

Pour Bernard, c'était le coup de fil de sa vie ! Il l'attendait depuis si longtemps. S'il n'avait jamais souhaité d'autre reconnaissance, force était de constater que, là, son ancienneté semblait compter plus qu'il n'y paraissait des mois auparavant. Il tenait enfin sa revanche. Dans sa tête, une image s'imposa à lui : celle d'un éléphant sûr de lui qui mettait K-O un lion amaigri.

Il répondit :

– Je vous remercie, Patron.

Bernard raccrocha avant de reprendre une huître, comme si de rien n'était. Brigitte le dévisageait, mourant d'envie d'en savoir plus :

– C'était qui ? Ne me dis pas que...

– Champagne ? proposa-t-il simplement.

– Oh tu me fais peur, Bernard... J'ai deviné à ton sourire. Tu n'as pas dit « oui » quand même ! Dis-moi que tu n'as pas dit oui...

– Et si on goûtait plutôt le petit cidre que j'ai traficoté avec nos vieilles pommes pourries. Ça serait parfait pour aller avec les noces de crêpe. D'ailleurs, il faudra que tu m'aides pour les prochains jus.

– Alors ? s'impatienta Brigitte.

– Tu ne vas pas le croire : il voulait savoir comment j'allais, mentit-il.

Brigitte, qui n'était pas dupe, rétorqua :

– Si seulement c'était vrai... Tu ne vas pas y retourner, quand même ?

– Tiens, ce n'est pas un flocon de neige ? En janvier, on n'y croyait plus. Il y aurait encore des saisons ? interrogea-t-il, pensif.

– Bernard ! Qu'as-tu répondu à Godard ? s'impatienta Brigitte.

Il commençait à peine à profiter et à se rendre compte que cette retraite anticipée, finalement, c'était une chance : toutes ces années gagnées n'étaient que du bonus.

Bernard saisit la main de Brigitte, la regarda droit dans les yeux avec un sourire énigmatique, puis conclut :

– Je crois que la retraite, en fin de compte, c'est vraiment la cerise sur le gâteau. On n'est pas bien, là ?

FIN

Pour vous en dire plus

Chacun de mes romans est intimement personnel. L'histoire s'impose toujours à moi en fonction de ce que je vis.

Pour celui-ci, l'inspiration m'est venue alors que mon mari, nos enfants et moi venions de quitter l'Italie, après y avoir passé cinq ans. Nous avions décidé de nous installer en Bretagne, près de notre famille. Beaucoup nous ont dit : « Ah, ça va vous changer ! », en faisant référence au climat ou au fait que l'on quittait une grande ville où nous menions nos vies au rythme effréné imposé par nos emplois respectifs. Mais nous n'étions pas inquiets : au contraire, prêts au changement radical.

Depuis notre petite ville bretonne, où je dois avouer qu'il y a plus de personnes âgées que de jeunes familles, je vis désormais de ma plume, et mon mari a créé son entreprise. Notre nouveau rythme est celui de l'école.

Pour la première fois, nous pouvons déposer nos enfants le matin et aller les chercher à 16 h 30, sans avoir besoin de baby-sitter. Pour la première fois, nous pouvons faire les devoirs avec eux, ce que nos métiers ne nous auraient jamais permis auparavant.

Je suis celle qui une fois a fait la surprise d'aller, exceptionnellement, chercher son fils à l'école. J'ai été celle à qui l'on tape sur l'épaule parce qu'on ne reconnaît pas la mère d'un élève, celle qui se met à pleurer lorsque son regard croise les yeux émerveillés de son fils, ravi de la surprise. À ce moment-là, quand les larmes ne s'arrêtent pas, on se dit que quelque chose n'est pas tout à fait normal.

Moi qui avais connu le *burn-out*, le *baby blues* et le stress quotidien au travail, et qui avais toujours déclaré être heureuse – et je l'étais –, je réalise aujourd'hui que je suis passée à une autre échelle du bonheur.

Quand les enfants sont à l'école, mon mari et moi travaillons comme des acharnés. Je crois que, lorsqu'on se sent privilégié de vivre de sa passion, on garde une part de culpabilité et on trime encore plus ardemment.

Un jour, alors qu'exceptionnellement nous avions déjeuné ensemble (on est comme Bernard et Brigitte), j'ai eu l'impression, au moment où nous rentrions chez nous en longeant la mer, d'avoir la chance de profiter des avantages de la retraite tout en étant encore jeune.

Est alors née l'idée d'écrire sur le changement de vie – quel qu'il soit –, et notamment sur celui qui nous attend tous, et pour lequel nous sommes plus ou moins préparés : la retraite.

Pour moi, tout plaquer, c'était un choix, qui avait d'ailleurs commencé le jour où l'entreprise de mon mari l'avait muté à Milan. En démissionnant pour le suivre, j'avais eu le temps de faire le point et avais décidé de réaliser mon rêve de petite fille : écrire un roman – *Mémé dans les orties*. Cette opportunité (qui ne m'enchantait guère) s'est finalement transformée en une chance extraordinaire.

Cependant, pour ce roman, j'ai ensuite pensé à d'autres qui vivent cette deuxième vie comme une punition. Je me suis alors projetée à la place de ce pauvre Bernard, qui a sacrifié sa vie et sa famille pour son travail – en bon soldat des temps modernes –, et qui se voit remercié sans avoir eu le temps d'anticiper quoi que ce soit.

Et moi, que ferais-je si j'étais à la retraite *sans écrire* ? Sommes-nous préparés à l'inactivité ? Pour moi, la réponse est clairement non.

Plus j'y réfléchissais et plus j'étais intimement persuadée que ma vie ne serait pas très différente une fois à la retraite. J'aurais tendance à délaisser le superflu pour revenir à l'essentiel. Ma famille. Les livres. Point. Et pourtant...

En préparant ce roman, j'ai commencé à imaginer certains membres de ma famille à la retraite, et c'est en observant mon beau-père, bourreau de travail qui n'a pas prévu de s'arrêter tout de suite, que j'ai créé Bernard, poussé vers la sortie avant l'heure.

Je voulais l'affubler d'une tare, d'une obsession : cela devait être le jardinage, mais, bien malgré moi, il s'est peu à peu transformé en ayatollah de l'écologie. Et plus je m'informais sur le sujet, plus je le rendais intégriste, zinzin, agaçant, ridicule, aux yeux de son entourage.

Puis une transformation, que je n'avais pas prévue, s'est opérée en moi : je suis devenue Bernard. La fiction a rattrapé la réalité. J'ai lu qu'un roman doit changer la vie de l'auteur – sinon ce n'est pas la peine de l'écrire. Ce fut le cas pour moi. Ce fut *ma* cerise sur le gâteau. Alors que, en matière d'environnement, je partais de loin.

En commençant ce livre, je n'avais aucune conscience écologique : j'essayais de manger bio depuis que j'avais des enfants – par peur pour notre santé uniquement –, et ça s'arrêtait là. Au point où, quand j'ai voulu expliquer à mes fils pourquoi on n'achèterait plus de pâte à tartiner, c'est bien moi, à 35 ans, qui ai dit à Jules et Gaspard : « Parce que de méchants messieurs coupent les palmiers sur lesquels les orangs-outans vivent, et du coup ça les tue. » Tout ça sous le regard désolé/désespéré/horrifié/affligé puis amusé de mon mari, qui me dévisagea avec l'air de dire : « Mais qu'est-ce qu'on va faire de toi ? » Du coup, c'est lui qui a repris les explications pédagogiques aux enfants, et, moi, je me contente d'inventer des histoires.

Au fur et à mesure que mon empathie grandissait pour Bernard, je me suis rendu compte qu'une multitude de petits gestes que je faisais au quotidien manquaient cruellement de bon sens.

À cause de Bernard, depuis septembre 2018, je suis devenue *plastic freak* (à défaut d'être *plastic free*). Je vois du plastique partout – et des imbéciles aussi –, mais je ne parviens pas à l'éradiquer complètement de ma poubelle. Les échecs de Bernard sont les miens : rapporter ses bocaux à la coopérative bio, mourir de soif en oubliant la gourde, commencer par acheter plus (recevant cartons et emballages à gogo) pour pouvoir consommer mieux ensuite.

Et comme lui, j'ai contaminé mes proches, plus ou moins malgré moi.

Je crois que ma famille me déteste désormais. Ils me prennent pour une tarée et pensent que c'est une lubie passagère : « Au prochain roman, elle sera redevenue normale. » Mais je ne pense pas. On ne revient pas d'une question dont l'enjeu et l'urgence sont tels. Peut-être qu'ils comprendront ou me pardonneront un jour.

En attendant, je dédie ce roman :
À mes proches, pour mes cadeaux de Noël pourris. Cette année, j'ai utilisé cette fête pour offrir, pas seulement mes livres coups de cœur de l'année, mais également mes

nouveaux indispensables : gourdes, bocaux, guides « zéro déchet », brosses à dents en bambou, mouchoirs en tissu, cotons réutilisables, etc. Ils ont tous cherché le *vrai* cadeau : il n'y en avait pas !

À ma mère, qui parcourt les brocantes pour dénicher des vêtements pour enfants de seconde main, qui utilise tous les jours sa râpe à gruyère, son moulin à café, et qui scrute les sites d'occasion pour me dégoter une yaourtière (et – parce qu'on est tous humain et plein de paradoxes – a quand même utilisé de la vaisselle jetable à Noël alors qu'elle savait les chamboulements à l'œuvre dans mon esprit).

À mon frère, jardinier heureux, qui essaie au quotidien de faire passer notre mère au bio : bon courage ! Les cuisiniers d'aujourd'hui sont des stars, les jardiniers seront celles de demain. Pourtant mon frère – qui en a fait son métier depuis 15 ans et qui dès ses 6 ans savait qu'il voulait s'occuper de la terre, des forêts, des jardins – a dû essuyer à l'époque quelques remarques acerbes à propos de son manque d'ambition. C'est à nous de faire évoluer les préjugés. Et de laisser nos enfants s'écarter du chemin que l'on a imaginé pour eux. Mon fils Jules, à 6 ans, veut être vétérinaire – il a le temps de changer d'avis, Gaspard, 2 ans, aussi –, mais si son désir reste intact, y a-t-il une raison pour que je le pousse dans une voie qui n'est pas la sienne ? Ce qui m'importe, c'est que leur travail ait du sens à leurs yeux.

À mon père, avec qui je partage la passion des oiseaux, et une jolie histoire de transmission avec mon quatrième roman *Au petit bonheur la chance*.

À mes beaux-frères et belles-sœurs, condamnés à prendre l'apéro chez moi sur une table basse faite de cartons, car je n'ai toujours pas trouvé mon bonheur sur les sites de seconde main. Mais j'y travaille.

À mes beaux-parents, source inépuisable d'inspiration. Il m'a été difficile de mettre un point final tellement ils me fournissent en « perles ». Heureusement, il y aura d'autres romans...

À Mémé, qui a tout vécu avant moi, alors je l'écoute, attentivement. Quand mes garçons ont des bobos, elle sait, elle se souvient (même de certaines choses de moi petite que j'ai occultées). Les grands-parents ont le recul. J'aimerais tout savoir d'eux, mais on n'ose pas poser les questions. Je laisserai mes enfants le faire. On me demande souvent pourquoi il y a autant de personnes âgées dans mes romans. Pour moi, elles sont essentielles, car elles représentent les valeurs de bon sens qui se perdent dans notre société. Ne pas gâcher, un sou est un sou, le juste respect de nos ressources naturelles, en sont des exemples. J'essaie d'inculquer à mes fils les valeurs que mes grands-parents m'ont enseignées.

À mes nouveaux amis, rencontrés sur le Bon Coin ou à une réunion zéro déchet de la médiathèque. Ce sont des voisins de mon âge : ils ont des poules, des vélos, vont à la ferme bio, cuisinent des purées, des soupes, et nous nous invitons à tour de rôle. On déguste de la bière artisanale locale bio, on joue, on échange des œufs, des meubles et des recettes de produits lave-vaisselle.

À mes amis plus anciens aussi. Une de mes témoins de mariage a plaqué son emploi de cadre en conseil pour aller élever des chèvres et vendre du fromage. C'était il y a quatre ans. Il m'aura fallu tout ce temps pour comprendre qu'il fallait ralentir.

À mes voisins, aux nouveaux que je ne connais pas encore – la tête plongée dans ce roman depuis des mois –, aux anciens, ceux de Paris qui m'ont inspiré Mme Dugrin ; et à ceux qui, comme la trentaine de Dinardais que j'ai rencontrés, se mettent au zéro déchet. Autour de moi, il y a toujours une autre personne qui se pose des questions, et souvent je découvre que certains sont déjà plus engagés que nous. J'en suis ravie : on se sent souvent seuls, et de voir que nous sommes de nombreux colibris, notamment grâce aux réseaux sociaux, cela donne du baume au cœur, de l'énergie pour continuer.

À tous ceux qui plantent une petite graine chaque jour, qui finira par germer : Pierre R., Cyril D., Nicolas H., Pascal C., et à certains journalistes d'investigation, qui, en 2018, ont fait un travail extraordinaire pour accélérer la prise de conscience. À titre personnel, c'est grâce à eux que j'ai nourri Bernard, puis ouvert les yeux. Alors je fais ma part, résistante d'une drôle de guerre.

Aux enseignants, qui savent – mieux que personne – que l'éducation est la clé. Et notamment à ceux de mes enfants. Merci à Mme Désert d'avoir initié un cycle sur les déchets – alignement de planètes au moment où j'écrivais ce roman. Merci également à Souad Berger de réussir à passionner et à canaliser une boule d'énergie digne de l'infatigable Charlotte.

À mon éditrice Alexandrine Duhin et ma bonne fée Katy Fenech, à qui j'ai fait les gros yeux, il y a quelques mois, en les voyant jeter leur mégot dans le caniveau et qui ne font plus le geste (sans s'y reprendre). Pardon, l'idée, ce n'était pas de vous culpabiliser, au contraire. Cependant, si ce roman fait tache d'huile aux éditions Fayard-Mazarine, au Livre de Poche, chez Hachette, auprès des libraires ou de vous, lecteurs, tant mieux. Vous avez été et êtes toujours à mes côtés. MERCI infiniment pour tout.

À mon mari, mon premier soutien depuis toujours, et sur qui je teste les blagues de mes romans (s'il en reste quelques-unes de nulles, c'est de sa faute). Mes enfants et moi ne serions rien sans ce pilier : il cuisine, il partage, il propose toujours avec plein d'entrain une idée nouvelle – la dernière en date, le « lundi vert ». Quand je suis très ancrée dans mon univers intérieur, il est très connecté au monde qui l'entoure : nous sommes comme une moule et son rocher. On avait dit à la fin d'*En voiture Simone* qu'on planterait notre arbre. C'est chose faite. Deux même, un pour chacun de nos enfants : un mirabellier et un poirier. Nous qui voulions prendre un chien, on va peut-être commencer par des poules... Et puis – parce qu'on est prêt à faire des exceptions par amour –, prenons l'avion et allons au Japon voir ensemble les cerisiers en fleur.

À mes enfants, que je prive de pâte à tartiner avec huile de palme – mais qui raffolent du miel et des confitures maison –, et qui ne savent pas que je suis à deux doigts de supprimer le chocolat aussi (j'ai un nouveau cas de conscience). Mon temps, je le passe auprès d'eux désormais : nous racontons (et inventons ensemble) des histoires, nous jouons à des jeux de société, nous faisons de grands puzzles. Ils ne savent pas encore ce qu'un smartphone ou une tablette sont, mais des roitelets, des tourteaux, des mulots gris, oui, et savent faire des « quiches de Rennes ». Jules a déclaré le week-end dernier : « Ça y est, moi, je sais comment sauver le monde : une promenade, un déchet. » Bien évidemment, il a raison. Quand on est plus de 7 milliards sur terre, chaque geste de chacun compte. Il n'est jamais trop tard pour commencer à bien faire.

Je veux partager avec vous une citation de Pierre Rabhi qui me fait beaucoup réfléchir : *Quelle planète laisserons-nous à nos enfants, et quels enfants laisserons-nous à notre planète ?*

Pour vous en dire plus

Un changement de vie est possible : qu'il s'agisse de changer de travail ou d'habitudes. Il n'y a pas qu'une voie. Il faut juste trouver la sienne. Ne pas toujours faire comme les autres. Le bonheur se vit, ça ne se (dé)montre pas.

Je vous souhaite de suivre vos envies, vos rêves un peu fous. Si on réussit, ce n'est que du bonus, et si cela ne marche pas du premier coup, on *apprend* – et ça sert toujours pour la suite.

Comme disait le grand philosophe Jean-Claude Dusse dans *Les Bronzés* : « Fonce, oublie que tu n'as aucune chance, sur un malentendu, ça peut marcher ! » C'est ma devise, depuis toujours. Elle m'a porté chance. Je vous souhaite le meilleur.

Affectueusement,
Aurélie

Pour contacter l'auteure

aurelie.valognes@yahoo.fr

Pour retrouver l'auteure

Instagram : aurelie_valognes
Facebook : Aurelie Valognes auteur
et sur son site : www.aurelie-valognes.com

Et les Éditions Mazarine

Twitter : @mazarineedition
Instagram : mazarine_editions
Facebook : editionsmazarine
et sur notre site : www.mazarine.fayard.fr

Table

Table

Cet ouvrage a été imprimé en France par
CPI Brodard & Taupin
Avenue Rhin et Danube
72200 La Flèche (France)

pour le compte des Éditions Fayard
en mars 2019

Photocomposition Nord Compo à Villeneuve-d'Ascq

Fayard s'engage pour
l'environnement en réduisant
l'empreinte carbone de ses livres.
Celle de cet exemplaire est de :
650 g éq. CO_2
Rendez-vous sur
www.fayard-durable.fr

PAPIER À BASE DE
FIBRES CERTIFIÉES

N° d'édition : 74-0648-4/02 - N° d'impression : 3033159